# 영혼의 방랑자

조규호 수상집

# 영혼의 방랑자

발　행 | 2024년 2월 28일
저　자 | 조규호
펴낸이 | 한건희
펴낸곳 | 주식회사 부크크
출판사등록 | 2014.07.15.(제2014-16호)
주　소 | 서울특별시 금천구 가산디지털1로 119 SK트윈타워 A동 305호
전　화 | 1670-8316
이메일 | info@bookk.co.kr

ISBN | 979-11-410-7284-1

www.bookk.co.kr

## | 책머리에 |

사춘기 시절 어느 날, 문득 나란 존재가 영원하지 않다는 사실을 깨달았다. 우주의 미아가 되는 꿈을 몇 날 며칠 꾸었다. 캄캄한 우주 공간에 화살처럼 내던져지는 공포에 한밤중에 깨어나기도 했다. 고등학교 졸업을 앞두고, 수업 시간에 선생님께 죽음에 관해 물었지만 미소만 지으셨다. 대학을 졸업한 후, 직장을 다니고 가정을 꾸리며 평범한 생활인이 되면서, 그 의문은 의식 저편 깊은 곳에 묻어두어야 했다.

정년퇴직하고, 마음의 여유가 생기고 늙음이 한 발짝 다가오자, 묵혀두었던 질문이 다시금 고개를 들었다.

태고 이래로 이 지구상에는 수많은 사람이 아침이슬처럼 왔다 갔다. 나는 광활한 우주 속에 우연으로 태어났다가 자연의 법칙에 따라 사라지는 뜬구름 같은 존재인가. 과연 나의 삶과 죽음이 어떤 의미가 있을까. 영겁의 비밀을 찾아서 내 영혼은 오늘도 우주를 떠돈다.

이 책은 삶과 죽음에 관한 인간 고뇌의 흔적과 내 사념의 그림자를 스케치한 글이다. 앞부분은 세상사에 대한 내 생각, 예술과 신화에 대한 해석, 존재의 신비에 대한 사색과 명상, 종교에 관한 생각을 정리했다. 심혈을 기울였던 부분은 죽음과 윤회에 관한 이야기다. 이 세상 그 아무도 경험한 적이 없고, 터놓고 얘기하기를 꺼리지만, 모두에게 예외 없이 다가올 확실성과 개별성이 있는 주제다. 마지막에 가족에 관한 글을 몇 편 실었다.

가족들을 통해 내 모습을 비춰보고 싶었다.

글을 묶고 보니 철학적 사변이 많아졌다.

생활 주변의 가벼운 일상사를 담은 경수필이 아니라, 사회현상이나 철학적 주제에 관한 에세이 또는 중수필이다. 그래서 수필집이 아닌 수상집이라 이름했다.

형이상학적인 내용을 짧은 수필형식으로 풀어내려다 보니, 독자에 따라 이해가 어려운 부분이 있을 수 있겠다. 특히, 죽음과 윤회 부분은 학자들의 연구 내용을 내 나름으로 정리하고 생각을 덧붙인 것이다. 다소 낯선 이야기를 하다 보니 내용이 중복된 부분도 있다. 암흑의 세계에서 한 가닥 빛이라도 찾으려는 열망으로 이해해 주기 바란다. 나와 견해를 달리 하는 분들도 여유로운 마음으로 가볍게 읽어주셨으면 한다. 지성을 넘어 영성에 이르려는 고독한 여정에 함께 할 영혼이 한 사람이라도 있었으면 하는 소박한 바람이다.

이 책에는 내 자신의 이야기뿐 아니라, 가족의 이야기가 녹아있다. 여러모로 부족한 나를 믿고, 종심從心에 이르기까지 여정을 함께해 준 홍은숙 여사와 어려운 환경 속에서도 잘 자라 준 지현, 아현, 우근에게도 고맙다는 말을 하고 싶다.

마지막으로 나의 글을 묵묵히 봐주시고 격려의 말씀을 아끼지 않으신 계간 『현대수필』 발행인 오차숙 선생님께 깊은 감사의 말씀을 드린다.

2024년 2월 28일

청계 조규호

| 조규호 수상집 목차 |



## 제1장 세상사



## 제2장 예 술

## 제3장 신 화



## 제4장 사 색

## 제5장 명 상

## 제6장 종 교



## 제7장 죽 음

## 제8장 윤 회



## 제9장 내 삶의 실루엣



| 축하글 |

# 제1장 세상사

## 명 의名醫

중국인들은 나라가 커서인지 허풍이 심하다.

당나라 시인 이백은 백발이 삼천 장9,090m이라고 했고, 한무제 때 동방삭은 삼천 갑자18만년를 살았다고 한다. 동방삭은 계산상으로 아직 생존해 있어야 한다.

인도인은 중국인보다 허풍이 더 심하다.

불교에서 부부의 인연은 7천 겁의 인연이라고 한다. 1겁이 4억 3,200만 년이라고 하니, 환산하면 3조 240억 년이다. 과학자들이 추산하는 우주의 나이 138억 년보다 훨씬 많다.

중국인이나 인도인의 말은 그대로 믿을 게 못 된다.

중국의 의술도 후세 사람들이 고개를 갸웃하게 만드는 대목이 있다.

3세기경 중국에 화타化他라는 명의名醫가 있었다. 그는 외과수술 전문의였다. 그는 인도에서 생산된 대마와 허브를 재료로 만든 마비산마취제을 사용하여, 흉곽 성형술, 장 절제술, 두개골 천공술은 물론이고, 방광결석 제거술까지 했다고 한다.

조조가 그를 초빙해서 편두통을 치료해 달라고 했다. 그는 머리

개복수술을 해야 한다고 진단했다. 의심이 많은 조조는 화타가 자기를 시해하려고 한다며 죽여 버렸다. 조조가 역사상 저지른 과오 중 하나로 꼽힌다.

춘추전국시대BC4세기 편작扁鵲이란 사람도 이름난 명의였다.

편작의 부친이 천식으로 고생했는데 이를 치료하지 않고 있었다. 이를 보다 못한 그의 제자들이 나서서 아버지의 천식을 고쳤다. 그 말을 들은 편작은 '이제 아버지가 돌아가시게 되었다'라며 제자들을 나무랐다. 건강해진 그의 아버지는 술과 고기를 마음껏 먹고, 몸을 함부로 굴리다가 갑작스레 세상을 떠났다. 편작은 아버지의 성격에 맞춰 일부러 천식을 고치지 않았던 것이었다.

황제가 편작을 불러 의사인 그의 형들의 의술이 어느 정도인지 물었다.

편작이 말하기를 "맏형은 환자가 고통을 느끼기도 전에 표정과 음색으로 그 환자에게 닥쳐올 큰 병을 치료해 주기 때문에, 환자는 의사가 자신의 병을 치료해 주었다는 사실조차 모릅니다. 그리고 둘째 형은 병이 나타나는 초기에 치료하므로, 모든 사람이 다들 눈치채지 못합니다. 이런 탓에 사람들은 두 형을 시시한 의사라고 평가합니다. 반면, 저는 병이 깊게 될 때까지 눈치채지 못해, 중환자들만 치료하게 되니 제 명성만 널리 퍼졌습니다."라고 했다.

편작은 사람들이 병에 걸리지 않게 하는 것이야말로 진정한 명의라 하고, 자신은 하수下手라며 겸손해했다.

고대기원전 5세기 인도의 명의 기파耆婆가 의술을 배울 때 일이다.

스승에게 더 이상 배울 것이 없다고 여긴 기파가, 이만한 실력이면 세상에 나가 사람들을 치료해도 되지 않겠느냐고 물었다.

스승은 말했다.

"아직 부족하다. 세상에 나가 돌아다녀라. 풍토, 인심, 기후 등도 살펴라. 세상에 약이 되지 않는 것을 찾아오라."라며 떠나보냈다.

기파는 몇 년에 걸쳐 인도 전역을 돌아다녔다. 마침내 기파는 천지의 기운을 몸속으로 받아들였다가, 스스로 화합하여 몸 밖으로 나가게 하는 법을 터득하게 되었다. 자신 속에 들어오는 모든 것은 다 약이 되어 빠져나갔다. 그에게 가까이 오는 존재는 사람이든 짐승이든 풀이든 스스로 치유되었다. 그때야 기파는 스승의 말뜻을 깨닫고는 방랑의 삶을 마치고 귀향했다.

집으로 돌아온 기파는 스승에게 큰절을 올렸다.

"스승님, 세상에 약이 되지 않는 것은 없습니다."

스승은 말했다.

"이제 세상에 나가 사람을 치유해 주거라."

건강의 사전적 정의는 '몸이나 정신에 아무 탈이 없이 튼튼함'이다. 그렇지 못한 상태를 '병'이라 칭한다. 우리의 몸이나 정신에 아무 탈이 없게 하는 것이 의사가 해야 할 일이다.

편작의 두 형들은 본받을 만하다. 사람들이 병에 걸리지 않게 하는 것이 진정한 명의다. 기파의 말대로 우리의 몸을 자연의 숨결에 맡기고 자연과 함께 호흡하게 하는 것이 명의가 추구해야 할 길이 아니겠는가.

중국인과 인도인의 과장된 말은 믿을 게 못 되지만, 인간의 병과 자연을 유기적으로 보는 혜안慧眼은 본받을 만하다.

(2023.4.2.)

# 사과 예찬禮讚

나는 매일 아침 사과 반쪽을 먹는다.

한때는 사과의 신맛이 산성이라 여기고 단맛은 혈당을 높일 것 같아 멀리했었는데, 사과가 알칼리성이고 혈당조절 성분이 있다는 것을 알고부터는 꼭 챙겨 먹는다.

어릴 적 내가 살던 농촌에서는 사과가 귀했다. 늦여름 어머니가 보리쌀을 머리에 이고 강 건너 과수원에 가서 시퍼런 국광을 한 접 바꿔 오시곤 했다, 가을에는 국광 대신 빨간 홍옥이었다. 귀한 사과는 쌀 뒤주에 넣어두고 가끔 손님이 오시면 한 알씩 꺼내 먹었다.

사과는 원래 임금林檎이라고 했는데, 왕을 뜻하는 임금과 발음이 같아 능금으로 바꿔 불렀다고 한다. 고려 때부터 능금에 관한 기록이 나온다. 최세진은 그의 저서 『훈몽자회』에서 '금檎'을 속칭 '사과沙果'라 부른다고 기록했다.

한반도에 사과나무를 재배하기 시작한 것은 17세기 조선 사신이 중국에서 사과나무 묘목을 가져오면서부터다. 오늘날

개량종은 1901년 윤병수라는 사람이 미국 선교사들을 통해 묘목을 들여오면서부터다. 그중에서도 미주리산 사과가 우리 토양과 기후에 잘 적응했는데, 이것이 대구 사과의 원조다.

사과가 인기가 있는 이유가 무엇일까.

사과에는 수분 함량이 85%, 당분이 14%를 차지한다. 사과 한 개가 품고 있는 식이섬유는 양배추 1통과 비슷하다.

사과에는 위장을 보호하는 펙틴, 뇌졸중을 예방하는 페놀산, 헬리코박터균을 억제하는 카테킨, 에스트로겐이 함유된 플로리진, 칼륨, 비타민C, 유기산 같은 영양이 함유되어 있다. 그 외에도 혈당조절, 변비 예방, 다이어트, 피로 개선에 좋다. 아침에 먹으면 금金이라고도 한다.

사과는 인문학적으로도 여러 가지 의미가 있다.

아담과 이브가 먹은 선악과가 무화과라고 말하는 사람도 있지만 사과가 통설이다. 사과의 빨간색과 심장을 상징하는 하트모양 때문인지도 모르겠다.

그리스, 게르만, 북구의 신화 속에서 사과는 신들의 힘을 지탱하게 하는 과일로 여겨졌다. 신의 정원에만 열리는 열매로 기록되어 있다. 그리스 신화 속의 황금사과는 금전욕, 명예욕, 색욕, 권력욕을 상징한다.

동화 『백설공주』에서 주인공은 독이 든 사과를 먹고 깊은 잠에 빠졌고, 오페라 『윌리엄 텔』에서도 어린 아들의 머리에 사과를 놓고 활을 쏘기도 했다.

근세에는 뉴턴이 사과밭에서 만유인력의 법칙을 발견했다. 사과가 떨어지는 것을 보고 중력과 낙하의 법칙을 발견하고, 달이 지구를 어떻게 도는지를 설명했다. 뉴턴의 사과는 오늘날 서양의 과학문명을 여는 시발점이 되었다.

현대에도 사과는 상징성이 있다.

뉴욕의 애칭이 빅애플Big Apple이다. 그 연원이 무엇인지는 이견이 있지만, 뉴욕이 미국인들의 꿈을 실현하게 해주고 큰 성공을 안겨 줄 수 있는 꿈의 무대 - 달콤한 도시라는 은유를 담고 있다.

미국을 대표하는 기업인 애플Apple의 로고도 베어 문 사과 형태를 하고 있다. 혹자는 '컴퓨터의 아버지'로 불리는 앨런 튜링이 독이 든 사과를 먹고 죽은 것을 기리기 위해, 한 입 베어 문 사과 모양을 회사 로고로 했다고 말한다. 그러나 애플의 창업자 스티브 잡스는 1981년 '왜 애플이냐'는 기자들의 질문에, "사과를 좋아하기 때문이다. 사과는 사람들에게 단순함을 준다."라고 명쾌하게 답변했다. 애플의 컴퓨터 상표인 '매킨토시'도 사과 품종의 하나라고 한다.

역사가들은 이브의 사과, 세잔의 정물화, 뉴턴의 사과, 스티브 잡스의 사과를 일컬어 '세상을 바꾼 4대 사과'라 명명했다.

"내일 지구의 종말이 온다 해도, 나는 오늘 한 그루의 사과나무를 심겠다."라는 격언이 있다. 스피노자의 말이라고 알려졌지만, 신학자들은 종교개혁가 마르틴 루터가 한 말이라고도 한다. 인간이 지구의 종말을 막을 힘은 없지만, 순간순간 최선을 다해 살겠다는 진지한 삶의 자세를 보여준다.

사과는 인류 식생활과 문명의 키워드이다. 우리 인류가 반드시 후세에 물려줘야 할 소중한 지구의 자원이다.

(2023.1.26.)

## 계 두鷄頭

누가 나를 보고 닭대가리鷄頭라 하면 기분이 나쁠 성싶다.

머리가 제대로 안 돌아가고 주변 상황파악이 형광등처럼 늦은 사람을 보면 속으로 닭대가리라고 놀려대기도 하기 때문이다.

내가 어릴 적 시골에 살 때 어머니는 어쩌다 면 도회지에서 친척 아저씨가 오시거나 손님이 오시면 닭을 심심찮게 잡으셨다. 해가 뉘엿뉘엿 서산에 질 무렵 온 들판을 나돌던 닭들이 '스위트 홈'이랍시고 닭장으로 한 마리 두 마리 들어가 앉으면 어머니는 식칼을 숫돌에 쓱쓱 간다. 그러고는 손을 철망으로 된 닭장에 쑥 밀어 넣어 미리 점찍어 둔 놈의 날갯죽지를 잡아채어 퍼덕거리는 놈을 끄집어낸다. 이윽고 어머니는 입속으로 뭐라고명복을 빔 중얼중얼하면서 도마 위에 올려놓고 내리치면 닭은 찍소리 한번 못하고 퍼덕거리다가 축 늘어진다. 그날 저녁은 구수한 기름기 넘치는 닭 육개장이 성찬을 이룬다. 참으로 고맙고 복 받을 닭이다.

요즈음도 나는 공휴일 오후나 저녁 무렵 배가 출출하기는 한데 마땅히 먹을 게 없는 날이면 막내아들을 꼬드긴다. "치킨 한 마리 안 먹을래?" 비교적 아랫배가 비만한 막내는 음식을 줄여야 하지만, 아이가 치킨을 좋아한다는 점을 핑계 삼아 나도 같이 닭고기를 맛본다. 날갯죽지는 선뜻 손이 안 가는데 닭 날개를 먹으면 바람기가 있다는 속설 때문에 께름칙해서다. 모가지 부분은 뼈가 많고 실속이 없어 별로다. 그렇지만 닭이 우리 식생활에 얼마나 활력을 주는지 마땅히 감사에 또 감사해야 한다고 주장한다.

김모 전 대통령이 재야 시절에 "닭의 모가지를 비틀어도 새벽은 온다."라고 일갈하여 히트(?)한 것으로 기억한다. 그 당시는 군사독재 정권에 항거하는 의미에서, 아무리 독재정권이 민중을 억압해도 민주주의의 동은 튼다는 의미로 한 말이라 짐작된다.

이렇듯 닭은 12간지의 10번째酉에 해당하면서 고래古來로 우리 민중에게 새벽을 알려주는 고마운 가금류의 하나이다.

내친김에 우화寓話 하나를 소개한다.

지구상 먼 구석 시골 마을에 참으로 잘 생기고 늠름한 장닭을 한 마리 기르는 노파가 살고 있었다. 이 마을에는 하나뿐인 닭이었다. 이 닭은 대단한 모범생으로 아침 먼동이 틀 무렵이면 어김없이 예의 그 '꼬꼬댁'을 목이 터지라 외쳐댔다. 노파는 그러는 닭을 무척 대견스럽게 여기고 있었다.

그러기를 수년. 노파는 차츰 닭에 대한 자긍심이 높아져 이 닭의 울음소리가 마을에 새벽을 여는 열쇠라고 여기게 되었다. 그리하여 닭이 울지 않으면 새벽은 오지 않는다는 확신에 이르게 되었다.

그러나 마을 사람들은 이 닭에 대한 고마움이나 닭 주인인 노파에 대한 경의도 표하지 않고 버릇없이 함부로 대했다.

이에 노파는 심히 못마땅해했다. 더 이상 형편없이 무지한 마을 사람들과는 같이 산다는 것이 기분 나쁘다고 느낀 노파는 이 마을에서 새벽을 더 이상 열어주지 않으리라 마음먹고, 어느 날 밤에 닭을 보자기에 싸서 이웃 마을로 야반도주夜半逃走를 해버렸다.

먼동이 틀 무렵 이웃 마을에 다다른 노파는 닭을 바라보며 고소苦笑하다는 듯이 중얼거리며 회심의 미소를 흘렸다.

"아마 지금쯤 무식한 마을 사람들이 칠흑 같은 어두움에 싸여 새벽을 열어달라고 하며 나와 닭을 찾는다고 난리를 칠 것이구먼…."

근년에 들어 거의 모든 분야에 변화와 혁신의 외침이 우리 주변을 메아리친다. 변화와 혁신을 주창하는 그 많은 사람 중에서 노파와 같이 자아도취自我陶醉에 빠져있는 사람은 없을까 하는 생각이 가끔 든다. 나만의 기우杞憂일까?

(2006년)

※ 이 글은 『감우정담』에 게재

## 귀도비법전수鬼盜秘法傳授

옛날 어느 마을에 도둑이 살고 있었다.

그 도둑은 남의 집에 들어가 물건을 훔치는 기술이 워낙 신출귀몰神出鬼沒하여 이웃 사람이 이 사람을 두고 그가 도둑인지도 몰랐다고 한다. 한마디로 귀도鬼盜의 반열班列에 오른 사람이었다.

그에게는 아들이 하나 있었는데 나이가 들수록 아버지가 점점 더 존경스럽게 보였다. 그런데 아버지가 늙어갈수록 아들에게는 한 가지 근심거리가 생겼다. 아버지가 늙어 죽으면 가업을 어떻게 계승하느냐는 것이었다. 더구나, 아들은 아무런 기술이 없는 백수였으니 말이다. 아들은 아버지에게 남에게 들키지 않고 도둑질하는 비법을 자신에게 전수해 달라고 간곡히 부탁했다. 하지만 아버지는 들은 척도 하지 않았다. 그 후에도 아들은 틈만 나면 아버지에게 비법을 전수해달라고 졸랐지만 헛수고였다. 어느덧 아버지도 노쇠해져 차츰 밤일(?) 나가는 것을 줄이게 되고 가끔은 끼니 걱정을 해야 할 지경에 이르렀다.

아들은 더 이상 참을 수 없어 아버지에게 대들었다. 도대체 언제 그 비법을 전수해 줄 것이냐고…. 그러던 어느 날 칠흑같이 어두운 밤 아버지가 아들에게 "오늘 비법을 전수해 주마. 같이 가자!"라며 집을 나섰다. 아들은 가슴이 벅차오르는 것을 느꼈다. '아! 이제 나도 귀도가 되는구나.'하고.

이들 부자는 어느 부잣집의 담을 타고 넘었다. 이 방 저 방을 뒤져

귀금속을 한 보따리 챙겨 아들에게 넘겨준 후, 아버지는 아들에게 장롱에 보석이 더 숨겨져 있다며 들어가 보라고 했다. 아들이 보석자루를 안은 채 장롱에 들어갔다. 그 순간 아버지는 갑자기 장롱을 닫고 밖에서 장롱의 빗장을 걸고 난 후, 집안을 향해 큰 소리로 "도둑이야!" 하면서 혼자 냅다 도망을 쳐버렸다.

그 소리에 온 집안사람이 깨어나 도둑을 찾느라 허둥대기 시작했다. 아버지의 황당한 행동에 눈앞이 캄캄해진 아들은 아버지를 원망할 겨를도 없이 오직 살아야겠다는 일념으로 머리를 잽싸게 굴렸다. 그리고 자신도 모르게 엉겁결에 '야옹야옹'하며 고양이 울음소리를 냈다. 하인들이 장롱 안에 웬 고양이가 있나 하며 빗장을 여는 그 순간을 놓치지 않고 아들은 장롱에서 뛰쳐나오면서 하인들을 확 밀치고 도망을 쳤다. 그러자, 놀란 하인들이 몽둥이를 들고 우르르 뒤쫓아 왔다. 한참 이리저리 도망을 다니는데 마침 앞에 우물이 보였다. 아들은 살아야겠다는 일념으로 손에 들고 있던 보석자루를 우물에 던지고는 어둠 속을 질주하여 도망쳤다. 하인들은 우물에서 들려오는 '풍덩' 소리에 도둑이 우물에 뛰어든 줄 착각하고 우물에서 도둑을 찾기 시작했다. 그동안 아들은 무사히 어둠 속을 유유히 도망쳐 집으로 돌아올 수 있었다.

집으로 돌아와 보니 아버지는 누워서 아무 일 없었다는 듯이 태평스럽게 잠을 청하고 있었다.

아들은 아버지에게 씩씩거리면서 막 대들 기세인데, 아버지가 먼저 한마디 했다. "아무 말 하지 마라. 네가 무사히 집으로 돌아오지 않았느냐? 그럼 됐다."

2000년도 이후 우리 ○○원에는 전문화, 조직보강 등을 위해 신규직원이 많이 증원되었다. 출신도 공채 외에 변호사, 회계사, 박사 등 다양하다. 출신이 어떻든 ○○원에 첫발을 내딛는 직원들의 꿈은 명감사관名監査官이 되는 것이리라. 그래서인지 신규직원들이 선배들에게 "어떻게 하면 감사를 잘할 수 있느냐?"고 묻는 것이 자주 목격된다.

인심 좋은(?) 선배 감사관은 친절하게 노하우를 알려주거나 손에 쥐어주려고 노력한다. 선배 감사관의 이런 모습이 아름답게 보이기도 하지만 사실 곁눈길로 서럽게 배우는 경우도 더러 있다. 하지만 선배가 달을 보라고 손가락질을 하는데 손가락에 집착하면 달을 놓치는 우[1]를 범하기 쉽다. 하여 나는 소이부답笑而不答이 진수眞髓에 더 가깝다고 여겨진다. 이는 마치 선 수행에 있어 '길 없는 길'과 같다. 명감사관이 되는 길은 그 어디에도 없다. 스스로 헤쳐 나가는 것이다. 지극한 진리는 지식이나 지능보다 직관이나 지혜에서 나오는 것이기 때문이다. 직관이나 지혜는 지식의 경계를 뛰어넘는다.

도둑의 아들이 장롱에서 도망쳐 나오듯 문제해결을 위한 화두일념話頭一念으로 혼신의 힘을 기울일 때 거기에 답이 있고 명감사관이 되는 비법이 있다.

감사관으로서의 일을 배우는 후배 중에는 사건조사나 보고서 작성을 하면서 고민을 거듭하다가 지쳐 '더 이상 못하겠다' 또는 '이것이 나로서는 최선이다'라며 포기조로 말하는 경우가 있다. 하지만 그 순간에 백척간두진일보百尺竿頭 進一步라는 말을 떠올려 보는 것도 좋을 것이다.

(2007.7월)

※ 이 글은 『감우정담』에 게재

1) 견지망월(見指忘月) : 본질을 외면한 채 본질과는 관계없는 일부분만 보고 집착하는 것을 비유한 고사성어

## 거짓말 소고小考

탈무드에 나오는 우화寓話다.

왕이 두 신하에게 세상에서 가장 좋은 것과 가장 나쁜 것을 찾아오라고 명했다. 1년 후 이들이 돌아와 아뢰었다.
한 신하가 가장 좋은 것은 '칭찬하는 사람의 혀'라고 했다. 다른 신하도 가장 나쁜 것이 '저주하는 사람의 혀'라고 했다.

사람의 혀는 의사소통의 도구지만, 때에 따라서는 칼과 같이 다른 사람에게 깊은 상처를 준다. 대표적인 것이 거짓말이다.

거짓말은 '사실이 아닌 것을 사실인 것처럼 꾸며대는 말'을 의미한다.
워싱턴포스트지는 트럼프 대통령이 3년 6개월 동안 2만 회의 거짓말을 하여, 하루 평균 16회의 거짓말을 했다고 보도한 바 있다. 하루 평균 미국인은 2.1회, 한국인은 3회의 거짓말을 한다는 연구결과도 있다.
인간이 거짓말 제조기가 아닌지 의심된다. '양치기 소년'

이나 '피노키오' 이야기가 남의 이야기가 아니라 우리 모두에게 해당한다.

학자들은 인간은 3살 전후부터 거짓말을 시작한다고 한다. 거짓말과 함께 성장하는 셈이다. 인간의 몸속에 거짓말 유전인자가 숨겨져 있는지도 모른다.

거짓말을 많이 하는 직업으로는 점원, 정치인, 변호사, 세일즈맨 순이라고 한다.

혹자는 거짓말을 색깔별로 구분 짓기도 한다.

셰익스피어는 '하얀 거짓말'white lie이란 말을 처음 사용했다. 남을 배려한 '선의의 거짓말'을 뜻하는데, 세계적으로 널리 쓰이고 있다.

반대되는 말로는 '까만 거짓말'black lie이 있다. 이것은 자신의 이익을 얻기 위해 남에게 손해를 끼치는 '나쁜 거짓말'이다.

그밖에 '빨간 거짓말'은 상대방이 진실이 아니라는 것을 알고 있는데도 하는 뻔한 거짓말이고, '노란 거짓말'은 아이들이 하는 귀여운 거짓말이다. '분홍 거짓말'은 연인 사이에 하는 거짓말이고, '파란 거짓말'은 자신이 속한 집단[2]의 이익을 위한 거짓말을 의미한다.

그리고 '무지개 거짓말'도 있다. 이야기를 재미있게 꾸민 달콤한 거짓말로 소설이나 영화와 같은 픽션이 해당한다. 이것은 소비자들이 기꺼이 돈을 내는 합법적 거짓말이므로, 잘하면 돈도 벌고 인기도 얻게 된다.

---

2) 미국 경찰의 푸른 제복에서 유래.

거짓말의 발달과정을 더듬어 보자.

인간은 힘이 센 동물들을 상대하기 위해 집단을 이루었다. 집단이 커지고 사회가 복잡해지자 생존경쟁이 치열해졌다. 경쟁에서 살아남기 위해 남을 속이기 시작하면서 자연히 거짓말이 생겨나기 시작했다.

미국의 소설가 마크 트웨인은 "거짓말은 보편적인 현상이고, 우리 모두 거짓말을 하고 있다."라고 말했다. 호모 사피엔스지혜가 있는 인간 대신에 호모 팔락스속이는 인간라고 불러야 한다고도 했다.

우리는 거짓말을 하지 않고 진실만을 말하며 살 수는 없을까.

미국의 한 연구가가 40일간 거짓말을 하지 않고 생활을 해봤다. 그는 친구의 불륜사실을 친구 부인에게 알려주었고, 직장상사에게 바보라고 솔직하게 말했으며, 아내에게 비호감이라고도 말했다. 그 결과 그가 마주쳐야 했던 상황은 끔찍했다.

그의 결론은 일상에서 어느 정도의 거짓말은 사회의 불신을 줄이고 신뢰를 쌓는 윤활유 역할을 한다는 것이었다.
거짓말의 긍정적인 기능을 인정한 것이다. 그래서 만우절이 생겨나지 않았나 싶다.

우리는 거짓말을 마구 해도 될까.

모든 종교가 거짓말을 경계한다. 불교에서는 5계 중 하나가 불망어不妄語이고, 기독교에서는 10계 중 9번째가 '거짓 증언을 하지 마라'다.

뇌 과학자들에 의하면, 부정직한 말을 거듭하면 뇌의 전두엽에 있는 거짓말 제동 부위의 제동력이 점차 떨어져, 나중에는 제어가 되지 않는다고 한다. 심한 경우 자신마저 속이는 정신병으로 발전한다.

사회에 거짓말이 만연하면 혼란에 빠질 것이다. 수사관들은 사건의 진실을 찾아내기 위해 거짓말 탐지기에 매달려야 할지도 모른다.

그러면 어느 수준의 거짓말이 허용될까.

어떤 형태로든 내게 이익을 가져다주는 거짓말은 삼가야 할 것이다. 특히 남에게 손해를 끼치는 까만 거짓말black lie은 해서는 안 된다. 사기나 기망에 해당하는 범죄행위가 된다.

반면, 상대에게 이익을 주는 '선의의 거짓말'은 허용해도 되지 않나 싶다. 가벼운 거짓말은 무방하다. 진실한 대화 가운데, 거짓말이라는 조미료를 살짝 곁들이는 것이 유쾌한 분위기 조성에 도움이 된다고 여겨진다.

가끔 남의 거짓말을 눈감아주는 것도 인간관계 형성에 나쁘지 않을 것이다.

(2022.9.30.)

※ 이 글은 2022년 『감우정담』 제21호에 게재

## 콜럼버스의 추락

'역사는 승자의 기록이다'라는 말이 있다. 패자는 말이 없다.

그런데 세월이 지나면 역사적 인물에 대한 평가가 다시 내려지기도 한다. 사회적 환경이 바뀌고 역사 인식이 새롭게 변하기 때문이다.

내가 국민학교에 다닐 때만 해도, 아메리카 신대륙을 발견한 콜럼버스는 탐험가이고, 남들이 세우지 못하는 달걀을 세우는 멋진 개혁가였다. 꿈을 먹고 자라는 소년들의 우상이었다.

콜럼버스는 1492년 8월 3일, 산타마리아호를 비롯한 3척의 배에 120명의 선원을 태우고 스페인에서 출발하여 대서양을 가로질렀다. 최종 목적지는 인도였다.

그의 배는 10월 12일 쿠바와 히스파니올라아이티와 도미나카공화국에 상륙했다. 그는 그 땅을 인도라고 여겼다. 그런데 그들이 찾던 후추는 없었다. 약탈한 금덩어리 몇 조각을 가지고 스페인으로 돌아가야 했다. 그 후 유럽에는 그가 찾았다는 신대륙이 황금으로 뒤덮였다는 소문이 퍼졌다. 콜럼버스는 그 후 10년간 3차례 더 그 땅을 밟았다. 그러나 끝내 후추도 금도 구하지 못한 채 죽음을 맞이했다. 그는 죽는 순간까지 자기가 발견한 땅을 인도라고 여겼다.

그의 신대륙 발견은 아메리카의 역사와 문화에 많은 영향을 주었다.

미국의 수도, 워싱턴 D.C.의 'D.C.'는 컬럼비아 특별구 District of Columbia의 약자다. 즉 '콜럼버스의 땅'이라는 뜻이다. 오하이오주의 수도가 콜럼버스시Columbus city이고, 뉴욕에 컬럼비아 대학교University of Columbia가 있다. 중남미에는 콜롬비아 Columbia라는 국가도 있다.

아메리카 대륙의 여러 나라에서 10월 12일을 '콜럼버스의 날'로 기념한다. 수 세기 동안 아메리카 여기저기에 그의 동상이 세워졌고 영웅 대접을 받았다.

하지만 최근에는 이러한 분위기가 바뀌고 있다.

그의 항해가 낳은 비극의 그림자 때문이다.

아메리카 원주민들에겐 그의 탐험은 '죽음의 항해'로 다가왔다. 일확천금을 노리고 몰려온 모험가들이 원주민을 닥치는 대로 학살했다. 옥수수와 감자를 유럽으로 빼앗아 가는 대신, 원주민에게는 천연두, 홍역, 매독과 같은 몹쓸 질병을 안겨주었다. 그 영향으로 면역력이 약한 원주민의 80퍼센트가 죽어 나갔다.

이런 후폭풍 때문에, 콜럼버스는 역사적으로 새로운 평가를 받고 있다.

1972년 미국의 역사학자 앨프래드 크로스비가 문제를 제기한 것을 계기로, 미국은 1990년대 역사 교과서에 콜럼버스의 '신대륙 발견'이 가져온 부정적 결과에 대해 새롭게 조명하기 시작했다.

1992년 미네소타 대학교에서 콜럼버스에 대한 모의재판이 열렸다. 12명의 배심원은 노예 범죄, 강제노동, 살인, 폭행, 고문, 유괴, 절도 등 7개 범죄혐의를 적용하여 350년의 사회봉사 판결을 했다.

1998년에는 온두라스 원주민들도 모의재판을 열었다. 노예무역, 대량학살, 성폭력으로 그에게 사형판결을 내렸다. 초상화에 사형까지 집행했다.

2009년 펜실베이니아주 한 초등학교에서도 모의재판이 열렸다. 학생들은 그에게 사기와 절도죄를 적용해 무기징역을 선고했다.

2017년 로스앤젤레스 시의회에서도 '콜럼버스의 날'을 없애고, 그날을 '원주민의 날'로 대체 지정했다.

지금은 미국 사람들이 콜럼버스가 신대륙을 발견하기 전부터 원주민이 살고 있었다는 것을 인정한다.

15세기 말 포르투갈이 아프리카 남단을 돌아 인도로 가는 뱃길을 개척하자, 스페인 여왕 이사벨 1세는 위기감을 느끼고 지도제작자인 콜럼버스에게 인도를 개척하라고 특명을 내렸다. 그는 지구가 둥글다는 것을 믿고 대서양을 가로질러 인도에 도착하려고 했다. 오늘날 지식에 비추어 보면, 애초부터 무모한 항해였다.

항해의 목적은 후추와 향신료를 얻으려는 한탕주의였다. 또한 그는 첫 항해의 실패를 원주민들로부터 약탈한 금덩이 몇 조각으로 황금 대륙이 존재하는 것처럼 사람들을 속임으로써, 그 뒤 많은 유럽 사람이 아메리카로 몰려가는 신호탄이 되었다. 그의 항해는 자신의 이익을 위해 원주민을 하찮게 여기는 탐욕의 발로였다.

콜럼버스가 죽은 지 500년이나 지난 지금, 그는 영웅에서 해적으로 추락했다.

역사적 사실은 되돌릴 수 없지만, 사람에 대한 평가는 먼 훗날 언제라도 다시 이루어질 수 있음을 엄숙히 기억해야 할 교훈이다.

(2023.3.3.)

## 천재들만의 세상

간혹 우수한 인재들만 사는 세상을 상상해 본다.

열등한 사람들은 도태되고, 유전적으로 우수한 사람만으로 이루어진 사회는 어떠한 모습일까. 생명공학이 발달하면 가능할 듯도 하다.

그런데 현실을 둘러보면 고개를 갸웃거리게 된다. 일류대학을 나온 우수한 지능의 부부 사이에 태어난 아이가 자폐아, 저능아인 경우를 종종 본다. 이들의 아이가 아무리 노력하며 공부해도 부모의 기대에 못 미치게 되자, 스스로 목숨을 끊었다는 뉴스를 접하기도 한다. 천재 부부 사이에 태어난 아이가 천재가 아닐 가능성도 있다.

천재들만이 모인 사회는 효율적으로 작동될 것인가.

경영학에서는 조직의 협업을 중시한다. 두 조직이 함께 작업을 해서 상승효과를 낼 때 '시너지효과'를 낸다. 즉 '1+1〉2'이다. 기업은 시너지효과를 얻기 위해 인수와 합병M&A을 빈번히 한다.

하지만 어떤 경우에는 두 조직을 합쳐도 생산이 늘어나지 않는 경우가 있다. 즉 '1+1〈2'이다. 이를 '링겔만 효과'라고 한다. 링겔만이란 프랑스 사람이 줄다리기 실험을 했다. 3명, 5명, 8명의 순으로 참가자를 늘려가며 개인 힘의 합과 전체의 당기는 힘을 측정했다. 이론상으로는 '개인 힘의 합 = 전체의 힘'이 되어야 하는데, 실제 나타난 결과는 '개인의 힘의 합〉전체의 힘'이었다. 참가자 개개인이 '나 하나쯤이야' 하며 최선을 다하지 않았기 때문이다. 원인은 각자 역할에 대한 불만과 성취감 부족에 있었다. 유능한 운동 감독은 이 효과를 역으로 이용하여, 유명선수보다 무명 선수에게 동기부여를 하여 훌륭한 팀으로 키워내는 기적을 낳기도 한다.

'역 시너지효과'라는 것도 있다. 조직을 줄여야 생산성이 늘어나는 경우이다. 즉 '3-1〉2'이다. 기업 인력감축의 논거로 활용된다. 내가 직장을 다녀본 경험으로는, 10명의 직원 중, 대략 3:4:3의 비율로 회사에 대한 충성도가 갈린다. 3명은 열성적, 4명은 보통, 3명은 불만을 품은 채 회사에 다닌다. 불평만 늘어놓는 직원은 조직에 도움이 되지 않으면서도 급여는 꼬박꼬박 타감으로써 무임승차를 하는 셈이다.

한편, 영국의 경영학자 메러디스 벨빈은 1981년 우수한 두뇌의 '우수팀'과 평범한 두뇌의 '일반팀'을 경쟁시키는 실험을 했다. 결과는 일반팀이 더 나았다고 한다. 우수팀은 새로운 아이디어는 많이 냈으나, 다른 사람의 주장을 받아들이지 않고 자기만 옳다고 하느라 실천은 뒷전으로 밀려나고 서로를 비난하기에 바빴기 때문이다.

우리 사회에 천재들만 있다면 어떤 일이 일어날까.

결론적으로, 천재 부부 사이에도 둔재가 태어날 가능성이 있고, '링겔만 효과'나 벨빈의 실험결과와 같이 사회구성원 간의 협업도 제대로 되지 않을 수도 있다. 사회라는 큰 배에 노를 저을 일꾼보다, 방향만 지시하는 - 선장 노릇을 하려는 사람이 많아 사회가 혼란에 빠질 위험이 있다.

나의 상상 속 천재들만의 세상은 실패할 공산이 크다.

천재와 둔재, 보통사람이 함께 어울려 사는 현재의 세상이 오히려 바람직한 것 같다.

(2023.2.15.)

## 면후심흑面厚心黑

사람들은 흔히 '중국 사람은 속을 알 수가 없다'라고 말한다.

덩샤오핑은 1978년 '도광양회韜光養晦'를 선언했다.

당시 낙후된 중국을 발전시키기 위해 '빛이 밖에 퍼지지 않도록 감추고 어둠 속에서 은밀히 힘을 기른다'는 뜻의 비전을 제시한 것이다. 그로부터 35년이 지난 2013년 시진핑은 '일대일로一帶一路'[3])를 선포하더니, 이듬해에는 '잠자는 사자가 드디어 깼다'고 큰 소리로 외쳤다.

근년에는, 일본, 한국, 대만 등에 대해 고압적인 태도로 나오고 있다. 중국의 이러한 양면성을 이해하기 위해서는, 그들의 역사와 문화 속에 녹아있는 생존철학을 들여다볼 필요가 있다.

청나라 말기 사상가 이종오李宗吾는 '뻔뻔한 것은 천하의 대본大本이며, 음흉한 것은 천하의 달도達道'라고 말했다. 그는 치자治者의 제일 덕목으로 면후심흑面厚心黑을 들었다.[4]) 그는 한나라

---

3) 중앙아시아와 유럽을 잇는 육상 실크로드(일대)와 동남아시아와 유럽, 아프리카를 연결하는 해상 실크로드(일로)를 뜻하는 말

4) 이종오(1879~1944), 1912년 『후흑학』

유방이 역발산기개세力拔山氣蓋世[5]의 항우를 이긴 이유가 얼굴의 뻔뻔함과 마음의 음흉함이 앞섰기 때문이라고 분석했다. 항우의 병病은 '부인지인婦人之仁 필부지용匹夫之勇'이었다[6]. 홍문의 연회[7]에서 유방을 죽일 기회가 있었음에도 머뭇거리다 놓쳤고, 해하의 전투에서[8] 강 건너로 도망갔더라면 훗날을 도모할 기회가 있었는데도, 부하들을 볼 면목이 없다며 자결했다.

이에 비해 유방은 항우가 자신의 부친을 붙잡아 삶아 죽이겠다고 하자, 태연하게 '그 국 한 사발을 달라'고 너스레를 떨었다. 그는 초나라 병사들에게 쫓기는 위급상황에서도 자신의 목숨을 건지려고 딸과 공주를 마차에서 세 번이나 밀어냈다.
건국의 일등공신 한신도 유방에 비해 속마음이 시커멓지 못해 죽임을 당해야 했다.

삼국쟁패에서 조조는 음흉함, 유비는 뻔뻔함, 손권은 그 두 가지 모두를 어느 정도 겸비함으로써 힘의 균형을 이루었다.

조조의 특기는 속이 시커멓다는 데 있었다. 자신에게 도움을 준 여백사를 죽이고 공융과 양수, 동승, 황후, 황자를 죽였다. 그는 '내가 남에게 버림받느니 차라리 내가 먼저 버리리라'고 외쳤다.

유비는 낯이 보통 두껍지 않았다. 그는 조조를 비롯하여 여포, 유표, 손권, 원소에게 붙으면서 이쪽저쪽을 오간 인물이다. 진퇴양

---

5) 항우의 〈해하가〉에 나오는 말이다. 자신을 '힘은 산을 뽑을 만하고 기운은 세상을 덮을 만하다'고 표현.
6) 여자의 소견이 좁은 어진 마음과 좁은 소견으로 힘, 혈기만 믿고 함부로 날뛰는 행동을 말함. 한신이 항우를 평가한 말.
7) 홍문연에서 항우의 참모 범증이 유방을 죽이라고 권했으나 머뭇거리다가 유방이 도망감.
8) 항우와 유방의 해하에서의 최후결전에서, 항우가 강동으로 도망갈 기회가 있었음에도 부끄럽다며 자결함.

난에 빠질 때는 사람들을 붙들고 통곡하는 연기도 잘했다. 그래서 '유비의 강산은 울음에서 나왔다'는 우스갯소리도 있다.

손권은 유비와 조조에는 못 미쳤지만, 두 가지를 골고루 갖춘 까닭에 삼국쟁패의 대열에 합류할 수 있었다.

하지만 이들 세 사람은 삼국통일을 이루는 데는 모두 실패했다. 그 이유는 뻔뻔함과 음흉함을 모두 겸비하지 못했기 때문이다.

마침내 두 가지를 모두 겸비한 인물이 나타났다. 사마의다. 그는 과부와 고아까지 사기의 대상으로 삼았으니 음흉한 정도가 조조에 버금갔고, 제갈량으로부터 여자의 치마를 선물 받고도 능히 참아 뻔뻔함이 유비보다 더했다. 천하의 제갈량도 그의 후흑을 이기지 못하고 눈을 감았다.

결국 사마의의 후흑 덕분에 손자 사마염이 삼국통일西晉의 주인공이 되었다.

이종오는 하늘이 사람을 낼 때 낯가죽 속에 뻔뻔함을 감출 수 있게 해주었고, 마음속에 음흉함을 감출 수 있게 했다고 하였다. 그래서 사람들은 흔히 '열 길 물속은 알아도 한 길 사람 속은 알지 못한다'고 말한다.

그는 후흑을 나쁘거나 부끄럽게 보지 않았다. 인간사회에서 살아남기 위한 최종병기로 보았다. 천하쟁패의 시대에는 인의를 앞세운 왕도정치보다는 힘을 앞세운 패도정치가 승리했다. 공자사상은 면박심백面薄心白하여 전쟁과 같은 혼란기에는 맞지 않는다.

그는 후흑에도 세 단계의 수련과정이 있다고 했다.

제1단계는 낯가죽이 성벽처럼 두껍고 속마음이 숯덩이처럼 시꺼먼 후여성장厚如城墻 흑여매탄黑如煤炭의 단계이다.

제2단계는 낯가죽이 두꺼우면서 딱딱하고 속마음이 검으면서도 맑은 후이경厚而硬흑이량黑而亮의 단계이다.

제3단계는 낯가죽이 두꺼우면서도 형체가 없고 속마음이 시꺼먼데도 색채가 없는 후이무형厚而無形흑이무색黑而無色의 단계이다. 3단계에 이르면 사람들은 후흑과는 정반대의 불후불흑不厚不黑의 인물로 여기게 된다.

무엇보다도 후흑론의 백미白眉는 겉으로는 반드시 '인의도덕仁義道德'의 탈을 쓰고 속내를 드러내지 않는 데에 있다. 남이 알아채지 못하게 은밀하게 처신해야 한다. 최근 중국이 세계 각국에 '공자孔子학원'을 설립하여 인의도덕을 선전하는 저의가 의심스럽다.

후흑론은, 이종오 스스로도 인정했듯, 맹자의 성선설이나 순자의 성악설과 같이 인간 본성의 한쪽만을 본 것일 수도 있다. 나는 후흑이 인간 본성이라기보다, 오랜 전란으로 극한투쟁을 겪으면서 형성된 자기방어적 기제機制의 결과라는 생각이 든다.

한편 현실을 돌아보면, 후흑의 심리가 중국인뿐 아니라, 인간사회의 보편적 심리작용이라고 할 수 있다.

오늘날 국제사회는 약육강식의 전쟁터다. 권모술수와 이합집산이 난무한다. 국내 정치에서도 뻔뻔하고 음흉한 자들이 들끓고 있다. 그런데 대부분 수련이 부족한지 속내가 빤히 들여다보인다.

그래도 누군가가 나에게 후흑을 인생철학으로 받아들일 것인가 묻는다면, 고개가 갸웃거려질 것이다. 아무래도 그것은 각박한 현실에서 살아남기 위한 극약처방 같다.

인간성 회복과 삶에 희망을 주는 떳떳한 처세술은 없을까.

(2023.6.13.)

# 용의 후예

1985년 중국 최대 명절인 춘절에 「용적전인龍的傳人」이라는 노래가 TV전파를 타고 전 중국에 울려 퍼졌다.

이 노래는 얼마 지나지 않아 국민가요가 되었다. 이 노래는 원래 1978년 대만의 대학생 허우더젠이 만든 곡이다. 미국이 타이완과의 국교를 단절했다는 소식을 접한 그는 과거 의화단 사건[9]을 떠올리고 울분에 차, 단숨에 이 노래를 써 내려갔다고 한다.

머나먼 동방에 강이 한 줄기 있으니 그 이름인즉 장강이라
머나먼 동방에 강이 한 줄기 있으니 그 이름인즉 황하라
여지껏 장강의 아름다움을 본 적 없으나 꿈결에서 마음은 장강물에 노닐고
여지껏 황하의 장대함을 본 적 없으나 꿈결에서 가득 소용돌이치네.

예로부터 동방에 용이 한 마리 있으니 그 이름인즉 중국이라
예로부터 동방에 한 무리의 사람들 있으니 모두 용의 후예로다
거룡의 다리 밑에서 내가 자랐으니, 자란 이후에는 용의 후예
흑안 흑발에 누런 피부, 길이길이 용의 후예일세

---

9) 청나라 말기인 1900년 중국 산동성(山東省)에서 일어난 반기독교 폭동을 계기로 화북(華北) 일대에 퍼진 반제국주의 농민투쟁. 북청사변(北淸事變)·단비(團匪)의 난이라고도 한다.

백 년 전 평화로운 어느 날 밤, 큰 변화의 전야인 깊은 밤에
총포소리가 평화로운 밤을 깨뜨리고, 무절제한 방종이 불러온 사면초가였다.
총소리가 울리길 몇 해, 몇 해에 또 몇 해였던가.
거룡아 거룡아 너는 눈을 떠라 길이길이 눈을 떠라

이 노래는 중국인을 '용의 후예'라고 한다.

용은 12간지의 동물 중 유일하게 실재하지 않는 상상의 동물이다. 용은 여러 동물의 특징을 가지고 있다. 얼굴은 낙타, 뿔은 사슴, 눈은 토끼, 몸통은 뱀, 머리털은 사자, 비늘은 물고기, 발은 매, 귀는 소를 닮았다. 입가에는 긴 수염이 나 있고 동판을 두들기는 듯한 울음소리를 낸다. 머리 가운데 척수脊髓라는 융기가 있는데 이것을 가진 용은 하늘을 자유롭게 날 수 있다. 용의 목 밑에는 역린逆鱗이라고 부르는 비늘이 덮인 급소가 있는데, 이것을 건드리면 분노하여 건드린 사람을 물어 죽인다고 한다.

예로부터 용은 뱀의 몸을 하였지만 하늘을 날아다니며 구름과 비를 부리는 신령스러운 동물로 인식되었다. 가뭄이 계속되면 용의 기분을 풀어 비를 내리게 하려고 기우제를 지내기도 했다. 이런 연유로 용은 옥황상제의 사자使者로 여겨졌다.

중국 황제들은 용의 기상과 위엄을 자신의 것으로 만들기 위해, 자신이 용의 혈통을 이어받았다는 전설을 만들어 냈다. 그래서 황제의 얼굴을 용안, 옷을 용포, 보좌를 용좌, 황제의 눈물을 용루, 황제의 덕을 용덕, 황제의 수레를 용거라 했다. 조선시대에 「용비어천가」를 지은 이유도 이런 믿음을 따른 것이다.

그런데 위 노래의 가사가 좀 이상하다.

황제뿐 아니라 전 중국인들을 용의 후예라고 한다. 황제가 역사 속으로 사라진 지금은 신화적인 동물에 기댈 필요가 없을 텐데 중국인들은 여전히 용에 미련을 둔다.

원시사회의 경우 토템[10]신앙이 발달했지만, 용을 조상으로 받드는 민족은 없었다. 우리나라 건국 신화는 환웅이 웅녀熊女와 결혼하여 단군을 낳았다고 하니 '곰 토템족'이라 할 수 있다.

중국의 용 토템론은 1940년 중국인 학자 원이둬가 처음으로 제안했다. 용의 기본 바탕은 뱀이다. 고대 중국의 여러 부족 중 세력이 가장 강했던 뱀 토템 부족이 주변의 약한 다른 동물 토템 부족을 정복시킨 후 만들어 낸 상상의 동물이라는 설명이다. 뱀 토템 부족이 복속시킨 주변의 여러 부족을 다스리기 위해서는, 뱀의 특징뿐 아니라 다른 토템 동물의 특징을 골고루 지닌 가상의 동물이 필요했을 것이다. 하늘의 옥황상제에 닿을 절대적 존재가 필요했다는 주장이다.

일부 학자들은 토테미즘을 허구라고 비판하지만, 원이둬는 이 주장을 고수하고 있다. 공교롭게도 그의 주장이 현대 중국인들에게 공감을 일으키고 있다.

중국은 56개 민족으로 구성된 다민족국가다. 그중 한족이 가장 많은 인구비중을 차지하고 있다. 하지만 역사적으로 한족이 권력을 잡은 역사는 그리 길지 못했다.

고대 하나라부터 근대 청나라에 이르기까지 20개 왕조를 거치면서, 한족이 황제가 된 왕조는 4개 왕조 - 주, 한, 송,

10) 원시사회에서 부족, 씨족 구성원과 특별한 관계를 맺고 있다고 생각하는 동식물, 자연물 대상을 토템이라고 하며, 이런 토템을 숭배하는 신앙을 토테미즘이라고 함.

명뿐이다. 상동이족, 진서융족, 수·당선비족, 원몽골족, 청여진족 의 황실은 이민족이 차지했다. 그래서 한족들은 자나 깨나 한족의 전성기를 꿈꾸고 있다. 그들은 이제 용의 후예라는 캐치프레이즈 아래 힘을 모으고 있다.

최근 중국의 움직임이 심상찮다. 한족이 중심이 된 부국강병을 꿈꾸고 있다.

청나라가 서구열강과 일제에 의해 침탈당한 후 절치부심해 온 중국은, 바야흐로 세계 2위의 경제대국으로 부상했다. 그들은 이 기세를 놓치지 않고 광대한 국토와 경제력을 앞세워 세계를 지배하고자 하는 꿈을 펼치려고 용트림하고 있다. 때맞춰 용의 후예임을 부르짖는 노래가 중국인의 마음을 하나로 묶어주고 있다.

예로부터 중국이 통일되어 흥한 시기에는 우리 민족은 고달팠다는 점을 잊지 말아야겠다.

(2023.6.1.)

## 희생양犧牲羊

예로부터 인간은 가뭄과 홍수를 두려워했다.

그러나 인간은 자연재앙에 직접 맞서거나 이겨내기에는 나약했다. 대신 두려움으로부터 한 발짝 비켜 가는 방법을 생각해 냈다. 모두의 두려움을 떠안을 대체물 - 희생양犧牲羊을 생각해 낸 것이다.

신권사회에서는 제사장이 하늘을 향해 기우제를 지낼 때 백성들이 뽑은 왕을 제물로 바쳤다. 비가 오지 않는 책임을 왕에게 전가하고 새 왕을 뽑았다.

남미 잉카제국에서도 태양신에 바치는 제물로 젊은 남녀를 바쳤다. 그러다가 차츰 신성한 처녀, 건장한 청년, 어린아이로 바뀌었다. 중국에도 가뭄과 기근이 닥치면, 사람을 기우제의 제물로 바쳤는데, 나중에는 소 또는 양으로 바뀌었다. 동서양을 막론하고 양이 제일 많이 제물로 바쳐졌다. 양은 사람이나 소에 비하여 비용이 적게 든다. 반항하지 않고 착하며 말을 못하니 만만하다. 양은 털과 가죽, 고기와 젖, 뼈와 내장까지 인간에게 내어 주고도, 인간들의 죄마저도 뒤집어써야 했다.

고대 이스라엘에서는 종교적으로 자신들이 저지른 죄를 용서받을 수 있는 '속죄일贖罪日'을 정해놓고, 피를 속죄판 위에 뿌린 뒤 양이나 염소의 머리에 손을 얹고 자신의 죄를 고백했다. 그러고는 피를 흘리는 양이나 염소를 들판으로 쫓아 보냄으로써 자신들의 죄가 황야로 사라졌다고 믿었다. 희생양scapegoat의 유래다.

예수 역시 유대사회를 혁신하려던 혁명가였다.

예수의 죄명은 자신을 유대인의 왕이라 칭한 '내란음모죄'와 하느님의 아들이라고 칭한 '신성모독죄'였다. 예수를 고발한 사람들은 유대인들이었고, 로마총독 빌라도는 로마형법에 따라 처형을 명했다. 예수는 당시 사회지배층의 불만을 잠재우기 위한 희생양이었다. 유대인들의 이 고발행위는, 그 후 그들이 수 세기 동안 따돌림을 받아 나라를 잃고 떠돌게 된 이유 중 하나가 되었다.

기독교에서는 예수가 십자가에 피를 흘림으로써 '인간의 원죄를 대속代贖했다'고 주장한다. 이 주장은 유대인 사회의 희생양이었던 예수의 죽음을 인류 전체의 원죄를 대신 짊어진 것으로 확대해석한 것으로 보인다.

프랑스의 철학자 르네 지라르는 그의 「희생양 이론」을 통해, 전 세계 모든 문화권에서 집단의 결속과 존속을 위해 희생양을 이용했다고 한다. 그는 희생양은 신에게 봉헌하는 것이 아니라, '집단 내부의 거대한 폭력'에 봉헌하는 것이라고 말했다. 집단 내부의 갈등과 폭력을 한 희생물에 전가함으로써, 평화와 결속을 얻는다는 것이다. 대표적인 예가 히틀러의 유대인 집단학살이다. 히틀러는 제1차 세계대전의 패배와 세계대공황의 여파로 피폐해진 독일경제를 살리기 위한 돌파구를 반유대주의 정서에서 찾았다.
희생양을 그처럼 잘 이용하던 유대인이, 결국은 자신들도 집단으로 희생양으로 내몰리게 된 것은 역사의 아이러니로 여겨진다.

정치가들도 군중의 심리를 움직일 목적으로 빈번하게 희생양을 이용하고 있다. 국가와 사회에 문제가 있어 불만과 갈등이 팽배하면 특정 대상을 희생양으로 만들어 집중적으로 증오하고 공격함으로써, 불만과 갈등의 원인을 감추고 잊게 하려고 시도한다. 사건과 무관하거나 약간은 연관이 있지만 힘없는 자를 지목하고 비난을 퍼부음으로써 '문제가 사라졌다'며 여론을 무마한다.
이런 일이 반복되니, 사람들은 희생양을 '억울하게 죄를 뒤집어쓴 피해자'로 여기기도 한다. 그런데 간혹 비리의 중심에 선 인물이 대중의 이러한 심리를 역이용하여 스스로 희생양인 양 억울함을 가장하고 '피해자 코스프레'를 함으로써, 사건의 전말을 흐리게 하고 여론의 비난을 비켜 가려고 시도한다.

예나 지금이나, 희생양은 두려움을 피하려는 인간들의 집단적 기만의 산물이다. 사회집단의 분노를 엉뚱한 곳으로 돌려 대중을 혼란스럽게 만든다.
비록 당하는 희생양은 억울하겠으나, 다수의 분노를 온몸으로 뒤집어씀으로써 민중에게 평화와 결속을 안겨주는 순기능은 부인할 수 없다 하겠다.
그래도 희생양이란 상징어象徵語가 없는 사회가 정의로운 사회가 아니겠는가.

(2023.2.3.)

# 할 례

조선 말기 일본의 강요로 단발령斷髮令이 내려지자, 선비들이 극렬하게 저항했다. 유교에서 '신체발부 수지부모身體髮膚 受支父母'라 하여, 한 올의 모발이라도 함부로 자르지 못하게 했기 때문이다.

반면에 중동, 아프리카 등지에서는 오래전부터 신체의 일부를 훼손하는 할례割禮, Circumcision를 신성시神性視 해 오고 있다.

할례의 기원에 대해서는 여러 설이 있으나, 고대 이집트에서 내려오는 전설이 가장 유력하다. 이집트인들은 나일강의 신神 하비가 유방을 가진 남성의 모습을 하고 있다고 믿었다. 그들은 사람들도 하비를 닮아 양성의 특성을 가지고 태어난다고 여기고, 남성으로부터는 여성의 흔적을, 여성으로부터는 남성의 흔적[11]을 제거함으로써 온전한 성性 정체성을 가지게 된다고 생각했다. 그래서 할례를 통해 남성은 더욱 남성답게, 여성은 더욱 여성답게 된다고 여겼다.

---

11) 남성은 성기의 포피, 여성은 음핵을 말함

오랜 세월이 지나면서 할례의 의미가 변질되었다.

유대인들은 남아가 태어나면 8일째 되는 날 할례를 한다. 창세기에 '하느님이 아브라함에게 이르시되, 너는 내 언약을 지키고 네 후손도 대대로 지키라. 너희 중 남자는 할례를 받으라'고 적혀 있기 때문이다. 유대인들은 하느님과의 할례의 약속을 지키는 것이 선민의식을 고취한다고 믿었다. 예수도 할례를 받은 것으로 알려졌다. 그런데 할례의 폐해를 깨달은 사도 바울에 의해 기독교에서는 더 이상 이를 전승시키지 않았다. 반면에 이슬람교에서는 코란에는 없지만, 행동규범인 순나에서 이를 인정하고 있다.

나는 창세기의 기록이 유대인만을 위한 하느님의 고유한 약속이라고 생각하지 않는다. 성경이 쓰여지기 수 세기 전부터 내려오던 이집트의 풍습에 따른 것으로 여겨진다.

생각해 보라. 전지전능하신 하느님이 인체를 만들 때 떼어내어야 할 부분을 별도로 남겨놓을 정도로 허술하게 만들었겠는가. 뭐가 부족하여 유독 유대인들에게만 갓난아기의 피를 바치라고 했겠는가. 만인에게 평등해야 할 하느님이 특정 부족유대인에게만 약속을 했다는 것도 정도正道가 아니라고 여겨진다. 나는 창세기 구절이 오래된 이집트 풍습에 유대인의 선민의식을 가미한 결과로 생각한다.

남자에 대한 할례가 건강에 긍정적인 면이 있는 것은 부인하기 어렵다. 중동같이 더운 지방의 경우, 땀과 먼지로 잘 씻지도 못하는 생활환경에서는 할례를 함으로써, 불결해지기 쉬운 부위에 생길 수 있는 세균을 억제하는 효과를 기대할 수가 있다.

그렇지만 생후 8일째에 수술을 한다는 것은 아이의 인권이나 정서에 반한다고 여겨진다. 오늘날에는 의술이 발달하여 간단한 수술로 가능하므로, 성인이 된 이후에 본인의 선택에 따르도록 하는 것이 합리적이다.

문제는 여성에 대한 할례$_{Clitoridectomy}$다.

남성의 경우와 달리 성경이나 코란에 아무런 언급이 없다. 단지 이집트의 고대 전설에 따라 아프리카 북부와 인근지역으로 번진 듯하다. 특별한 종교적 의미도 없다.

아프리카 지역의 경우 여성이 초경을 치르면 시술한다. 심한 경우 성기훼손 수준이라고 한다. 주목적은 여성의 성감을 없애 혼외정사의 소지를 줄이고, 여성의 아이 수태기능만 남겨놓겠다는 것이다. 일부다처제를 가진 부족에서는 아내들 사이의 질투를 방지하고, 여자들의 불륜을 줄이는 목적도 있다. 남성위주의 사회에서 여성의 인권이 수천 년 동안 짓밟혀 온 실상이다.

21세기가 접어들어도 아직 그 관행이 남아 있다니 놀랍다. 세계통계에 의하면 매일 8,000명, 매년 350만 명이 이 같은 고통을 여전히 겪고 있다고 한다. 지구상 2억 5천만 명의 여성들이 영향을 받고 있다. 문명사회에서도 아직 잔재가 남아 있다. 영국하원은 최근 20년간 영국에서만 17만 명의 여성이 할례의 피해자가 되었다는 보고서를 냈다.

여성에 대한 할례는 남성위주 사회의 악습이다. 여성들을 단지 아이를 생산하는 수단으로 전락시키려는 인권유린의 증표다.

세상의 모든 생명체는 한 송이 꽃으로 태어난다. 그 꽃을 온전하게 보존하는 것이 인간의 당연한 권리다. 근거 없는 편견과 강요에 의해 자행되는 악습이 하루빨리 없어졌으면 하는 바람이다.

머리카락 한 올이라도 지키려고 저항했던 우리의 선비들이 새삼 우러러보인다.

(2023.4.2.)

## 철밥통

흔히 공무원을 철밥통이라고 한다.

쇠로 만든 밥통이라 오래 쓸 수 있다. 평생 밥을 굶지 않을 정도로 버틸 수 있는 직업이라는 뜻이다. 그런데 왠지 비아냥거리는 느낌이 든다. 별로 하는 일 없이 국민의 혈세를 축내는 사람들이라는 의미가 깔려있다.

공무원에 대한 부정적 이미지는 중국인들에게도 있었던가 보다. 청나라 말기 사상가 이종오는 그의 저서, 『후흑학』에서 관리들의 행태를 관찰하여 '관리로서 지켜야 할 심득요령'을 내놓았다. 철밥통을 지키는 비책이다.

① 空공 - 공문서에는 내용이 없어야 한다. 대체로 상급관청에서 하급관청에 내려주는 공문서에는 끝까지 읽어 내려가야 겨우 무슨 내용인지 알 수 있게 작성한다. 제멋대로 일을 해도 좋지만, 겉보기에는 엄격하고 신속하게 처리하는 모양새를 갖추어야 한다.

② 恭공- 관절이 없는 인간처럼 상관에게 비굴할 정도로 아첨해야 한다. 이는 상관뿐 아니라 상관의 친척과 친구, 고용인과 애첩에게도 적용된다.

③ 繃붕 – 아랫사람이나 백성들에게 뻣뻣하게 굴어야 한다. 외관상 위엄을 갖추어 큰 인물이라는 인상을 풍겨 함부로 범접 못하게 만드는 것을 말한다. 근엄한 어투로 흉중에 큰 뜻을 지닌 대단한 인물로 여기도록 포장한다.

④ 兇흉 – 내가 목적만 달성할 수 있다면 남이야 처자식을 팔아치우든 상관없다. 그러나 반드시 인의도덕의 탈을 뒤집어써야 한다.

⑤ 聾농 – 귀먹은 듯이 처신한다. 남이 나를 비방하여도 못 듣고 못 본 체한다. 그렇더라도 알짜배기 좋은 보직은 내 차지다.

⑥ 弄농 – 돈을 주무른다. '능치엔弄錢'의 '弄'자다. 공무에 어느 정도 능통해야만 돈을 모으는 데 성공할 수 있다. 두말할 나위 없이 처세술의 최종목표다.

아울러 공무를 책임지지 않는 두 가지 은밀한 방법도 제시했다.

㉮ 거전법鋸箭法 – 화살을 맞고 외과를 들러 치료를 요청한 경우, 의사가 화살대만 잘라내고 화살촉은 뽑지 않은 채 화살촉을 제거하는 것은 내과로 가서 알아보라고 하는 방법이다. 행정관청에서 진작 곤란한 일은 다른 부서로 떠넘기고 일하는 시늉만 내는 행태를 뜻한다.

㉯ 고과법敲鍋法 – 오래되어 금 간 밥솥을 수리해 달라고 맡기면, 주인이 안 볼 때 슬쩍 구멍을 더 넓혀 일을 크게 만든 후 수리비용을 더 뜯어내는 방법이다. 문제를 초기에 예방하지 않고 늑장을 부려 악화시킨 후, 뒤늦게 큰일을 하는 것처럼 부산을 떠는 행태를 말한다.

이 같은 처세술은 실제보다 과장되거나 해학적인 면도 있지만 현실과 동떨어진 말은 아닌듯하다. 평생 공무원으로서 사정기관에 몸담았고, 민간 기업에도 근무한 바 있는 나는 이종오의 지적이 공직자가 보편적으로 빠지기 쉬운 행태를 잘 짚었다고 생각한다.

철밥통을 지키기 위해서는 우선 신분보장이 튼실해야 한다.

우리나라는 '직업공무원제도'가 비교적 잘 정착되어 있어 기관장도 직원을 마음대로 파면할 수 없다. 공무원은 민간근로자에 비해 구조조정이나 해고를 당할 염려도 적다. 일을 열심히 안 해도 봉급이 나온다. 그러다 보니 보신주의에 빠지기 쉽다.

힘든 일, 생색나지 않는 일, 승진에 도움이 되지 않는 일은 하려 들지 않는다. 최근 OOOO위원회 공무원들이 많은 일이 예정된 해에 무더기로 휴직하여 국민의 지탄을 받은 일이 전형적이다.

다른 한편으로는 책임을 질 일은 하지 않거나 차일피일 미룬다.

상급기관에서 하급기관에 시달하는 공문의 내용은 애매모호할수록 좋다. 최종 해석과 그에 따른 책임은 밑에서 알아서 지게 만든다. 어려운 일일수록 이웃부서나 유관부서를 많이 개입시켜 책임을 분산시킨다. 각종 위원회를 많이 두는 이유가 여기에 있다. 한 사람의 전횡을 막으려는 의도가 없는 것은 아니지만, 그 이면에는 책임을 분산시켜 문제가 발생해도 종국에는 아무도 책임을 지지 않는 시스템이기 때문이다. 지난 8월 개최된 새만금 제25회 세계 스카우트잼버리대회가 대표적 사례다. 5명의 공동위원장이 6년간 1,000억 원이 넘는 예산을 들여 준비했다는 데도, 더위 대비 부족, 화장실과 샤워장 부실, 태풍 등 이유로 파행 끝에 막을 내리자 서로 책임 전가에 바빴다.

한편, 승진한다든지 상을 받는 등 생색내는 일에는 남을 끌어내리고 맨 앞에 자기 이름을 올리려 한다. 1980년대 초까지만 하더라도 군 소재지 입구를 지나면 전임군수의 송덕비가 세워져 있는 것을 심심찮게 볼 수 있었다.

직속상관이나 자기보다 힘이 센 사람에게는 굽실거리면서도, 아랫사람이나 민원인에게는 군림하는 자세가 여전히 눈에 띈다.

박봉을 핑계 삼아 돈벌이에 몰두하는 부류도 있다. 가장 빈번한 사례가 인허가를 해주지 않고 미루다가, 급행료나 사례비를 받는 경우다. 심지어 공직을 부업 정도로 여기고, 정부의 인허가 사업권을 친인척 명의로 얻어 사업에 몰두하는 공직자도 있다. 최근 터져 나온 △△공사의 토지투기 행위, 태양광발전 사업을 둘러싼 공직자의 사업 참여행위가 대표적이다. 이런 공직자들은 승진에는 관심이 없다. 돈을 긁어모으는 데 희열을 느낀다.

모든 공무원 비리의 저변에는 자신의 이익을 놓치지 않으려는 개개인의 이기심이 깔려있다. '나 하나만은 예외로 봐 달라'는 민원인의 태도가 문제다. 그 틈을 노리고 비리 공무원은 회심의 미소를 짓는다. 당연히 불법을 눈감아주는 데는 대가를 요구한다.

어느 나라나 비리 공무원이 많을수록 국민은 절망하고 국가는 희망을 잃는다.

이를 막기 위해서는 어떻게 해야 할까. 우선 모두가 '나 하나만'이라는 이기심을 내려놓아야 한다. 모두가 주인의식을 가지고 공직자를 감시하는 파수꾼이 되어야 한다.

무엇보다 국민의식 수준을 높이는 것이 절실하다.

(2023.6.14.)

※ 이 글은 2023년 『감우정담』 제22호에 게재

# 제2장 예 술

## 벌거벗은 신

토마스 불핀치와 오비디우스의 『명화가 말하는 그리스 로마 신화』을 읽었다.

명화 속 신들은 소, 비둘기, 독수리와 같은 동물로 그려지기도 하지만, 대부분 인간의 모습을 하고 있다. 그런데 인간의 모습을 한 신들이 좀 이상하다. 한결같이 옷을 입지 않은 벌거벗은 나신裸身이다. 남성 신들은 물론이고 여성 신들도 마찬가지다.

기원전부터 사람들은 신을 형상화하는 조각을 만들거나 그림을 그려왔다. 사람들은 태초부터 벌거벗은 조각이나 그림을 즐겼을까, 아니면 섹슈얼리티sexuality를 추구했던 것일까. 미술사에서 최초의 누드는 기원전 440년에 만들어진 〈나오베의 딸〉이라는 석상이다. 이 석상은 이전의 석상과는 달리 옷자락이 처음으로 배꼽 아래로 내려갔다.

그리스인들은 신이야말로 가장 완벽한 몸을 가진 존재로 여기고, 이상적인 인체 비율[12)]을 가진 신을 묘사하는 것을 예술로 여겼다.

특히 남성 신의 누드가 많았는데, 여기에는 스포츠의 영향이 컸다. 근육으로 다져진 몸매와 에너지 넘치는 탄탄한 몸을 지닌 남성을 미의 완성체로 여겼다. 바티칸 미술관의 〈벨베데레의 아폴론〉, 미론의 〈원반을 던지는 사람〉, 폴리클레이토스의 〈도리포리스〉창을 든 사람을 보면 운동과 정신과 신체의 합일이 느껴진다.

반면에 여성 신의 누드는 힘의 표현보다는 부끄럽고 수줍어하는 연약한 모습이 많다. 기원전 1세기 로마의 조각상 〈카피톨리누스의 비너스〉는 몸을 웅크린 채 두 손으로 가슴과 국부를 가리고 있어, 여성의 수동성을 느끼게 한다.

고대 시대에는 '눈에 보이지 않는 존재'만 누드로 표현할 수 있었다. 인간을 나체로 표현하는 것은 외설로 여겼다. 그래서 벌거벗은 모습은 신이나 보이지 않는 '뮤즈' 혹은 '님프'만 가능했다. 훗날 신이 아니더라도 '외국 사람'은 눈앞에 없으니 양해가 되기도 했다. 프랑스 고전주의화가 엥그르가 그린 〈오달리스크〉는 동양 여인이라는 이유로 비난을 면했다.

영국의 미술사가美術史家 케네스 클라크는 '누드nude'와 '나체naked'를 구분했다. 누드란 나체와 달리 옷costume의 일종이라고 보았다. 누드를 그냥 벌거벗은 것이 아니라 나름대로 정교한 문법을 가진 미술 형식이면서 고도로 계산된 의상으로 여겼다. 서양미술사에서 누드가 차지하는 위상이 매우 높았다. 누드는 예술로 보지만 나체는 외설로 취급된다. 나체는 말 그대로 벌거벗은 것이다. 누드는 미적 작품에 해당하는 인간의 창조 활동이지만,

12) 여성-8등신, 남성-7등신

나체는 성욕을 자극하는 난잡한 행위라고 생각했다. 누드에는 쾌락기능과 함께 교시적教示的기능이 있다. 미적 쾌감과 함께 삶의 지혜를 준다. 반면에 나체는 외적 자극이 사유를 매개하지 않고 곧바로 욕망으로 연결된다.

육체를 죄악과 타락의 근원으로 보았던 중세 금욕주의 시대에는 신들조차 누드로 표현하는 것을 금지했다. 누드에 대한 이러한 관념이 르네상스 이후 차츰 변화하기 시작했다. 1480년대에 그려진 보티첼리의 〈비너스의 탄생〉이 르네상스의 시작을 알렸다. 하지만 이때에도 여전히 신들 위주의 누드 그림이었다. 미켈란젤로의 〈최후의 심판〉에도 예수와 성모를 제외한 대부분 인물이 누드로 표현되었다.

한편, 실존하는 인간의 나체는 19세기 이후 처음으로 나타났다. 19세기 말 에두아르 마네의 〈풀밭 위의 점심식사〉와 〈올랭피아〉가 선정성 논란을 촉발시켰다. 여성을 나체로 표현했기 때문에 퇴폐적이라는 비난을 받았다. 미술학교에서 여성모델로 나체화를 가르치는 것은 1839년 스톡홀름 미술 아카데미부터였다. 이때부터 여성 누드모델의 활동이 가능해졌고, 1800년대 중반부터는 미술 살롱전에서 여성 나체화가 압도적인 비율을 차지하게 되었다.

오늘날 누드와 나체를 구분하는 것은 남성우월주의에서 비롯되었다고 비판한다. '여성은 미술가가 아니라 여성 모델이 되어서야 미술관에 입장할 수 있다'는 블랙유머도 있다. 실제 현대미술에 있어 누드를 그리는 여성미술가는 5% 미만이지만, 누드화의 85%는 여성을 그렸다는 통계가 있다. 여성누드를 제작하는 작가도, 이를 감상하고 구매하는 사람도 모두 남성이다.

현대미술에서는 누드의 전통양식에서 탈피하거나, 하나의 개념에 머물지 않고 다양한 관점과 새로운 변화를 시도하고 있다.

남성누드의 가장 큰 변화는 고대미술이 추구했던 스포츠맨이나 영웅의 이상적 몸매가 사라지고, 익명의 평범한 남자 몸매가 화면을 차지한다. 여성누드화도 피카소의 〈아비뇽의 여인들〉, 루시안 프로이트[13]의 〈잠자는 사회복지감독관〉에서 보듯이 사회 속 여성의 역할이 확대되면서 더 이상 객체가 아닌 주체로서 그림 속에 등장한다. 예술과 외설이라는 이분법적인 경계를 허물고, 작가의 제작 의도가 중요시되고 있다.

누드에 대한 새로운 시각의 창작과 변신이 이어지는 것은 인간의 본성에 대한 새로운 탐색으로 보인다.

(2023.4.16.)

13) 정신분석학자 지그문드 프로이트의 손자

# 하룻밤 시인

시인이 영감靈感을 얻는 경로가 궁금하다.
신이 영감을 주는 것인지 아니면 시인이 불러일으키는지. 그것도 온 국민의 가슴을 울리는 노래는 더욱 그러하다.

1792년 4월 25일, 프랑스 도시 스트라스부르의 시장 디트리히는 군중들 앞에서 파리에서 하달된 오스트리아에 대한 선전포고령을 낭독했다. 열띤 연설을 마친 그는 옆자리에 있던 공병대 소속 루제 대위에게 선전포고와 진군을 앞둔 군인들에게 헌정할 시 한 편을 쓰는 게 어떠냐고 물었다.
루제는 엉겁결에 '예'라고 대답했다.
숙소에 돌아온 루제는 이상하리만치 흥분되어 있었다.
그는 좁은 방안을 이리저리 걸어 다녔다. 귓가에 포고령과 연설, 술잔 부딪치는 소리, 환호성, 열광적인 외침이 맴돌았다. 길거리에 나돌던 온갖 구호와 외침소리가 머릿속을 맴돌았다. 눈앞에는 끊임없는 포성과 아녀자들의 외마디소리가 들려오고, 짓밟힌 들판은 이방인의 피로 더럽혀지는 환영이 지나갔다.
그는 반쯤은 무의식 상태에서 시를 써 내려갔다. 그리고 그의 바이올린을 꺼내어 곡을 붙여봤다. 노랫말에 운율이 맞아 들어갔다. 하룻밤 사이 그는 신들린 듯 프랑스 국민의 깊은 영혼으로 느낀 그 모든 것을 말로 뱉어내고, 표현하고, 노래로 만들었다.

다음 날 아침 그는 노래를 들고 시장 저택으로 달려갔다. 그날 저녁 저택에 모인 사람들 앞에서 그는 시장 부인의 반주에 맞춰 노래를 발표했다. 시장은 '라인 군대를 위한 군가'라는 제목으로 악보를 인쇄해 배포했다. 그러나 대부분의 새로운 노래가 그러하듯, 이 노래도 발표된 후 곧 잊히는 듯했다.

그런데 그해 6월 22일, 프랑스 남부 마르세유의 전투지원병들이 출정을 앞둔 전야제에서 누군가 이 노래를 불렀다. 이 노래는 군중들의 가슴을 파고들며, 청년들의 영혼을 뒤흔들었다. 지원병들도 파리까지 행군하며 떼창을 계속했다. 군인들뿐 아니라 길거리 시민들도 따라서 불렀다. 노래의 전파력은 마치 눈사태와 같았다. 프랑스의 모든 전선에서 이 노래가 울려 퍼졌다.[14)]

일어나라 조국의 자녀들이여, 영광의 날이 왔도다!
압제자의 피로 물든 깃발이 우리 앞에 펄럭이도다.

들리는가, 저 들판에서 고함치는 사나운 적들의 함성이!
저들이 내 지척까지 파고들어 와 자식들과 아내의 목을 따리니

무장하라, 시민들이여 대열을 정비하라! 앞으로! 앞으로!
적들의 더러운 피가 우리의 밭고랑을 적시게 하리라. (이하생략)[15)]

그 후로 이 노래는 축제 때마다, 극장마다, 교회에서도 불리

14) 슈테판 츠바이크 저, 『광기와 우연의 역사』 1927년.
15) 가사는 원래 6절까지 있었는데, 1792년 10월에 장 바티스트 뒤부아라가 7절을 추가했다. 현재 15절까지 있다. 공식 행사에서는 그중 1절과 6절만 부른다.

었다. 이 노래가 1879년 공식적으로 프랑스 국가로 인정된 「라 마르세예즈」다. 가사가 호전적이지만, 오늘날에도 국제 스포츠 경기를 앞두고 프랑스 국민의 영혼을 묶어주고 있다.

그런데 정작 이 노래를 만든 루제 대위는 잊혀 갔다.

디트리히 시장과 지휘관들은 국민공회의 폭군들에 의해 반혁명분자로 찍혀 모두 단두대의 이슬로 사라졌고, 루제 자신도 평범한 소시민으로 돌아와서 비루한 삶을 살아야 했다. 혁명가를 지은 시인이 반혁명 세력으로 몰리는 아이러니가 펼쳐진 것이다. 나폴레옹이 황제가 된 뒤에는 모든 공식행사에서 이 노래를 금지곡으로 지정했다.

그러다가 1830년 7월 혁명 때 이 노래가 부활했다. 시민왕 루이 필리프는 이 노래의 작가 루제를 찾아내 연금을 주라고 했다. 하지만 그는 1836년 76세의 나이로 영면할 때까지 그 누구의 관심도 받지 못했다. 그로부터 한참 지나 제1차 세계대전 중 「라 마르세예즈」가 다시 모든 전선에 울려 퍼지자, 루제 대위의 시신을 앵발리드에 있는 나폴레옹 보나파르트 소위 옆에 안치하라는 명령이 내려졌다. 하룻밤의 시인이 프랑스 명예의 전당에 안치된 것이다.

루제 대위가 예술적 소질이 있었다고 인정되더라도, 그가 하룻밤 사이에 이룬 기적은 믿기 어려울 정도로 프랑스인들의 가슴에 깊이 새겨졌다.

불멸의 노래를 남기고 싶은 욕망은 누구나 가지고 있지만, 이는 쉽게 이루어지지 않는다. 모든 이들의 가슴을 울릴 '불후의 명작'은 개인의 노력에 의해서라기보다는, 시공간을 초월하는 그 무엇이 함께해야 한다고 여겨진다. (2023.5.10.)

## 그에게 무슨 일이

크리스마스를 앞두고 전 세계에서 가장 많이 연주되는 곡이 게오르크 프리드리히 헨델의 오라토리오[16] '메시아'다.

이 곡은 헨델이 작곡한 작품 중 최고의 걸작으로 꼽힌다. 메시아Messiah란 히브리어로 '기름 부음을 받은 자'라는 뜻으로 구세주 - 예수를 가리킨다. 총 3부 53곡으로 구성된 이 곡은 1부 - 예언과 탄생, 2부 - 수난과 속죄, 3부 - 부활과 영생으로 구성되어 있다. 그중 2부 맨 마지막 '할렐루야'는 가장 유명한 곡으로 부활절에도 많이 연주된다. 연주에 통상 2시간 30분이 소요되는 대작이다.

1685년 독일에서 태어난 헨델은 영국에 귀화하여 평생 독신으로 살았다. 그는 성질이 불같아 화를 잘 내는 비만체질의 대식가였다. 다혈질인 그는 친구인 마테존과 공연 도중 난투극을 벌인 것도 모자라, 공연이 끝나고 결투를 신청해 칼에 찔려 죽을 뻔한 위기를 겪기도 했다.

---

16) 17~18세기에 가장 성행했던 대규모의 종교적 극음악.

이처럼 분노 조절이 안 되는 헨델에게 시련이 다가왔다. 1737년 뇌졸중에 걸려 반신불수半身不隨가 된 것이다. 음악가로서의 인생을 그만두는가 싶었는데, 의사의 권유로 온천치료에 매진한 결과, 기적적으로 재활에 성공했다. 병이 나은 그는 다시금 작곡에 몰두했다. 이즈음도 그는 평생 그러했듯이 빈털터리였다. 오선지 노트조차 살 돈이 없었다. 절망에 빠져있을 때 시인 찰스 제넨스가 편지를 보내왔다.

"새로운 시를 보내니, 음악의 정령精靈께서 보잘것없는 글을 불쌍히 여겨, 음악의 날개에 태워 불멸의 에테르높은 창공로 데려가 주십시오"라고 적혀 있었다.

그는 대뜸 욕설을 내뱉었지만, 며칠 지나서 원고를 들춰봤다. 앞장에 '메시아'라고 적혀 있고, 첫 구절이 '위안 받으라 Comport ye' 로 시작되고 있었다. 그는 전기에 감전된 듯 시를 읽어 내려갔다. 하느님 말씀이 영혼에 쏟아지는 느낌이었다. 한장 한장 넘길 때마다 손이 떨렸다. 그렇다, 그는 하느님의 부름을 받고 있었다. 어떤 저항할 수 없는 힘이 그의 내부를 파고들었다. 그는 밤낮을 가리지 않고 미친 듯이 작곡에 매달렸다. 신들린 듯 3주 만에 곡을 완성한 그는, 무려 17시간이나 꼼짝하지 않고 누워만 있었다. 드디어 잠에서 깨어난 그는 6인분의 음식을 먹어치웠다고 전한다.17)

그는 1742년 4월 13일 더블린에서 700명의 청중 앞에서 첫 공연을 했다. 공연은 대성공이었다. 헨델은 이 곡을 계기로 다시금 명성을 되찾았다. 그 후 그는 매년 런던에서 메시

---

17) 슈테판 츠바이크 저, 「광기와 우연의 역사」

아를 공연하고 수익금 전액을 기부했다.

나는 헨델이 방에 머문 3주간 그에게 무슨 일이 일어났는지 궁금하다. 가난과 분노에 휩싸여 마음을 추스르기 어려웠던 시기에, 제넨스가 보낸 시에서 하느님의 부름을 받았던 것 같다. 시를 접하는 순간 그는 주체할 수 없는 영감의 홍수와 맞닥뜨렸다. 자신의 의지와는 상관없이 음악의 신이 내려와 웅장함과 장대함의 명작을 만들어 낸 것이다.

첫 공연을 보고 난 뒤 제넨스가 말했다.

"맙소사! 이런 것은 한 번도 들은 적이 없었습니다. 당신 속에 악마가 있는 모양이군요."

헨델이 부끄러운 듯 나지막하게 말했다.

"하느님께서 나를 찾아오셨던 것 같습니다."

인도의 신비주의자 오쇼 라즈니쉬는 말했다.

"우주의식 속으로 들어올 때 그대는 진정한 창조를 할 수 있다. 그대로서가 아니라 신으로서 창조하는 것이다. 그대는 텅 빈 대나무가 되고 신의 노래가 그대를 통해서 흘러나오기 시작한다. 신과 마주하려면 대나무처럼 속을 텅 비워라. 그대가 하나의 악기가 돼라."

헨델은 3주 동안 한 그루의 텅 빈 대나무였다. 하느님의 목소리가 그를 통해 그대로 오선지에 기록된 것이다. 진정한 명곡은 자신도 모르는 순간 탄생된다.

(2023.5.10.)

# 죽어서 신이 된 여인

산드로 보티첼리는 몰라도, 그의 그림 〈비너스의 탄생〉을 모르는 사람은 드물 것이다. 그것은 그가 1485년 그리스 로마 신화를 배경으로 그린 그림이다. 중등 교과서에도 실려 있어 미의 여신 비너스Venus[18]라 하면, 곧바로 이 그림이 떠오른다.

그림 속 비너스는 진주조개 위에 수줍은 표정으로 서 있고, 서풍의 신 제피로스는 입으로 바람을 불어 비너스와 조개를 바닷가로 인도한다. 해안에서는 계절의 여신 호라이가 외투를 든 채 장미꽃을 뿌리며 비너스를 맞이한다. 부끄러운 듯 나체를 가리는 비너스의 자세는 고대 그리스 조각의 전형을 보여준다. 보티첼리는 부드러운 곡선으로 감상적인 분위기를 잘 표현했다.

보티첼리의 또 다른 대표작, 〈프리마베라〉에서도 붉은 옷자락을 두른 비너스가 그려져 있다. 사랑의 신 큐피터, 전령

18) 로마신화에 나오는 미의 여신으로, 그리스 신화의 아프로디테에 해당된다. 신화에서의 비너스는 모성애가 강하고 자식에 대한 애정이 깊은 성격이다. 반면에 아프로디테는 정조관념이 희박하고, 변덕스럽고 기분파에 경박한 언행과 막장스러운 성격인 면이 대조적이다. 모계사회에서 부계사회로 넘어가는 영향으로 보인다.

의 신 헤르메스, 순결, 사랑, 아름다움을 상징하는 비너스의 세 시녀삼미신들이 봄을 축복한다. 1481년 그림이다.

두 대작의 주인공인 비너스의 실제 모델은 누구일까.

그녀는 바로 시모네타 베스푸치다. 시모네타는 1454년 제노바의 유력한 카타네오 집안에서 태어났다. 15살에 베스푸치 집안의 마르코와 결혼을 하여 피렌체로 왔다. 그녀는 클레오파트라를 능가한다고 소문이 날 정도로 피렌체 최고의 미녀였다. 마음도 너그러워 뭇 남성들로부터 선망의 대상이었다.

시인 안젤로 폴리치아노는 그녀를 다음과 같이 기록했다.

"그녀는 매력적이고 상냥했으며 매너가 좋았다. 그녀를 만난 사람들은 저마다 그녀의 사랑을 받는다고 여겼다." 예나 지금이나, 남자들에게 인기 있는 여성은 남자들에게 사랑을 듬뿍 나누어 주는 듯한 분위기를 풍기나 보다.

한편, 화가 보티첼리는 메디치가의 후원이 필요했다. 그 과정에서 시모네타의 도움을 받았다. 더구나 그녀는 보티첼리의 모델이 되어주기도 했다. 그녀의 아름다움과 너그러움에 보티첼리는 그녀를 보자마자 사랑에 빠졌다.

그런데, 피렌체의 지배자인 로렌초 메디치의 동생 줄리아노 메디치는 1475년 마상馬上 창 시합에서 우승한 영광을 시모네타에게 바치며 그녀에게 사랑을 호소했다. 시모네타는 그 시합에서 '아름다움의 여왕'으로 뽑혔다. 그들은 곧 연인으로 발전했다. 하지만 안타깝게도 그녀는 1476년 22살의 젊은 나이에 결핵으로 죽고 말았다. 그녀가 죽고 난 2년 뒤 연인 줄리아노도 교회와의 갈등으로 피살당했다.

위 두 그림은 그녀가 죽고 몇 년 뒤 보티첼리가 메디치가의 주문으로 그린 그림이다. 그녀와 관련하여 그는 위 작품 외에도 〈여인의 초상〉1475년, 〈필라스와 켄타우로스〉1482년, 〈마르스와 비너스〉1485년를 그렸다. 평생 시모네타를 마음속에 품고 독신으로 산 보티첼리는 그녀가 죽은 지 34년 후, 그녀의 발끝에 묻어달라는 유언을 남기고 쓸쓸히 세상을 떠났다.

한 화가에게 뮤즈로서 영감을 주고 그림 속 미의 여신으로 재탄생한 시모네타를 되새겨 본다. 단언컨대, 그녀는 외적 아름다움뿐 아니라 내적 아름다움도 겸비한 여성으로 여겨진다.

그런데 상식적으로 이해가 되지 않는 점이 있다. 그녀가 유부녀임에도 줄리아노가 연인임을 세상에 공표한 일이다.

미술사학자들은 그 당시 남성들이 유부녀에게도 정신적으로 흠모의 마음을 표시할 수 있었다고 한다. 귀족사회에서는 이러한 사랑을 '고귀하고 품위 있는 정중한 사랑amour courtois'이라고 여겼다. 보통의 경우, 남자가 여자에게 헌신을 맹세하지만, 상대 여자는 정중히 거절한다. 혹자는 중세 기사도를 반영한 문화적 사랑이라고 하거나 사랑하는 유부녀에 대한 존경의 표시라고 하지만, 오늘날 시각에서 보면 귀족들의 정신적 사치 또는 일탈로 봐야 하지 않을까.

시모네타를 두고 마르코와 줄리아노가 삼각관계인 상황에서, 보티첼리가 그녀의 사랑을 한 줌이라도 얻어낼 틈새가 보이지 않았을 것이다. 그래서 그는 가슴에 응어리진 그녀에 대한 연정과 절망을 그림으로 풀어낸 것으로 보인다. 그것도 그녀가 세상을 떠난 후 한참 지나서야 가능했다.

시모네타는 젊은 나이로 요절했지만, 그녀는 화가의 캔버스 위에서 미의 여신 비너스로 되살아나 인류 문화에 회자되는 영광을 누리고 있다. 그녀가 요절한 것이 보상받은 듯하여 전혀 안타깝게 느껴지지 않는다.

그림이 그려진 지 500년이 지난 지금, 그녀에 대한 마르코와 줄리아노의 사랑은 오간 데 없지만, 보티첼리가 남긴 연모의 흔적은 영롱하게 살아있다. 예술이 사랑보다 오래가는 것 같다.

(2023.7.31.)

## 예술의 속임수

경기도 안성에 소재한 H골프장 로비에는 한 검은색 조형물이 전시되어 있다. 사납게 생긴 사자 모양의 가상 동물이다. 예술작품인 것은 분명한데 폐타이어로 만들어졌다. 작가의 창의성에 박수를 보내고 싶다. 폐품이 환경을 오염시키는 것을 막으면서 예술작품으로 재탄생시켜 사람들에게 볼거리를 제공한다는 점에서 일석이조라고 할 수 있다.

과천 현대미술관에도 백남준의 비디오아트 작품이 눈에 띈다. 폐브라운관 TV를 여러 대 쌓아 영상을 보여주는 설치예술이다. 방문할 때마다 고장이 나 있어, 수년째 실제 상영하는 것을 본 적은 없다.

예술이 창작활동이라 정의한다면 이들의 작품은 분명히 창조성이 있다.

그런데 예술이 경제적 여유가 있는 사람들이 즐기는 고상한 취미라고 보는 통념에서 보면, 폐품을 활용한 점이 상식을 벗어난 소재의 사용이다. 고가의 예술작품에는 당연히 양질의 재료를 기대하는 관람객들을 살짝 속였다는 느낌이 든다.

이같이 예술가들은 창조성을 밑바탕으로 약간의 속임수를 가미하여 예술작품을 창작한다. 따져보면, 평면에 원근법을 적용하여 입체감을 주는 그림도 일종의 착시효과를 이용한 속임수가 아닌가.

미국 설치미술가 시에스터 게이츠Theaster Gates는 창조성과 사기성을 모두 갖춘 작가다. 흑인인 그는 시카고 빈민가 지역인 사우스 사이드에서 도자기를 만들었다. 생계를 위하여 주말이면 직접 만든 항아리, 주전자, 접시, 머그잔 등을 장터 가판대에 내놓았다. 사람들이 작품의 가치는 보지도 않고, 가격흥정에만 매달리는 데 실망을 느꼈다.

2007년 마침내 그에게 하이드 파크 센터에서 도자기 작품을 전시할 기회가 왔다. 그는 꾀를 썼다. 자신이 만든 작품의 작가가 '쇼지 야마구치'라고 팸플릿을 만들었다. 가공의 인물이었다. 그는 작가 프로필에 '쇼지 야마구치'는 일본 국적의 작가인데, 미국 남부지역에서 활동하다 본국을 방문 중 자동차 사고로 부인과 함께 사망했다고 꾸며댔다. 전시회는 대성공이었다. 하지만 얼마 못 가 모든 것이 거짓임이 밝혀져 미술계가 발칵 뒤집혔다. 그런데 반전이 일어났다. 여론은 그에게 유리하게 기울었다. 대중들이 그의 용기와 대담함에 박수와 응원을 보낸 것이다. 사람들은 기존 미술계의 철옹성 같은 진입장벽에 도전한 그의 정신을 높이 샀다.

그의 전위정신은 곧 다른 방면에도 두각을 드러냈다.

그는 빈민가의 허름하고 낡은 건물을 싼값에 사들였다.

건물의 낡은 부분을 헐어 내고 폐자재를 활용하여 설치예술 작품을 만들었다. 그리고 그 작품을 높은 가격에 판매했다. 그의 명성에 힘입어 잘 팔려나갔다. 부유한 사람들이 그의 작품을 비싸게 사 갔다. 게이츠는 그 돈으로 낡은 건물을 새롭게 리모델링했다. 단장한 건물은 지역주민을 위한 도서관, 미술관, 작업장 등으로 제공되었다.

그러자 그의 예술가로서의 창조정신과 사회공헌이 화제가 되었다. 그의 작품을 구입하는 사람들은 노블레스 오블리주 noblesse oblige를 실천하며 환경보호와 사회공헌에 기여한다며 흐뭇해했다. 구매자들의 감성과 지성 모두를 만족시킨 셈이다.

그는 예술가로서만 아니라 부동산 개발업자, 사회사업가로도 성공했다. 2014년 〈아트리뷰〉가 선정한 '가장 영향력 있는 인물 50위' 안에 들었다.

정신분석학자 자크 라캉은 '인간의 감정은 모두 속임수'라고 말했다. 그의 말대로라면, 인간의 감정을 이끌어 내는 예술은 속임수에 의존한다는 뜻이다.

사실 우리는 예술세계가 어떤 면에서는 속임수에 의존한다는 점을 어느 정도 수긍하고 있다. 작품을 감상하면서 스스로 감정이입을 기대하고, 기대한 감정이 일어날 때 찬사를 아끼지 않는다. 엄밀히 들여다보면, 그 감정은 실재하지 않는 허상이다.

대부분 예술가는 이 사실을 전면에 내세워 이용하지는 않는다. 하지만 게이츠의 예술은 정치적이고, 힘이 있고, 대범하고, 비판적이다. 그는 예술세계가 지닌 속임수 자체를 예술작품으로 만든 것이다.

예술가가 지닌 진정한 힘은 금전적 가치를 만드는 능력이 아니라, 세상을 바꾸는 능력에 있다고 할 수 있다. 가난이 숙명인 것처럼 여겨지는 예술계에서, 그는 창조성에 사기성이란 양념을 더 하여 예술과 사업의 융합 모델을 제시해 주었다.

(2023.7.19.)

## 작가의 창조성

예술은 창조를 생명으로 한다.

하지만 작가가 창조성을 인정받기 위해서는 넘어야 할 장애물이 많다.

한 작가가 작품을 세상에 내놓기 전에 많은 고민에 빠진다. 작품이 정말 좋은 것인지 확신이 가지 않기 때문이다. 누구나 세상 사람들의 웃음거리가 되고 싶지 않다. 작품을 내놓으려면 자신이 발가벗은 채 세상에 나서는 각오가 필요하다.

용기를 내어 작품을 세상에 내놓아도 앞길이 순탄하지 않다.

세상은 이상하게도 새로운 것이 나오면 경계의 눈초리로 바라본다.

미술작품을 예로 들어 보자.

미술시장을 움직이는 미술상들은 잘 팔릴 것 같은 작품만 사들인다. 수집가는 사람들 사이에 인정받을 수 있는 작품을 사고 싶어 한다. 미술관 큐레이터들은 이미 알려진 작품을 원한다. 이러한 험난한 환경을 뚫고 새로운 작품을 내놓기가 쉽지 않다. 얽히고설킨 미술시장에 도전하기 위해서는 용기가 필요하다.

한편, 미술 소비자 - 관람객들은 어떤가.

관람객들은 예술가의 창의력에 크게 관심을 기울이지 않는다. 건성으로 미술관을 구경한다. 관람객들은 모든 예술작품은 흥미를 불러일으키고 재미를 선사하며 여흥을 위하여 만들어진 것이지 진지한 것이 아니라고 여긴다.

어느 날 대영박물관의 고대 이집트와 그리스 조각 사이에는 작은 돌덩이 하나가 걸렸다. 그 돌덩이에는 마크 팬으로 원시인이 쇼핑카트를 미는 듯한 모습이 그려져 있었다.

그 작품 아래에는 다음과 같이 쓰여 있었다.

"이 원시 작품은 후기 긴장병 시대의 것으로 대부분 소실되었다. 벽에 서투르게 그려진 것이 다수 있었는데 예술의 가치를 알지 못하는 열성적인 관료들로 인해 파괴되었다."

관람객들은 그 작품이 가짜임을 눈치채지 못했다.
그 돌조각은 농담이었으며, 관료들은 억울한 누명을 썼다. 며칠 후 미술관 담당자에게 발견된 이 작품은 월아트Wallart로, 얼굴 없는 아티스트로 알려진 뱅크시의 전형적인 도발이었다.

뱅크시는 그래피티 아티스트[19], 사회운동가, 영화감독으로도 알려진 영국의 화가이다. 그는 루브르, 메트로폴리탄, 브루클린, 뉴욕현대미술관에도 똑같은 짓을 했고, 미국 자연사박물관에 놓아둔 미사일 딱정벌레는 23일 동안 전시되었다고 한다. 예술작품을 건성으로 대하는 관람객들을 조롱하기 위한 전위예술이었다. 뱅크시의 작품은 예술계를 비판할 뿐만 아니라 반전, 반권위적인 성향도 띠고 있다. 이렇게 기존 예술이나

---

19) graffiti art : 벽이나 그 밖의 화면에 낙서처럼 긁거나 스프레이 페인트를 이용해 그리는 그림.

사회 권위를 비판하는 예술을 '제도비판 예술'이라고 한다.

그의 정치적 의미가 함축된 만화적 그림은 장난스러운 낙서로 치부되었지만, 지금은 그것을 완전한 예술작품으로 소개하는 큐레이터들 덕분에 그의 지위가 상승했다. 제도비판 행위 자체가 상품성을 인정받은 것이다.

최근 우리나라에도 뱅크시의 작품이 전시되고 있다.

그중에는 〈풍선 없는 소녀〉라는 작품이 포함되어 있다. 이 작품은 뱅크시가 2002년 런던의 한 건물 담벼락에 그렸던 벽화를 회화로 복원한 뒤, 2018년 10월 런던 소더비 경매에 내놨던 작품으로 당초 16억 원에 낙찰되었다. 그러나 낙찰 직후 뱅크시는 액자내부에 숨겨둔 파쇄기를 원격으로 작동시켜 작품을 절반 정도 파쇄했다.

뱅크시는 예술작품이 가격으로만 평가되는 현실을 비판하면서, '파괴의 충동은 창조의 충동과 같다'는 피카소의 말을 인용했다. 그의 예술행위는 경매 후 파쇄로써 완성된 것이다. 흥미로운 점은 낙찰자가 그 훼손된 그림을 인수해 갔다는 사실이다. 그 작품은 3년 만에 다시 경매에 나와 18배 높은 301억 원에 낙찰되었다. 그 과정에서 작품의 이름도 당초 〈소녀와 풍선〉에서 〈풍선 없는 소녀〉로 바뀌었다.

〈벽화-소녀와 풍선, 2002〉

〈소녀와 풍선, 2018〉

〈풍선 없는 소녀, 2021〉

창조성은 인간의 근본 욕구이면서 살아있다는 징표라고 할 수 있다. 삶을 살면서 가장 용기 있는 행동은 독립적으로 생각하고 그것을 표현하는 것이다.

빈센트 반 고흐는 말했다.

"우리가 아무것도 시도할 용기가 없다면 삶이 어떻게 될까."

나는 무슨 일이든 할까 말까 망설여질 때면 미국 속담을 곧잘 떠올린다.

"Nothing ventured, nothing gained!" 도전하지 않으면 아무것도 얻는 게 없다.

글쓰기도 마찬가지가 아닐까.

(2023.7.21.)

## 예술과 고통

그림은 시각을 통해 아름다움을 추구한다.

그런데 화가 에드바르드 뭉크의 그림은 아무리 봐도 아름다움과는 거리가 있다. 그림에 문외한인 나의 눈에는 그의 그림이 사람들의 이목을 끄는 이유가 이해되지 않는다.

그의 대표작 〈절규〉는 공포에 질린 핼쑥한 사람이 비명을 지르며 캔버스를 뚫고 나올 것처럼 생생하게 느껴진다. 난간 옆으로 불안하게 넘실대는 바닷물과 핏빛으로 물든 하늘은 작가의 불안한 내면을 드러낸다.

〈흡혈귀〉에서는 어둠 속에서 남자의 목을 무는 붉은 머리카락의 여자를 그렸다. 여자를 흡혈귀로 형상화하여 남자 영혼의 피를 빨아먹는 존재로 표현한 듯하다. 〈마라의 죽음〉에서도 피 흘린 채 바닥에 누워있는 나체의 남자와 귀신처럼 서 있는 나체의 여자가 대비된다. 그림의 색상이나 붓질, 그리고 여자의 표정 등에 작가의 불안과 트라우마가 엿보인다.

누군가 내게 이런 그림을 공짜로 준다고 해도 곁에 두기가 섬뜩한 느낌이다. 그런데 소더비경매장에서 〈절규〉는 1,470억 원,

〈흡혈귀〉는 400억 원이 넘는 가격에 거래되었다고 한다. 그의 그림에 대한 세상의 현재 평가다. 나만 현실과 동떨어진 걸까.

노르웨이를 여행하는 사람들이 꼭 들르는 곳이 오슬로에 있는 뭉크미술관이다. 몇 해 전 북유럽 여행 때, 다른 관광객과 같이 〈절규〉앞에서 기념촬영을 한 적이 있다. 관람객이 워낙 붐벼 그림을 조용히 감상하기가 어려웠다.

한데 그 그림의 무엇이 세상 사람들의 마음을 끌까.

평론가들은 뭉크를 '죽음의 작가'라고 말한다. 그는 죽음의 공포와 두려움에 평생 떨면서 살았다. 죽음으로부터 도망치느라 평생 독신으로 지냈다.

1863년에 태어난 그는 5살 때부터 어머니가 폐결핵으로 삶과 죽음을 넘나드는 것을 목격했다. 자신도 어머니의 병을 물려받아, 13세 때부터 각혈했다. 죽음의 공포에 시달리다 보니 그는 종종 자다 깨어나면 '내가 지금 지옥에 있는 건가'라며 헷갈려 했다고 한다. 실제 어릴 적 그의 집은 정신병원과 도살장이 가까운 곳에 위치하고 있었다. 어릴 적부터 죽음의 외마디 소리를 들으며 자란 셈이다. 그러나 뭉크는 본인의 우려와는 달리 81세까지 살았다.

청소년이 된 그는 아버지의 반대에도 불구하고 예술학교에 진학하여, 자살을 옹호하는 집단에 가입하는 등 어두운 시절을 보냈다.

신은 한 사람의 예술가를 탄생시키기 위해, 사랑도 악의 꽃으로 만들어 주나 보다. 그는 20세 때 연상의 팜므파탈 유부녀를 처음 만나 6년간 전쟁 같은 사랑을 했으나 끝내 버림을 받았다.

30세 때에는 어릴 적 여자 친구를 베를린에서 만나 새로운 사랑을 꿈꿨으나 이번에는 동료 예술가에게 빼앗겨 버렸다. 세 번째는 스물아홉의 상속녀 라르센을 만났다. 그녀는 뭉크에게 스토커처럼 집착하여 권총을 들이대며 '결혼하든지 죽든지' 하라며 협박했다. 그 과정에서 총을 오발하여 뭉크의 왼손 중지를 산산조각 나게 했다. 뭉크가 여자를 흡혈귀로 여길 만하다는 생각이 든다.

그의 굴곡진 인생여정과는 달리, 차츰 작품이 팔리기 시작하면서 그는 경제적으로 안정을 얻었다. 뭉크는 1909년부터 노르웨이의 작은 마을 크라게뢰에 둥지를 틀고 1944년 일생을 마감할 때까지 그림을 그렸다. 1930년대 후반에는 한때 히틀러로부터 '타락한 미술가'로 몰리기도 했다.

뭉크는 자신의 그림을 '아이들'이라고 부르며, 같은 그림을 여러 장 그렸다. 한 장의 그림이 팔리고 나면 유사한 그림을 다시 그렸다. 그래서 뭉크의 그림은 비슷한 그림이 여러 장 전해진다. 그가 죽은 후 그의 집에서는 그림 1,000여 점과 드로잉 4,000여 점, 그리고 수많은 판화와 자료가 나왔다고 한다. 그는 죽으면서 모든 그림과 자료를 오슬로시에 기증했다. 시에서는 1963년 뭉크미술관을 개관했다.

뭉크는 사랑을 갈망했으나 여인들로부터 버림을 받았다. 그렇다고 뭉크가 남자로서 매력이 없지도 않았다. 친구들은 그를 '노르웨이에서 가장 잘생긴 남자'라고 불렀다. 사실 그는 여자들에게 인기가 많았다고 전해진다. 문제는 늘 죽음에 쫓기는 그의 내면이었다. 그는 죽음의 두려움에 항상 떨었다.

뭉크는 내면의 불안과 고통을 숨기지 않고 그냥 그대로 과장함이 없이 캔버스에 옮겼다. 그림으로 형상화된 그 모든 것이 영혼의 현주소였다.

그런데 그의 그림의 어떤 면이 사람들을 매료시킬까.

뭉크는 그림을 통해 인간의 가슴 심연에 숨어있는 어두움의 그림자를 끄집어낸 것이다. 사람들은 뭉크가 보여준 슬픔, 고통, 두려움에 공명을 일으킨다. 누구나 가슴 깊숙이 품고 있는 비통한 어두움의 감정을 노크한 것이다.

사람들이 기쁨이나 환희를 표현할 때는 가식이 섞일 수 있지만, 슬픔이나 고통을 나타낼 때는 누구나 순수해진다. 그의 그림에서 비애미悲哀美를 느낄 수 있다. 그것이 예술이 추구하는 또 다른 순수의 미美라고 할 수 있다.

고통 없이 영혼을 울리는 예술작품이 탄생되는 경우는 드물다. 그림뿐 아니라, 시, 소설, 음악 등 모든 예술의 밑바탕에는 인간의 고통과 비애를 기본재료로 한다.

조개가 무수한 시간의 속앓이를 한 끝에 한 알의 진주를 토해내듯이, 예술가도 끔찍한 고통을 겪어야 한 점의 명작을 잉태한다. 예술은 고통의 또 다른 얼굴이다.

(2023.7.12.)

## 영혼이 자유로운 여인

세기의 지성인들을 사랑에 빠지게 한 여인이 있다.

신을 부정한 허무주의자 니체, 최고의 음유시인 릴케, 정신분석학의 원조 프로이트에게 영감을 주고 그들이 하나같이 구애를 한 여인이다. 바로 소설가이자 정신분석학자인 '루 살로메'다.

그녀는 1861년 러시아 장교의 막내딸로 태어났다. 평범한 외모였지만 지적 호기심이 넘치는 명석한 두뇌의 소녀였다.

17살 때부터 네덜란드 출신의 목사와 가까이 지내며 철학, 종교학, 심리학을 공부했다. 둘 사이에 지적 교감이 깊어지자, 43살 유부남인 목사는 루에게 청혼을 했다. 그녀는 이를 거절하고 스위스 취리히로 가서 공부에 열중했다. 그러나 폐에 이상이 생겨 곧 따뜻한 로마로 가야 했다.

그곳에서 그녀는 철학자 파울 레를 만났다. 레가 그녀에게 이성으로 접근하려 하자, 그녀는 레의 친구 니체를 끌어들여 삼각관계를 형성했다. 그녀는 레와 니체를 정신적 연인관계로 선을 긋고 육체적 관계가 없는 동거에 들어갔다.

니체가 그녀에게 두 번이나 청혼하자, 그녀는 얽매이는 게 싫다며 레와 함께 집을 나왔다. 그녀가 떠난 후 상실감에 절망하던 니체는 불후의 역작, 〈자라투스트라는 이렇게 말했다〉를 출판하고 얼마 못 가서 정신병에 걸렸다.

루는 레와도 육체적 관계없는 동거 생활을 하던 중, 어느 날 돌연 동양학자인 칼 안드레아스와 결혼했다. 결혼 소식을 들은 레는 자취를 감추었다가 4년 후 자살했다. 흥미로운 점은 안드레아스와도 잠자리를 하지 않는 조건부 결혼이었다는 점이다.

그녀가 37세 되던 해, 자신보다 14살 어린 시인 릴케를 만났다. 둘은 육체적 관계까지 넘나드는 불꽃 튀는 사랑에 빠졌다. '라이너 마리아 릴케'라는 필명도 그녀가 지어준 것이다. 원래 릴케의 이름은 '르네 마리아 릴케'였는데 프랑스식 '르네'를 독일식 '라이너'로 바꾸었다. 그녀로부터 시적 영감을 많이 받아 그의 초기 시집에 그녀에 대한 사랑의 헌시獻詩를 다수 볼 수 있다. 문제는 릴케가 루에게 지나치게 집착한 데 있었다. 부담을 느낀 그녀는 그의 곁을 떠났다. 그녀가 떠난 후 릴케는 여러 여자를 전전하고 결혼까지 했지만, 죽음을 앞두고 그는 '루에게 내가 무엇을 잘못했는지 물어봐 주시오'라는 마지막 말을 남겼다.

그녀가 50세 되던 해, 당시 55세였던 정신분석학자 프로이트를 만났다. 프로이트가 그녀에게 사랑의 편지를 보냈으나 그녀는 관심을 보이지 않았다. 대신 프로이트의 조교이자 16살 연하인 타우스크와 열애에 빠졌다. 프로이트가 그녀와 제자와의 관계를 눈치채고 실망하자, 정신적 사랑을 더 원했던 그녀는 타우스크를 버리고 프로이트와 계속 우정을 이어갔다. 타우스크는 그 충격으로 자살을 선택했다.

그녀는 1937년 75세의 나이로 당뇨와 유방암으로 삶의 마침표를 찍었다.

세기의 지성들과 어울리면서 삶을 이어간 루 살로메의 파란만장한 인생역정을 되새겨보자. 그녀는 한마디로 신과 인간을 찾아 헤매는 구도자와 같다는 생각이 든다. 뉴욕 하늘을 향해 높이 솟은 '자유의 여신상'이 연상된다.

그녀는 자신의 영혼이 얽매이는 것을 죽음으로 생각한 듯하다. 남자와의 관계를 정신적인 사랑과 육체적인 사랑으로 철저히 구별했다.

독점욕이 강한 남성들을 견제하기 위해 삼각관계를 이용했다. 어릴 적부터 심리학에도 관심이 있었던 그녀는 남성들의 심리를 이용할 줄 알았다. 그녀는 레와 니체와의 삼각관계를 '삼위일체'라 불렀다. 프로이트와 타우스크와의 관계도 비슷하다.

그녀는 정신적 사랑에 바탕을 둘 뿐, 의무적인 육체적 결합을 원치 않았다. 정신적 사랑을 플라토닉 러브platonic love로 여겼거나, 육체적 결합이 정신적 사랑의 걸림돌이라 여겼는지도 모르겠다.

하지만 그녀가 육체적 사랑을 싫어한 것은 아니었다. 오히려 섹스를 즐기기도 했다. 자신보다 나이 어린 릴케와 타우스크와는 육체적 사랑도 했다. 그렇지만 자신에게 집착을 보이는 남자는 가차 없이 내쳤다. 자신의 영혼을 구속한다고 여겼기 때문이다. 안드레아스와의 결혼도 레의 집착을 떼어내기 위한 한 방편으로 보인다.

그녀는 자신의 아이를 가지지 않았다. 혼외정사를 즐겨 두 번의 낙태를 했다고 전해진다. 남편 안드레아스가 육체관계를 요구하자 곧바로 별거에 들어갔다. 안드레아스가 죽을 때까지 혼인을 지속한 이유는 실직으로 생활이 어려워 그녀가 보내주는 생활비가 필요했기 때문이다. 당시 그녀는 활발한 저술 활동으로 사교계의 유명 인사였다. 평생 22권의 책을 냈다.

현대는 지성과 경제적 능력을 두루 갖춘 독신 여성이 많이 눈에 띄지만, 지난 세기말에만 하더라도 그녀는 드물게 볼 수 있는 깬 여성이었다.

그녀의 그 무엇이 세기의 지성을 매료시켰을까.

니체가 어머니에게 쓴 편지의 한 대목에서 그 이유를 엿볼 수 있다.

"이제까지 그 아가씨처럼 재능 있고 사색 깊은 사람을 만난 적이 없습니다. 우리는 30분만 함께 있으면 서로 크게 얻는 점이 있어 둘 다 행복해집니다. 이 마지막 1년에 최대의 저작을 완성할 수 있었던 것은 우연한 일이 아닙니다."

그녀도 죽음을 앞두고 말했다.

"어떤 운명을 갖느냐는 것은 인생을 진정으로 살기만 한다면 중요치 않아요."

자유로운 삶을 살다간 루 살로메의 영혼에 꽃비가 내리기를….

(2023.9.12.)

## 예술가를 빚어낸 여인

그리스신화에는 예술가에게 영감을 불어넣는 뮤즈가 나온다. 제우스와 기억의 여신 므네모시네 사이에 태어난 9명의 여신이다.

인간 세상에도 일반적으로 남성보다 여성의 감수성이 더 예민하다. 그런데 이상하게도 이름난 예술가 중에 여성이 그리 많지는 않다.

그 이유는 무엇보다 가부장적 사회제도로 인해 여성의 사회활동을 제한한 데서 찾을 수 있겠다. 특히 중세 암흑기에는 교회나 왕실 중심의 예술이 발달해 여성들의 활동무대가 없었다. 그러나 여성이 남성보다 예술가의 창작에 영감을 불어넣는 뮤즈로서 능력을 발휘한 점이 눈에 띈다.

어떤 여성은 남성 예술가에게 영감을 불어넣어 주는 정도의 소극적인 역할에 그치지 않고, 예술가를 다듬고 빚어내는 적극적 역할을 한 뮤즈도 있었다.

우리나라의 변동림이 그러한 역할을 한 대표적인 여성이다.

그녀는 천재 소설가 이상과 첫 결혼을 하였으나, 10개월

만에 폐결핵 치료차 일본에 건너간 남편과 사별해야 했다. 이후 화가 김환기와 재혼하면서 이름을 김향안으로 바꾸고, 미술사와 미술평론을 배우면서 남편의 작업을 도왔다. 그녀의 헌신에 힘입어 김환기는 화가로서 세계적인 반열에 올랐다.

가냘픈 체구의 한 여인이 두 남편을 모두 역사에 발자국을 남긴 작가로 성장시키고, 그들의 작품을 국내외에 홍보하는 데 힘을 썼다. 그것은 그녀가 남자의 예술적 재능을 일찌감치 알아보는 혜안과 그들을 예술가로서 성장시키고 조련하는 솜씨가 뛰어났기 때문이라고 여겨진다. 뿐만 아니라, 그녀는 자기계발에도 힘써 스스로 화가와 수필가로 활동하기도 했다.

한국에 김향안이 있었다면, 유럽에는 '알마 말러'가 있다.

그녀는 1879년 오스트리아 화가였던 에밀 야콥 쉰들러의 딸로 태어났다. 작곡가였던 그녀는 타고난 미모와 지성으로 숱한 남성들에게 선망의 대상이 되었다. 그녀는 결혼 전에도 공연감독 부어카르트, 작곡가 알렉산더 쳄린스키, 화가 구스타프 클림트와 염문을 뿌렸다. 그로 인해 그녀는 클림트의 대표작 〈키스〉의 주인공[20]이 되었다.

그러나 그녀는 클림트의 끈질긴 구애를 뿌리치고, 19살 많은 작곡가 구스타프 말러와 결혼했다. 그녀는 말러가 조용한 내조만 원해서, 두 딸의 어머니로만 지내다가 첫딸이 죽게 되자 우울증에 걸렸다. 그 뒤 그녀는 건축가 발터 그로피우스와 깊은 관계에 빠졌다. 말러는 그녀의 마음을 돌리기 위해 대작 교향곡 8번

20) 이 작품의 여자 주인공에 대해서는 후세에 여러 여인의 이름이 오르내린다. 일설은 바람둥이였던 클림트가 알마의 첫 키스를 차지한 기쁨에 젖어 이 작품을 그렸다고 한다.

천인교향곡을 작곡하였으나, 말러는 얼마 못 가서 죽고 말았다.

그녀는 오랜 기간 미망인으로 지내다가 건축가 그로피우스와 두 번째 결혼했다. 그로피우스는 유럽 건축의 흐름을 바꾼 바우하우스의 설립자로 유명하다.

그런데 두 번째 결혼하기 전 공백 기간에 사귀었던 천재 화가 오스카 코코슈카가 그녀에게 병적으로 집착했다. 그는 1914년 〈바람의 신부〉라는 작품을 그렸다. 이 작품은 일명 〈폭풍우〉로 알려져 있는데, 폭풍처럼 강렬한 사랑이 격정적으로 표현된 작품으로 코코슈카의 최고 걸작으로 꼽힌다. 이 작품의 주인공이 바로 알마였다. 코코슈카는 알마가 그로피우스와 결혼한 후에도 미련을 두고, 그녀를 본뜬 인형을 만들어 오페라 공연이나 카페에 데리고 다니는 기행을 보이기도 했다. 그러다가 그는 훗날 그녀의 70번째 생일날 다음과 같은 편지를 보냈다.

"사랑하는 나의 알마! 당신은 아직도 나의 길들지 않은 야생동물이오. (중략) 시인을 찾아요. 그래서 우리가 함께 무엇을 했으며 서로에게 어떤 상처를 주었는지, 후세에 우리들의 살아있는 사랑을 전할 수 있도록 그에게 이야기를 전해줘요. 우리가 서로에게 불어넣은 그 뜨거운 열정과 비교되는 사랑은 없었으니까."

그로피우스와의 두 번째 결혼도 오래가지 못하고, 1929년 그녀는 시인이자 극작가로 유명했던 프린츠 베르펠과 세 번째 결혼했다. 유대인이던 부부는 나치의 박해를 피해 미국으로 건너가 여생을 보내고, 1965년 85세의 나이에 뉴욕에서 사망했다. 그녀의 유해는 빈으로 옮겨져 그로피우스와의 사이에서 태어난

딸 마농의 곁에 묻혔다.

그녀는 세 명의 유럽 예술계 거장의 아내로 기억된다. 그리고 두 개의 세계적 명화의 주인공으로 남았다. 그녀의 그 무엇이 남편들을 예술사의 거장으로 남게 했을까.

남편들이 대성할 자질을 미리 알아채는 안목이 있었을까. 남편들에게 예술적 영감을 주는 능력이 있었을까. 아니면 예술가의 창조성을 한껏 끌어올리는 조련의 기술이 있었던 것일까. 아니면 단순한 바람둥이 여성이었을까.

어떤 사람들은 그녀가 천부적으로 '어장 관리'를 할 줄 아는 여인이었으며, 자존심을 지키기 위해 상대방을 모욕하는 일도 서슴지 않았다고 한다. 적지 않은 사람들이 그녀를 '방탕한 여성', '오만하고 멍청한 인간'이라고 하며, '그녀를 아내로 맞는 건 사형선고'라고 비난하기도 했다.

나는 알마의 그 무엇인가가 남편들의 예술창작에 일정 부분 이바지한 것이 있을 것으로 생각한다. 그녀를 만난 남자들이 미술가, 음악가, 건축가, 극작가로서 각자 자기 분야에서 눈부신 업적을 남긴 것이 결코 우연이라 할 수는 없지 않을까. 그녀에게 쏟아진 비난의 말은 그녀가 이룬 업적을 부러워하거나 시기하는 사람들의 뒤틀린 심사를 나타낸 말일 가능성을 배제할 수가 없다.

그렇지만 내 마음 한구석에는 김향안이 현모양처로 비치는 반면, 알마 말러는 팜므파탈로 비치는 것은 왜일까.

(2023.9.11.)

## 악마의 거래

세상 모든 것이 그저 되는 일은 없다.

한 개의 예술작품 뒤에는 사람들의 눈물이 배어있다.

예술가는 누군가의 희생과 고통을 재료로 창작의 양념을 버무려 작품을 빚어낸다.

국립경주박물관 입구에는 성덕대왕신종이 있다.

일명 '에밀레종'으로 국보 제29호다. 771년혜공왕7년에 만들어진 이 종은 높이 3.4미터, 지름 2.4미터, 무게 19톤이다.

이 종의 탄생에는 슬픈 이야기가 전해진다.

종을 만들라는 왕의 명을 받은 스님이 집집마다 시주를 얻으러 다녔다. 가난한 아낙이 혼자 살고 있는 집에는 내놓을 것이라고는 갓난아기뿐이었다. 스님은 그 집을 건너뛰고 나머지 집들의 시주만으로 종을 만들었다. 그런데 종이 울리지 않았다. 시주를 얻지 못한 집 때문이라는 점괘가 나왔다. 스님은 아낙의 갓난아기를 뺏어와 쇳물과 함께 녹여 종을 만들었다. 마침내 종이 소리를 내었다. 아기가 엄마를 찾는 애절한 소리를 내어 '에밀레종'이라고 불렀다. 최근 이 종의 성분을 분석해 보니 뼈의 성분칼슘과 인은 발견되지 않았다. 그로 미루어 보아 인신공양설은 사실이 아닌듯하다.

그런데 이야기 속 스님은 뭇 중생의 심금을 울린다는 명분 아래 살인을 했다. 불살생을 계율로 받드는 스님이 아이를 희생시킨 것은, 영혼을 팔아 소망을 이루려는 파우스트의 그것과 다르지 않다. 괴테의 희곡, 『파우스트』에서 파우스트가 악마메피스토펠레스에게 영혼을 팔아 원하는 것을 얻고, 죽으면 지옥으로 가겠다는 계약을 맺는다. 이처럼 눈앞의 욕망 - 명예와 부에 눈이 어두워 악마에게 영혼을 내주기로 약속하는 것을 '파우스트의 거래' 또는 '악마의 거래'라 일컫는다.

예술가는 창조를 통해 신성에 닿으려는 사람이다.

그래서 신에 버금가는 창조를 이루기 위해 자신의 모든 것을 포기하고 악마의 거래를 주저하지 않는다.

유대인 지휘자 게오르그 솔티는 1946년 뮌헨에서 지휘해달라는 초청을 받고, "나는 파우스트처럼 악마와 계약을 맺고 지휘하러 그 악마와 함께 지옥으로 갈 준비가 되어있다."고 말했다. 그는 악마와 거래하는 심정으로 홀로코스트Holocaust를 저지른 히틀러의 나라에서 연주를 결심한 것이다.

발전심리학자 하워드 가드너는 눈부시게 창의적인 사람들이 악마의 거래를 통해 성공을 이룬다고 했다. 옛 판소리 명창이 눈을 멀게 하여 득음한다든지, 서양 오페라의 카스트라토 테너가 거세를 통해 높은음자리를 넘나든다든지 하는 것이 그 예이다.

이름난 예술가 중에 악마의 거래를 통해 불멸의 작품을 남기는 경우가 많다. 그 과정에는 다른 사람의 눈에 피눈물이 나게 하는 경우도 허다하다.

근대 조각의 아버지라고 추앙받는 로댕은 그의 연인 카미유 클로델의 헌신과 희생을 발판으로 삼아 명성을 얻었다. 그는 43세 중년의 나이 때 19세의 카미유를 제자 겸 모델, 그리고 애인으로 삼고 실컷 이용한 후 헌신짝처럼 버렸다. 그녀 자신도 유명한 조각가였으나 정신적 충격으로 30년간 병원에서 절망하다가 쓸쓸히 죽어갔다.

알베르토 자코메티는 가늘고 긴 조각상으로 명성을 얻은 스위스 조각가다. 그의 명성 뒤에도 아내 아네트의 앙상한 자아가 아른거린다. 그녀는 7평 남짓한 비참한 아틀리에에서 꼼짝없이 5~6시간씩 포즈를 취해야 했다. 남편의 타자수, 비서, 청소부 노릇을 해야 했다. 성기능장애자였던 그는 허영심을 쫓는다며 그녀가 선물 받은 좋은 옷을 입지 못하게 했다. 그녀는 늘 흰 셔츠에 짧은 양말, 낮은 구두를 착용해야 했고, 머리카락이 표정을 가린다는 이유로 삭발을 강요당했다. 자코메티가 아내를 자양분 삼아 성장했다는 사실은 1961년 초상화 〈아네트〉에 보여주고 있다. 38살이 된 아네트가 환갑의 남편 앞에 다소곳이 앉아 있다. 홉뜬 눈, 살짝 벌린 입술, 힘 빠진 얼굴 근육은 그녀의 영혼이 얼마나 지쳐 있는지 짐작게 해준다.

모차르트나 베토벤과 같은 천재 음악가들의 삶에도 그늘진 부분이 있다.

그들은 천재라는 미명하에 어릴 적부터 음악훈련을 받느라고 정상적인 교육 기회를 얻지 못했다. 부모들이 아이를 전문음악가로 바꿔놓기 위해 그 아이들의 통상적인 경험을 빼앗았다.

그 결과 이들은 다듬어지지 않은 인격의 소유자가 되었다. 그래도 사람들은 천재 예술가들의 덜 인간적인 면을 너그럽게 받아들인다. 이들의 예술작품에서 발견되는 커다란 인류애가 그들의 사소한 인격적 결함을 덮을만하다고 여기기 때문이다.

오늘날 영재교육이라는 명분을 내세우고, 부모가 아이를 비정상적인 인생행로로 내모는 모습을 종종 본다. 성공의 잣대를 어디에 두는지 모르겠지만 나는 탐탁지 않게 여겨진다.

이처럼 많은 예술가가 예술적 영감을 얻기 위해 악마와 거래한다. 그래서 모든 창조에는 작가뿐 아니라 그 주변 여러 사람의 희생이 뒤따른다.

파우스트가 말했다.

"무지개가 수많은 물방울의 작용으로 피어나듯, 인간의 생도 무지개처럼 노력해야 피어난다." 한 개의 무지개 - 명작 속에는 숱한 사람의 눈물이 배어있다.

과연 예술가에게 있어, 악마와의 거래는 불가피한 선택일까. 예술이라는 이유로 정당화될 수 있을까. 창조의 이름 뒤에 가려진 희생자들의 영혼은 누가 위로할 것인가. 악마와의 거래가 지나간 후 예술가의 영혼은 파멸할까, 구원받을까.

이 같은 우려에도 불구하고, 나는 예술가에게 있어 '악마의 거래'는 뿌리칠 수 없는 유혹이라 여겨진다.

인간은 끊임없이 신전의 문을 두드리는 존재이기 때문이다.

(2023.9.5.)

## 현대미술의 문제아

예술은 아름다움을 추구한다.

아름다움은 사람의 감성을 울리는 데서 나온다. 그런데 현대미술을 보면 난해하여 쉽게 공감하기 어렵다. 공감하고 못하고는 관람객의 몫이라, 작가의 문제는 아니라고 항변할 수 있다. 하지만 대중에 다가가지 못하고, 소수의 감성에 헌신하는 예술은 존재의 의미가 줄어든다는 점을 부인하기 어렵다.

1826년 카메라가 발명되기 이전, 회화는 초상화나 사실화가 주류를 이루었다. 카메라가 발명되면서 사실적 표현에 치중하던 화가들에게 위기가 왔다. 더 이상 실물을 그릴 의미를 잃어버린 고흐, 모네, 마네, 고갱 등 화가들은 사물의 특징을 끄집어내는 인상주의를 표방했다. 인상주의는 얼마 지나지 않아 사물을 여러 각도에서 보는 큐비즘입체주의으로 발전했다. 그 중심에 현대미술의 문제아 피카소가 있다. 그는 "대상을 보이는 대로가 아니라 생각하는 대로 그린다."라고 선언했다.

서양 미술의 역사는 피카소 이전과 이후로 나뉜다고 할 정도로 그가 차지하는 영향력은 컸다. 혹자는 400년 앞선 미켈란젤로에게 버금간다고도 말한다.

피카소는 1881년 스페인 말라가에서 태어났다. 미술교사인 아버지는 아들의 재능을 발견하고 그를 파리로 보내 당시 유행하던 화풍을 접하게 했다.

파리 생활을 시작할 때, 그는 여느 화가들과 마찬가지로 다른 그림을 모방하는 시기를 보내기도 했고, 하층민의 생활을 그리며 암울한 청색시대를 보내기도 했다.

하지만 그의 전성기 그림을 이해하기 위해서는 그의 곁을 지킨 여인들을 눈여겨볼 필요가 있다. 예술의 영감을 여인들로부터 받았기 때문이다. 그는 여인을 바꿀 때마다 화풍도 바꾸었다.

첫 번째 여인 올리비에를 만나면서부터 어두운 푸른색에서 밝은 붉은색 그림으로 바꾸며 최초의 입체주의 그림 - 〈아비뇽의 처녀들〉을 발표했다. 두 번째 여인 에바를 만나고 나서는 본격적인 입체주의 시대를 열었다. 네 번째 마리를 만난 후에는 초현실주의 작품 〈게르니카〉를 그렸다. 그는 평생 사실주의, 입체주의, 신고전주의, 초현실주의, 표현주의 등 다양한 기법을 시도했다.

1973년 92세의 나이로 생을 마감할 때까지 유부녀를 포함한 7명의 여인이 함께했다고 알려져 있다. 나이 어린 여자를 선호했는데 나이 차이가 50살인 경우도 있었다. 그중 2명만 결혼을 했다. 아들 2명, 딸 2명의 자녀를 낳았다. 스쳐 간 여인의 수는 비밀이다.

그의 여인들과 자식들의 인생은 평탄하지 않았다.

그가 죽고 4년 뒤, 네 번째 여인 마리는 목매 자살했고, 그 뒤 13년 후에는 일곱 번째 자클린 로트가 그의 무덤 앞에서 권총으로 자살했다. 다섯 번째 도라도 피카소가 떠나간 후 정신병원에 입원해 있다 죽었다. 손자도 피카소의 장례식에서 약을 먹고 자살했으며, 아들도 3년 후 약물중독으로 세상을 떠났다.

오직 여섯 번째 프랑스와즈 질로만 피카소 곁을 스스로 떠났다. 그녀는 미국으로 건너가 피카소의 사생활을 폭로하고, 그가 죽고 난 뒤 아들과 딸을 자식으로 입적시켜 상속을 받아내기도 했다.

도라가 피카소에게 던진 한마디는 그나마 절제된 표현이라고 한다.

"당신은 화가로서는 비범할지 모르지만, 도덕적으로는 쓰레기야."

후세 사람들이 그의 창작에 대한 열정과 창조성을 칭찬한다.

하지만 나는 쉽게 동의하기 어렵다. 그의 초기 작품을 보면 세잔 등 다른 화가의 아이디어를 적잖게 빌렸다. 창작 아이디어가 하늘에서 떨어진 것이 아니라 그의 곁을 지키던 여인들한테서 나왔다. 그에게 여자란 어떤 의미였을까.

피카소 스스로 말했다.

"평생 나는 사랑만 했다. 사랑 없는 삶은 생각할 수 없다."

나는 그가 여인들을 창작의 영감을 얻는 수단으로 이용한 느낌이 든다. 그의 곁을 스쳐 간 여성들의 인생을 보면, 그는 철저한 이기주의자였다. 여자를 그림의 뮤즈, 모델, 연인, 아내로 이용했다. 유부녀든 처녀든 가리지 않았다. 여자가 더 이상 영감을 주지 못하면 곧바로 다른 여성을 넘보았다. 여성들에 대한 배려는 관심 밖이었다. 빈껍데기만 남게 된 여성은 주저 없이 버렸다. 그림과 애욕에 굶주린 게걸스러운 한 인간의 모습이 그려진다. 그의 내면은 채워질 수 없는 공허와 허기로 가득했는지 모르겠다. 혹자는 예술가에게 있어 사생활과 작품 활동은 구별되어야 한다고 변호하지만, 피카소의 경우는 그 정도가 지나치다.

그는 평생 그림 1,000점, 도자기 3,200점, 드로잉 7,000점, 조각 1,200점, 삽화 3만 점 등 5만여 점을 남겼다.

그는 현대미술사에 무엇을 남겼는가.

그의 큐비즘은 미술계에 충격을 주었다. 큐비즘과 초현실주의는 현대미술이 추상화로 넘어가는 변곡점이 되었다. 그 영향으로 피카소만큼 생전에 부와 명예를 동시에 움켜쥔 작가도 드물다.

피카소에 대한 긍정적 시각에도 불구하고 나는 여전히 이해가 안 되는 부분이 있다. 그의 그림은 인간의 내면을 표현한 것이라고 하지만, 정신적 은밀한 부분은 전달이 어려워 그저 모호한 느낌을 줄 뿐이다. 예술은 근본적으로 미적 공감을 추구하는데 그의 그림은 아름답다는 느낌이 별로 들지 않는다. 그가 어떤 정신적 고뇌에서 어떤 의도로 그림을 그렸는지 짐작하기 어렵다. 작가와 교감이 가능한 극소수의 관람자들만의 지적 향연에 그치고 있다는 느낌이다.

그의 큐비즘이나 초현실주의가 추상화로 이어진 것은 현대미술이 대중과 소통에서 멀어진 이유와 무관하지 않다.

특히 작품이 주는 의미의 전달과 가격 면에서 더욱 그러하다.

전문가들은 화가들 내면의 깊은 정신세계를 독창적인 방법으로 표현함으로써 극한의 내적 순결을 보여주고 있다고 주장하면서, 화가의 순수성을 높이 사 그림의 가격을 천정부지로 치솟게 하는 것은 나무랄 수 없다고 변호한다. 과거에는 직관적으로 '아름다움'이 느껴져야 좋은 작품이라고 했지만, 현대미술은 과거의 아름다움을 파괴, 해체하고 새로운 세계를 찾는다고 항변한다. 이어령 교수도 '설명할 수 없는 것을 설명하는 것이 예술이다'라며 미美의 개념을 확장했다. 하기야 그림은 예전부터 여유로운 사람들의 유희로 돈 많은 상류계층을 중심으로 발전해 온 것을 부인하기 어렵다.

위와 같은 전문가의 견해를 어느 정도 수긍한다고 할지라도, 예술이란 보편적 감정으로서의 아름다움이 가미되어야 진정한 예술이 아닐까 하는 것이 나의 소박한 견해다.

자본주의 사회에서 특정 그림을 높은 가격에 사고파는 것은 나무랄 수 없지만, 예술에서 아름다움이란 여러 사람이 공감하는 아름다움이어야 하지 않을까 하는 생각이다. 몇몇 소수의 평론가가 아름답다고 호평하면서 다른 대중들도 그 감정에 동조하도록 유인하는 듯한 행위는 소수의 다수를 향한 정서적 유린과 다르지 않다고 본다.

이러한 비정상의 이면에는 화가와 평론가, 큐레이터들이 보이지 않는 카르텔을 형성하고 그들만의 파티를 즐기고 있지나 않은지 의구심이 든다.

그런 관점에서 피카소는 본인이 의도했든 아니든 현대미술이 대중과 멀어지게 된 책임에서 자유롭지 못하다. 그를 기점으로 평론가의 영향력과 권한이 비대해져 문화 권력을 형성했다. 대수롭지 않은 작품일지라도 평론가가 의미부여를 하면 명작이 되기도 하는 마법이 일어난다. 몇 사람의 주관적인 평가에 그림의 가치가 하늘과 땅을 오가기도 한다. 현대 그림은 '평론가들이 만들어 낸 페르소나'라는 말까지 있다. 주위를 둘러보면, 그들만의 이너 서클inner circle에 끼지 못한 대부분 화가는 생계의 위협까지 받는 것이 현실이다.

파블로 피카소가 과연 현대미술사에서 크게 박수받을 인물일까.

(2023.7.14.)

※ 이 글은 2023년 계간 『현대수필』 겨울호에 게재

# 제3장 신 화

## 개미들의 행진

신들의 우두머리인 인드라는 하늘의 모든 물을 삼켜 가뭄을 일으킨 괴물을 물리쳤다. 그러자 대지에 비가 내려 땅 위의 모든 식물과 동물들이 소생했다. 하늘의 모든 신들이 인드라의 공덕을 칭송했다.

성공과 권력에 도취한 그는 예술과 건축의 신 비슈바키르만에게 자신의 업적에 어울리는 궁전을 짓도록 명령했다.

비슈바키르만은 멋진 궁궐, 정원, 연못, 탑으로 이루어진 도시를 건설하여 헌납했다. 그러나 인드라의 욕심은 끝이 없었다. 더 크고 더 화려한 도시를 원했다. 거듭되는 인드라의 요구에 지친 비슈바키르만은 최고의 신 비슈누를 찾아가 인드라의 탐욕을 고발했다.

다음 날 아침, 인드라의 궁 앞에 열 살쯤 되는 아이가 나타났다. 아이는 길가에 지나가는 개미의 행렬을 보고 웃음을 터트렸다. 마침 궁 앞에 나타난 인드라가 웃는 이유를 묻자, 아이가 대답했다.

"이 개미 한 마리 한 마리는 모두 전생에 당신과 같은 신의 제왕이었지요. 여러 번의 환생을 거쳐 지금은 개미가 되었지요. 경건하고 고귀한 행동을 한 존재는 천상으로 올라가지만, 악한 행동을 한 존재는 고통과 슬픔의 구렁텅이로 떨어진답니다. 이것이 우주의 비밀입니다."

비슈누의 화신이었던 아이는 말을 마치고 어디론가 사라졌다.

곧이어 파괴의 신 시바가 나타났다. 수북한 가슴털 한가운데에 일부분이 비어 있었다.

인드라가 물었다. “신이여, 왜 가슴의 털이 비어 있나요?”

시바는 말했다. “내 가슴털은 인드라가 한 명 죽을 때마다 털이 하나씩 빠진답니다.” 인드라는 자신이 개미나 가슴털 한 올에 불과한 듯 초라하게 느껴졌다. 깊은 회의감에 빠진 인드라는 왕위를 아들에게 물려주고 광야에 은거했다.

힌두교의 이 신화는 모든 존재의 유한함과 우주의 영속성을 나타낸다.

인드라의 일생은 430만 년을 71번 곱한 만큼3억5백3십만년이라고 한다. 하지만 그것조차 우주의 흐름에 비하면 하찮게 느껴진다. 신이든, 인간이든, 개미든 - 모든 삶의 불꽃은 거대한 우주순환의 일부일 뿐이다. 신들도 우주의 흐름 속에 겸손해져야 한다는 깨우침을 준다. 하물며 인간들이야 더할 나위 있겠는가.

그렇다고 거대한 우주의 흐름만 강조함으로써, 허무주의에 빠지거나 의기소침해질 필요는 없다. 인간이기에 자식을 낳고, 부를 쌓기 위해 노력하며, 지식을 추구하고, 남을 위해 봉사하면서 살 수 있다.

현실에 만족하는 조화로운 삶 속에 영혼의 깨달음에 이르는 지혜가 필요하다.

(2023.5.5.)

## 영웅의 숙명

조조를 '난세의 영웅'이라고 한다.

사람들은 나라가 혼란하면 영웅의 출현을 학수고대한다. 그래서인지 사람들은 영웅을 떠받드는 경향이 있다. 그런데 영웅이 이름을 길이 남기려면, 한 가지 조건이 더 충족되어야 한다. 임무를 완수한 영웅은 사라져야 한다. 영웅은 비운의 숙명을 가졌다.

몽골 신화에 에르히 메르갱이라는 명사수가 있었다.

하늘에 일곱 개의 해가 떠올라 강이 마르고 초목이 시들어 사람이 살 수가 없게 되었다. 사람들은 메르갱에게 해를 떨어뜨려달라고 매달렸다.

메르갱은 호기롭게 맹세했다.

"일곱 개의 화살로 일곱 개의 해를 떨어뜨리겠다. 실패하면, 엄지손가락을 잘라버리고 물도 풀도 먹지 않는 작은 동물이 되어 굴속에 살 것이다."

드디어 메르갱은 여섯 개의 화살을 날려 여섯 개의 태양을 떨어뜨리는 데 성공했다.

그런데 마지막 한 개의 화살은 때마침 지나가던 제비의 꽁지를 맞히는 바람에 해를 떨어뜨리지 못하고 실패했다. 그로 인해 제비의 꽁지는 가위 모양이 되었고, 메르갱은 굴속에 사는 타르바간쥐 종류이 되었다.

이 신화 뒤에 숨은 패러독스가 눈길을 끈다. 영웅은 보통 사람보다 용맹이 지나치다. 그것이 자신을 옭아맨다.

만일 메르갱이 약속대로 일곱 개의 해를 모두 떨어뜨렸다면, 세상은 암흑이 되었을 것이다. 그것이 또 다른 위기상황을 초래했을 것이다. 사람들에게는 메르갱의 마지막 실수가 오히려 더 나은 결과를 가져다줬다.

이같이 영웅은 항상 위기를 극복하고 나면, 세상에서 사라져야 하는 운명이다. 그리스신화에 나오는 헤라클래스나 아킬레우스가 좋은 예이다. 알렉산더, 카이사르, 나폴레옹도 그 반열에 들어간다.

만일 영웅이 계속하여 살아남았다면, 이성보다 용맹이 앞서 폭정으로 이어지고, 그 결과 비참한 말로를 걸었을 수도 있다. 결국에는 영웅 대접도 받지 못하고 폭군으로 전락한다. 이순신 장군도 정유재란 때 숨진 것이 영웅으로 영원히 기억되는 계기가 되지 않았을까. 만일 장군이 살아남았다면, 선조는 어떤 방식으로든지 그를 곤경에 처하게 했을 것이다.

비슷한 맥락에서 '토사구팽兎死狗烹'이란 말이 있다.

사냥이 끝난 개는 더 이상 쓸모가 없어 삶아 먹힌다는 말이다. 한나라 건국의 일등 공신인 한신장군의 일화에서 나왔다. 나라를 건립하고 나면, 왕의 옹립에 기여한 공신은 숙청해야 새로운 개혁정치를 하는 데 걸림이 없다는 뜻이다.

근래 우리나라 대통령 선거 후 공신들의 처우 문제를 다룰 때, 토사구팽이란 말을 자주 한다. 역할을 다한 선거 공신들은 스스로 은인자중隱忍自重하는 것이 본인뿐 아니라 국가발전을 위해 바람직한 일이라는 가르침이다.

영웅은 위기상황에 필요하지, 평상시에는 걸림돌이 된다는 점을 명심해야 한다. 영웅은 먼 장래를 내다보는 지혜보다는, 눈앞의 위기상황을 타개하기 위한 결단력과 용기를 덕목으로 하기 때문이다.

영웅은 때가 되면 사라져야 하는 비운의 존재다.

(2023.5.31.)

## 인간과 뱀

어릴 적 시골에 살 때 뱀과 심심찮게 마주쳤다.

집안 마당이나 담장 틈새로 머리가 세모인 살모사가 들락거려 놀라기도 했다. 따스한 봄날 학교에서 집으로 돌아오는 길 가운데나 논두렁에 똬리를 틀고 햇볕을 쬐는 뱀과 마주치면, 무서워서 피해 가거나 뱀이 인기척을 느껴 자리를 피해주기를 기다리곤 했다.

한번은 오래된 초가지붕을 해체하는데 지겟작대기만 한 누런 구렁이가 나오기도 했다. 어른들은 집안의 지킴이라고 죽이지 않고 놔준 것으로 기억한다.

아버지는 뱀을 즐겨 먹기도 했다. 가을 추수가 끝날 무렵이면 땅꾼을 사랑방에 며칠 동안 기거하게 하고 뱀을 잡아 오도록 했다. 겨울잠이 들기 전의 가을 뱀이 몸에 좋다면서, 잡아다가 구워 먹거나 탕을 해 먹곤 했다. 나도 초장에 구운 뱀불고기를 먹어 본 적이 있었는데, 닭고기와 비슷한 맛이 났던 것으로 기억한다.

뱀은 우리 주변에 자주 눈에 띄는 동물이지만 사람들은 혐오스러워한다. 왜 뱀을 싫어할까.

뱀의 형태부터 다른 동물과 판이하다. 팔다리도 없이 너무

길다. 혀를 두 개나 내밀고 꿈틀거린다. 변온동물인 파충류라 냉정하고 사람을 좋아하지 않는다. 독을 품고 있는 경우가 많아서 위험하다. 자기 몸통보다 큰 쥐나 병아리, 개구리를 먹이로 삼키는 탐욕을 가졌다. 몸이 커지면 껍질을 벗고 겨울에는 땅굴로 들어가 동면을 취한다. 간혹 반려동물로 키우는 사람이 있다고 하지만, 대부분 사람은 뱀을 싫어한다.

미국의 토마스 헤드랜과 해리 그린은, 원시 인류가 뱀에 대한 공포를 느끼게 된 이유를 연구한 결과, 뱀의 인간에 대한 반복적인 공격으로 인해 사람의 유전자DNA에 '뱀=공포'라는 공식이 새겨졌다는 이론을 제시했다. 이 연구 결과가 맞는다면, 사람이 뱀을 무서워하는 것은 DNA에 새겨진 공포 때문일 것이다.

지구상 수많은 동물 중, 뱀은 태곳적부터 이상하리만치 인류문화에 자주 등장한다.

구약성서 창세기에 있는 선악과 절취 사건의 교사범教唆犯이 뱀이다. 그리스 로마 신화에도 빈번하게 등장한다. 가수왕 오르페우스의 아내 에우리디케를 죽음으로 내몬 것이 뱀이다. 페르세우스에 의해 목이 잘린 메두사는 무시무시한 뱀 머리카락을 가지고 사람들을 공포에 떨게 했다. 헤라클레스는 머리가 아홉 개 달린 히드라를 죽이기도 한다.

이렇듯 뱀은 신화에 감초처럼 나타나 조연으로 활약하는 동물이다. 인간 세상의 이야깃거리로 흥미로운 소재임이 틀림없다.

그러면 뱀은 쓸모없는 동물일까. 그렇지는 않다.

성경에서 뱀을 사탄으로 내몰기도 하지만, 마태복음은 뱀을 지혜의 상징으로 표현하고 있고, '뱀과 같이 지혜롭고 비둘기와 같이 순결하라'고 말하기도 한다. 예수도 제자들에게 "너희는 뱀처럼 지혜로워야 한다."라고 설교했다.

한편, 뱀은 겨울 동면을 위해 땅속으로 들어간다. 그래서 사람들은 뱀을 지하세계와 지상세계를 연결하는 영물로 여겼다. 또한 뱀이 허물을 벗는 것은 새로운 생명의 소생을 상징한다. 그래서 죽은 사람까지 되살릴 수 있다는 의술의 신 - 아스클레피오스[21]의 지팡이에는 똬리를 튼 뱀이 자리 잡고 있다. 그러한 전승이 의료관련단체 - WHO, 의사협회나 병원, 응급구조대, 의무병 등의 엠블럼에 뱀이 새겨지게 된 연유다. 동양에서는 뱀을 재물이나 부의 상징 또는 장사의 신으로 떠받들기도 한다.

하지만 뱀은 성기가 두 개이고, 교미 시간이 길어, 남성의 정력에 좋다는 오해를 받고 있다. 그 결과 수많은 뱀이 죽임을 당해 정력제로 둔갑하고 있다. 뱀의 부드러운 가죽은 지갑이나 가방, 신발로 만들어져 여성들에게 인기가 있다. 최근 뱀의 독은 약제로도 개발되어 인간의 질병을 다스리는 데 쓰이기도 한다. 이러한 뱀의 유용성 때문에 오늘날 뱀의 생태계가 심각하게 위협받고 있다.

뱀은 오랫동안 인류역사와 함께해 온 파충류다.

모든 문명권에서 선과 악, 이로움과 해로움, 성스러움과 사악함 등 복잡한 특징을 가진 양면적 존재로 인식되고 있다.

인간과 뱀이 공존하는 방법을 모색해야 하지 않을까.

(2023.4.28.)

---

21) 그리스 로마 신화에서는 그가 죽은 사람을 살림으로써 저승이 텅 비게 되었다. 이에 지하세계의 신 하데스가 제우스에게 불평하자, 제우스가 인간세상의 질서가 파괴되는 것을 우려해 번개를 내리쳐 그를 죽이고, 하늘에 뱀 별자리를 만들어 주었다.

## 불평등의 기원起源

“다섯 손가락 깨물어 아프지 않은 것이 없다.”

살아생전 아버지는 우리 형제들에게 입버릇처럼 말씀하셨다. 나는 아버지 말씀을 진리로 여겼다. 같은 이치로, 하느님도 당신이 창조한 인간을 공평하게 대할 것이라고 믿었다. 한데 살아보니 꼭 그렇지만도 않은 것 같다. 세상에 태어날 때부터 빈부, 건강, 재능에 있어 차이가 나는 것을 목도目睹한다.

인간 불평등의 기원은 구약성서의 「카인과 아벨」 이야기에서 실마리를 찾을 수 있다. 하느님이 탄생시킨 최초의 인간 - 아담과 하와는 카인과 아벨을 낳았다. 카인은 농사를 짓고, 아벨은 목축을 했다. 형제 모두가 열심히 일을 해서 하느님께 제사를 올렸다.

그러나 하느님은 카인이 올린 곡물은 거부하고, 아벨이 올린 가축은 기쁘게 받았다. 하느님의 편파적인 처사에 분노한 카인은, 경쟁상대인 아벨을 돌로 쳐 죽였다. 하느님은 그런 카인을 떠돌이 생활을 하도록 내쫓지만, 미안한지 다른 사람이 응징하지 못하게 표식을 하고 보호해 주었다.

카인이 저지른 죄의 발단은 명백히 하느님이 제공했다.

하느님은 두 형제의 정성을 똑같이 받아들이지 않고 차별했다. 대수롭지 않게 한 작은 차별이 살인을 불러왔다. 카인이 하느님에게 곧바로 항의했더라면 명확한 대답을 얻었을 법한데, 감히 하느님에게 대들지 못하고 애꿎은 아벨의 탓으로 돌렸다.

그런데 하느님이 왜 그랬을까. 여러 가능성이 점쳐진다.

첫째, 단순히 하느님이 육식주의자일 수 있다. 그냥 채식은 싫어했다고 볼 수 있다. 이 견해는 채식주의자들의 입장에서 보면 부당하다. 만물을 사랑으로 창조하신 하느님이 어떻게 동물들의 피를 즐길 수 있겠는가.

둘째, 아벨은 자기 가축 중 최상급을 제물로 바쳐 성의를 표시한 반면, 카인은 최상품이 아닌 하등품을 제물로 바쳤다는 가정假定이다. 한데 카인의 제물에 정성이 부족했다는 증거가 성경 어디에도 없다.

셋째, 유대인들이 가나안 농경민들보다 목축업을 하던 자기네 조상 히브리인들의 문화적 우월성을 강조하려고 한 것으로 설명하기도 한다. 어느 정도 설득력을 지닌 해석이다.

넷째, 성경보다 나중에 쓰여진 탈무드에는, 아벨이 자기 가축을 카인의 밭으로 몰아넣어 곡식을 짓밟게 한 보복으로 카인이 정당방위로 아벨을 살해했다는 해석이 있다. 성경 구절에 없는 내용을 가미하여 하느님의 책임을 형제간 문제로 교묘히 돌려버린 2차 가해의 느낌이 든다.

위 추측 중 어느 것도 쉽게 수긍되지 않는다.

신화에 나오는 주인공들은 대부분 상상의 신이지만, 인간의 모습을 한 또 다른 '우리'의 모습이다. 구약에 나오는 하느님도 결국은 인간의 또 다른 모습이라고 할 수 있다.

그런 의미에서, 하느님이 카인과 아벨의 제물에 대해 분별심을 낸 것은 인간의 진면목을 보는 듯하다.

'모든 부모가 자식을 평등하게 대한다고 단언할 수 있는가'라는 질문에 대한 답변도 이 이야기에 비추어 볼 수 있다. 부모가 무의식적으로 행한 자식에 대한 편애로 형제간 불화를 일으키거나 칼부림까지 불러오는 경우를 볼 수 있다. 부모의 사려 깊지 못한 처신이 가정의 평온을 깨는 경우가 허다하다.

'다섯 손가락이 똑같이 아픈가'라는 질문에 대한 나의 대답은 아직도 '글쎄요'다.

(2023.5.4.)

## 결혼 vs 사랑

결혼식장에서 주례는 신랑 신부가 '사랑'으로 맺어진 한 쌍이라고 소개한다.

오직 배우자만 사랑하고, 배우자 외에는 곁눈길을 주지 않겠다며 서약한다. 동서고금을 관통하는 결혼식 풍습이다.

그런데 신혼의 밀월 기간이 지나고 나면 배우자에 대한 열정이 차츰 식어간다. 아이라도 한둘 낳게 되면 '내가 언제 저 사람을 사랑했었나'하는 순간이 찾아온다. 그래서 혹자는 결혼을 '사랑의 무덤'이라고도 한다.

문제는 결혼과 사랑은 서로 반대 방향으로 치닫는다는 데 있다. 결혼은 부부가 가정을 이루고 가족을 돌보겠다는 계약으로 정적靜的인 반면, 사랑은 살아 숨 쉬는 감정으로 동적動的이다.

남녀가 한때 연애를 해서 결혼하지만, 결혼은 부부에게 동거, 부양, 협조, 정조의 의무를 안겨준다. 의무를 지키지 않으면 이혼사유가 된다. 마지못해 의무를 다하다 보면, 상대방에 대한 사랑의 감정이 차츰 시들해진다. '연애가 시간을 즐기는 것이라면, 결혼은 시간을 견디는 것'이라 할 수 있다.

한편, 사랑의 감정은 거침이 없다. 때와 장소를 가리지 않고 사랑이 싹튼다. 기혼자의 가슴에도 배우자 외의 사람을 향한 사랑의 싹을 틔우기도 한다. 하지만 이러한 사랑은 계약위반으로 불륜이 되어, 배우자의 분노와 질투심을 유발하고 가정을 파탄에 이르게 한다.

고대 그리스의 신들도 인간의 결혼과 사랑 패턴에서 벗어나지 않았다.

신들의 제왕 제우스는 정실부인 헤라를 두고도 수많은 여신 또는 여인들과 사랑을 나누며 사생아를 낳았다. 헤라는 제우스의 뒤를 밟으며 부정현장을 적발하고 상대 여성을 응징하느라 분주했다. 한편, 사랑의 신 아프로디테는 어떠했는가. 그녀는 신과 인간에게 사랑을 권장하고 애욕을 품게 하는 것이 주요 임무였다. 그녀는 애초에 가정을 꾸리지 않았으면 나았겠다는 생각이 들 정도로 자유분방했다. 그녀는 절름발이 대장장이 신 헤파이토스와 결혼했으나 아이를 낳지 않았다. 대신 전쟁의 신 아레스와의 사이에 4명의 아이를 낳았다. 그것도 부족하여 헤르메스, 디오니소스와의 사이에서도 각각 아이를 낳았다. 그녀의 남편 헤파이토스도 무기를 주문하러 온 아테나를 겁탈하려다가 정액을 대지에 뿌려 대지의 신 가이아가 아이를 수태하게 되는데, 그 아이가 훗날 아테네의 왕으로 추대된 에릭토니오스다. 이같이 인간들이 우러러보는 신들도 결혼과 사랑의 굴레에서 갈팡질팡하는 모습을 보였다.

결혼한 부부가 오직 배우자만을 바라보고, 곁눈길을 주지 않도록 법으로 강제하면 가정의 평온이 유지될 것인가. 그게 그리 쉽지 않다.

신화에는 사랑의 신 에로스큐피터가 아프로디테의 아들로 묘사되어, 사랑의 화살을 장난꾸러기처럼 쏘기도 하지만, 그리스 사람들은 에로스를 태초의 성애性愛 - '우주 전체의 생명력'으로 인식하기도 했다. 카오스 이후, 처음 등장하는 모든 신들의 어머니인 가이아 다음에 등장하는 신이 에로스다. 생명을 창조하는 생식의 원동력이자 원초적인 생존본능이다. 성애는 결혼이라는 인간의 사회적 제도로는 어쩔 수 없는 우주의 생명 탄생을 위한 은밀한 장치다. 신화에서 크로노스가 아버지 우라노스의 성기를 잘라 바다에 던진 후, 버려진 성기가 거품이 되고 거기에서 성애의 여신 아프로디테가 태어났다. 우라노스의 생식기와 아프로디테는 원래 한 몸이었기에 합일을 꿈꿀 수밖에 없고, 이것이 애욕의 정체라는 해석도 있다. 도덕이나 사회적 약속으로는 본능을 이기기 어렵다.

역설적이지만, 부부가 정조를 지키기 어렵기 때문에 혼인서약을 한다고도 볼 수 있다.

최근 사회에서 '성적 자기결정권'과 '결혼의 정조의무'의 충돌을 볼 수 있다. 형법상 간통죄가 사라졌지만, 불륜이 여전히 민사상 이혼사유로 인정되고 있다. 나는 실제 부부가 처한 현실적인 사정을 감안하여 비난할 일이 아닌가 생각한다.

대학시절, 학원에서 미 여군으로부터 영어회화를 배울 때 일이었다. 그 여군은 어느 날 남자친구를 데리고 수업에 나타났다. 여군의 남편이 미국 본토에 근무하는 군인이라는 사실을 들은 적이 있던 내가 물었다.

"당신이 남자친구를 사귀는 것을 남편이 알게 되면 뭐라고 할 것 같아요?"

그녀가 싱긋 웃으며 대수롭지 않은 듯 대답했다.

"우리 부부는 떨어져 있는 동안은 서로의 사생활에 대하여 간섭하지 않기로 했어요."

당시는 잘 이해가 되지 않았지만 지금 생각해 보니 그 여군의 말이 이해된다. 부부간에도 장기간 서로 멀리 떨어져 있는 동안의 외로움은 각자 해결해야 하지 않을까. 짧은 인생살이에서, 배우자의 인간다운 생활을 위한 최소한의 배려인 것 같다.

혹자는 결혼생활 중 잠깐의 일탈이 부부관계를 파탄시켜야 할 정도의 사유가 되는지 의문을 제기한다. 물론 불륜에 몰입하여 가정을 도외시한다면 부도덕한 일로서 이혼사유로 인정하는데 이의가 없다. 그런데 그 정도는 아니고, 배우자와 아이들을 사랑하는 상태에서, 잠깐의 애욕조차 억누르는 것만이 최선이냐 하는 데는 의문이 든다.

진보적인 사람은 이제는 섹스가 커뮤니케이션의 수단으로 변질되고 있다고 한다. 부부건 연인이건 이성이건 동성이건 특별한 커뮤니케이션이 필요하다고 인정되면 자연스럽게 섹스로 이어질 수 있다고 여긴다. '혼외 섹스 = 불륜' 공식이 무너지고 있다.

결혼과 사랑이 서로 반대 방향으로 작용하는 것은 헤라와 아프로디테가 각자 소임을 다한 결과라고도 할 수 있다. 하지만 성이 개방되고 개인주의화 되는 추세에서, 개인의 행복추구권을 최대한 보장하기 위해서는 새로운 형태의 결혼과 가족제도를 고민해 볼 필요가 있지 않을까.

(2023.4.24.)

## 부부의 촌수寸數

부부 사이의 촌수는 어떻게 될까.

부부는 남남으로 만났으니, 촌수가 없다 - 무無다. 무촌은 셀 수 없을 만큼 먼 무한대∞라 할 수 있다. 하지만 함께 살아 일심동체一心同體니 0촌零寸이라고도 할 수 있다.

부부간은 ∞촌無寸도 되고, 0촌零寸도 될 수 있다.

그리스신화에 나오는 오르페우스는 아내를 지극히 사랑한 애처가愛妻家다.

그는 뮤즈의 아들이라 음악에 소질이 있었다. 리라를 잘 타고, 노래를 잘 불렀다. 오르페우스가 리라를 연주하면 동물들이 몰려오고, 딱딱한 바위도 말랑말랑해졌다.

오르페우스는 아름다운 에우리디케와 결혼했으나, 아내가 독사에게 물려 죽었다. 아내를 잃은 그는 슬픔에 겨워 저승세계를 찾아갔다. 저승의 강을 건너는 뱃사공, 저승의 개, 수많은 유령을 리라 연주와 구슬픈 노래로 감동을 준 후, 마침내 저승의 신 하데스로부터 아내를 데려가도 좋다는 허락을 받아냈다. 그렇지만 절대 뒤를 돌아보면 안 되는 조건이었다. 그러나 지상에 거의 다 나와 오르페우스가 고개를 돌리는 바람에, 안타깝게도 아내는 다시 지하세계로 되돌아가야 했다.

혼자 집으로 돌아온 오르페우스는 슬픔에 젖어 구슬픈 노래만 하며 세월을 보냈다. 주위 여인들이 그를 위로했지만, 소용이 없었다. 어느 날 술의 신 디오니소스를 받드는 축제가 열렸다. 술에 취해 광기에 사로잡힌 여자들이 자신들의 유혹을 무시한 오르페우스를 창으로 찌르고 돌을 던졌다. 죽임을 당한 오르페우스는 사지가 찢겨 강에 던져졌다. 오르페우스의 머리와 리라는 강물에 떠내려가면서도 구슬픈 노래를 불렀다. 그는 죽어서야 아내를 다시 만날 수 있었다. 제우스는 손자 오르페우스를 위해 거문고 별자리를 만들어 주었다.

오르페우스는 애처가의 본보기라 할만하다.

아내를 찾으러 저승을 선뜻 찾아가는 남편이 있을까. 지독하게 사랑하지 않으면 엄두를 내기 어렵다. 엄청난 슬픔을 겪어야 바위와 저승의 영혼들까지 감명을 주는 노래가 나오는가 보다. 깊은 슬픔과 혼을 울리는 음악은 동전의 양면과 같다.

그래서인지 옛날 판소리 명창을 길러내려고 일부러 눈을 실명시켜 한을 맺히게 했고, 서양에서도 카스트라토 테너를 만든다며 남자를 거세시키기도 했다.

내가 최근 글을 쓰면서 눈치 없이 '다음 생에 다시 태어나면 세상에서 제일 사랑하는 사람과 결혼을 하고 싶다'고 쓰는 바람에, 아내에게 며칠간 찬밥 신세가 된 적이 있었다. 아내는 '이생에 자기를 만난 것을 후회하느냐', '자기가 다음 생에 결혼상대가 되지 못하는 이유가 무엇이냐'는 등 질문을 했다. 나는 '다음 생에는 당신이 여자로, 내가 남자로 태어나란 보장이 없지 않으냐'하며 얼버무리고 넘어가야 했다.

지금도 나의 대답은 변함이 없다. 오르페우스처럼 저승을 찾아가 데려올 자신은 더더욱 없다. 이승에서의 부부의 연을 내생에까지 이으려는 것은 지나친 느낌이 든다.

현대인의 관점에서, 부부간의 거리는 어느 정도가 좋을까.

나는 정원에 난蘭 화분을 두고 있다. 여름 내내 비를 맞고 햇빛을 받으면, 난이 무성하게 자라 화분 밑의 공기구멍을 뚫고 뿌리가 삐어 나온다. 촉이 많이 올라와 밀식되어 있으면 자라지도 못하고 꽃도 피기 어렵다. 몇 촉씩 분리하여 공간을 만들어 줘야 잘 자란다. 그래서 봄날 화분을 분갈이해 주고 있다.

나는 분갈이를 하면서 사람과 사람 사이의 관계도 이와 비슷하다는 생각이 든다. 아무리 가까운 사이라도 서로가 숨 쉴 공간을 허용해야 한다. 부부간에도 신선한 공기를 쐬고 여유롭게 생각하도록 숨 쉴 여백을 줘야 한다. 그래야 서로가 정신적으로 성장할 수 있다.

칼릴 지브란은 잠언집 『예언자』에서 「결혼에 관하여」 노래한다.

"그 자리에 함께 서 있어라. 하지만 서로에게 너무 가까이 다가서지는 말라. 사원의 기둥도 필요에 따라 떨어져 서 있으며, 참나무나 사이프러스 나무도 서로의 그늘에 가리우면 자랄 수 없다."

오르페우스의 아내에 대한 집착은 아내의 처지에서는 숨이 막힐 듯하다. 그는 아내를 0촌으로 여기는 듯하다. 나는 부부간에도 서로가 숨 쉴 여유와 공간을 두는 것이 좋다고 생각한다.

부부는 무촌∞寸에서 만나 0촌零寸으로 가는 길동무다. 굳이 촌수를 정한다면, 0촌보다는 멀고 1촌인 자식보다는 가까운 - 반½촌쯤이 적당하지 않을까.

(2023.4.14.)

# 여성의 생존력

나는 가끔 세계대전이 일어나면 최후에는 어떤 사람이 살아남을까 생각해 본다.

비록 핵전쟁으로 많은 사람이 죽더라도 최후에 얼마간은 살아남을 것이다. 살아남은 사람 중에는 남자보다는 여자가 많을 것으로 확신한다.

이유는 여자들이 전투에 직접 참여하는 경우가 적기도 하겠지만, 여자는 남자보다 여러 가지 악조건을 이겨내는 힘이 강하다고 여기기 때문이다. 어떠한 고난이 닥쳐도 민들레처럼 살아남는 끈질긴 생존력을 가지고 있다.

그리스 로마 신화에 나오는 '메데이아'라는 여성의 인생역정을 살펴보자.

그녀는 흑해 연안에 위치한 도시, 콜키스(국가1)의 왕 아이에테스의 딸로 젊고 아름다운 마녀였다. 아르고호 원정대를 이끈 이올코스의 왕자 이아손(남편1)에게 첫눈에 반해, 아버지를 배신하고 국보인 황금양털을 훔쳐 이아손의 손을 잡고 배를 타고 도망갔다. 도망가면서 아버지의 추격을 멈추게 하려고 남동생을 죽여 바다에 던졌다.(살인1) 제우스가 그녀의 패륜에 분노해 탈출을 방해했으나, 그녀는 고모의 도움을 받아 남편의 고향인 이올코스(국가2)로 갔다.

거기에서 그녀는 남편을 왕좌에 올리려고, 마법을 써서 이아손의 삼촌이자 왕인 펠리아스를 토막 내어 삶아 죽였다.(살인2) 그러나 그녀의 잔혹한 행동이 들통이나 이아손은 왕좌에 오르지 못했다. 다시 그녀는 이아손과 함께 코린토스(국가3)로 달아났다. 거기서 아이 일곱을 낳고 살지만, 이아손이 그녀를 배신하고 코린토스 왕 크레온의 딸 글라우케와 결혼하려 하자, 메데이아는 글라우케와 크레온을 독살하고, 이아손과 사이에서 낳은 자신의 아이들마저 죽이고 도망갔다.(살인3) 이아손도 화병으로 죽었다. 아이들 중 한 명(테살로스)이 살아남아 훗날 이올코스(아버지 이아손의 고향)의 왕이 된다.

아테네(국가4)로 도망간 메데이아는 아이게우스왕(남편2)의 왕비가 되어 아들 메데우스를 낳았다. 얼마 지나지 않아 아이게우스의 아들 테세우스가 나타나자, 그를 독살하려고 시도했다.(살인4) 이것이 탄로 나자, 수레를 타고 도주했다. 다시 고향인 콜키스로 돌아가 삼촌 페르세스를 죽이고,(살인5) 아버지 아이에테스를 왕좌에 올렸다. 그 뒤 메데우스가 아이에테스의 뒤를 이어 콜키스(메데이아의 고향)의 왕이 되었다.

천수를 누린 후 메데이아는 죽은 자들을 위한 축복의 땅 엘리시온에서 아킬레우스(남편3)와 결혼했다.

흥미로운 점은 메데이아가 온갖 못된 짓을 저질렀는데도 큰 벌이나 응징을 받지 않고 살아남았다는 점이다. 헤라클레스를 비롯한 신화 속 대부분의 영웅은 잘못을 저지르면 반드시 합당한 처벌을 받아야 했다. 그런데 메데이아는 용케 피해 나갔다.

게다가 메데이아의 두 아들 - 테살로스와 메데우스는 왕위에 올랐다. 메데우스는 어머니인 메데이아의 이름을 따, 나라 이름도 콜키스에서 메디아로 바꾸는 효자였다.

메데이아는 친족과 아들을 죽인 악녀임에도 신으로부터 아무런 벌을 받지 않고 호강을 누리다 간 인간으로 꼽힌다.

메데이아가 어떻게 숱한 난관을 뚫고 살아남을 수 있었을까.

나는 그녀의 인생관에 그 답이 있지 않나 싶다. 그녀는 '지금 여기'에 집중했다. 멀리 미래를 걱정하지 않았다. 눈앞의 사랑, 권력, 자신의 이해관계에만 집중했다.

이아손이 자기 나라의 보물인 황금양털을 훔치러 왔는데도 사랑에 빠져 아버지를 배신하고 남동생까지 죽이고 도망갔다. 남편과 도망 다니지만, 남편이 바람을 피우자, 자신의 아이들과 불륜 관련자들을 죽이고 도망갔다. 그녀는 어떠한 어려운 상황이 닥쳐도 임기응변을 통해 난국을 헤쳐 나가는 능력이 탁월했다.

나는 위기타파와 임기응변 능력이 모든 여성의 보편적인 장점이라고 생각한다.

생물학적으로도 남성보다 여성의 생명력이 끈질기다.

여성호르몬인 에스트로겐은 항염효과가 있어 혈관을 보호하는 반면, 남성호르몬인 테스토스테론은 치명적인 질병의 위험요소로 알려져 있다. 또한, 남성은 여성과 달리 X염색체를 하나만 갖고 있어, 이것이 정상적으로 기능을 발휘하지 못하면, 대체할 것이 없는 것도 약점이다.

통계에 의하면, 대기근과 전염병 창궐 등 극한 상황에서 여성의 생존율이 남성보다 높았다. 영국 옥스퍼드대 로빈 던바

교수는 '남성이 위기상황에서 더 허약하다. 남성은 빨리 포기하는 반면, 여성은 단호하다'고 말한다.

여성들은 민들레 같은 끈질긴 생명력과 미덕을 가졌다.

민들레는 아무리 짓밟혀도 살아남는 생명력忍德, 뿌리가 뽑혀도 새싹이 나는 강한 의지剛德, 홀씨가 어디를 날아가더라도 적응하는 자립심自立德, 무치거나 김치를 담가 먹거나 검은 머리를 희게 하는 약제로도 쓰이는 유용성用德을 갖췄다.

옛날 선비들은 뒤뜰에 민들레를 심어놓고 이 같은 덕을 기렸다고 한다.

전쟁과 같은 혼란기에, 새 생명을 잉태할 능력을 가진 여성이 남성보다 적으로부터 죽임을 당할 확률도 낮다.

인류 생존 최후의 보루는 여성임이 틀림없다.

(2023.4.17.)

## 가이아의 반격

태초에 카오스혼돈가 있었다.

뒤를 이어 신들의 어머니이자 대지의 여신인 가이아가 나타났다. 가이아는 하늘의 신 우라노스를 낳고, 산맥과 바다도 낳았다.

그리스신화의 첫머리에 등장하는 가이아는 만물의 어머니이자 지구 자체라고 할 정도로 넓은 젖가슴을 가졌다. 그러나 가이아는 끝없이 광대하고 너그럽지만, 세상의 안녕과 질서를 어지럽힐 때는 어김없이 분노를 드러냈다.

첫 번째 분노는 남편인 우라노스를 향했다.

가이아는 우라노스와의 사이에서 12명의 티탄 외에도 괴물 키클롭스 3형제[22]와 '헤가톤케이레스' 3형제[23]를 낳았는데, 우라노스가 흉측한 괴물들을 미워해 지하 감옥에 가두어 버렸다. 이에 가이아는 분노하여 막내아들인 크로노스를 시켜 우라노스의 성기를 잘라버리게 했다.

두 번째 분노는 손자 제우스를 향했다.

---

22) 외눈박이. 천둥의 신 브론테스, 번개의 신 스테로페스, 벼락의 신 아르게스.

23) 힘이 세고 50개의 머리와 100개의 팔이 달린 괴물, 신화사상 가장 강력한 괴물.

제우스가 티탄과 10년 전쟁티타노마키아을 할 때 가이아의 도움을 받아 승리했으나, 전쟁이 끝난 후 제우스가 티탄들을 지하 감옥에 가두어 버리자, 가이아는 무자비한 제우스를 응징하기로 했다. 그녀는 24명의 거인 기간테스를 동원해 제우스와 전쟁기간토마키아을 했으나 헤라클레스의 도움을 얻은 제우스가 승리하자, 곧바로 타르타로스와 결합해 괴물 티폰[24]을 낳아 또다시 제우스에게 전쟁을 선포했다. 이 전쟁에서도 제우스는 최종 승리함으로써 신들의 제왕 자리를 영원히 유지하게 되었다.

가이아는 이처럼 질서를 어지럽히는 것에 대해서는 어김없이 분노를 표출했다. 그런데 주목할 점은 가이아가 분노를 표출하는 방식이다. 정상적인 방식이 아니라 항상 거인이나 괴물을 내세우는 것이다.

영국 과학자 제임스 러브록은 저서 『가이아의 복수』에서, 거대한 생명체인 지구는 자기조절시스템이 있다고 주장한다. 그는 오늘날 지구온난화가 인간의 무분별한 자연훼손 행위에서 비롯한 것이라 비판했다.

그는 신화에 나오는 우라노스, 제우스를 오만한 인간으로, 가이아는 자연에 비유했다. 인간이 마음대로 자연을 지배할 권리가 있는 것처럼 생각하고, 오만하게 행동하고 있다고 비판한다.

러브록은 자연을 인체에 비유하면서, 자연의 질서를 어지럽히는 인간은 '인체의 병균이나 암세포'와 같은 존재라고 했다. 3C - 자동차car, 가축cattle, 전기톱chain saw이 지구를 황폐하게 만든다. 숲을 파괴하고 탄소 배출량을 배로 늘리기 때문이다. 이

---

24) 가이아의 마지막 자식으로 거대한 반인반수, 머리에 100개의 뱀이 있고, 눈과 입에서 불꽃이 나옴. 영어의 태풍(Typhoon)의 어원이기도 하다.

로 인해 지구는 겨울의 극저온 현상, 오존층 파괴와 온실효과로 인한 열병, 산성비, 폭풍과 해일, 폭우, 화산폭발과 산불 등을 겪고 있다. 이러한 이상기후는 지구의 몸살 현상으로 가이아가 스스로 자가 치료에 들어가기 때문이다.

지구를 하나의 유기체로 보는 관념은 그리스 철학으로 거슬러 올라간다. 중세 레오나르도 다 빈치도 인체를 지구의 축소판인 소우주로, 인체와 지구의 확대판을 대우주로 보았다.

인간들이 지구에 저지르는 온갖 해악들을 가이아가 언제까지나 용납할 것 같지 않다. 가이아의 반격은 거인이나 괴물처럼 인간이 상상할 수 없는 방식 – 홍수, 빙하, 고온 열대 현상 등으로 나타날 것이다.

46억 년 지구 역사 중 생명의 역사는 35억 년 정도 된다.

생명의 역사 중에서 절반 이상 절멸하는 대멸종이 다섯 번 일어났다. 그 원인은 주로 빙하기의 도래. 화산폭발, 그리고 운석의 충돌로 인해서였다. 마지막 다섯 번째가 6,600만 년 전 공룡이 지구상에서 영원히 사라진 일이다. 공룡은 중생대 트라이아스기부터 백악기까지 1억 5천만 년 이상 번성했다. 공룡이 사라지면서 음지에 살았던 포유류가 양지로 나오게 되었는데, 이때부터 인간이 지배종이 될 환경이 형성된 것이다.

인간이 최초로 나타난 것은 800만 년 전이었으나, 인류학자들은 약 4만 년 전에 나타난 크로마뇽인을 현생인류의 직접 조상이라고 부른다. 이 현생인류는 뛰어난 두뇌와 언어를 도구로 지구상 최상위 포식자로 등극했다.

지구상에서 인간을 이길 동물은 없다.

그런데 인간이 자연을 함부로 다룸으로써 지구를 또 다른 위기로 몰아넣고 있다. 지질학자들은 인간의 오만으로 위기에 봉착한 현재의 지구를 '인류세'라 명명했다.

인류세가 불러올 지구의 대멸종 위기는 앞선 다섯 번과 비교하면 다른 양상일 것이다. 그동안 지구상에 출현한 여러 종種 가운데 98퍼센트 이상은 사라졌다. 현생인류 또한 절멸하여 지구의 주인공이 바뀌는 날이 올 가능성을 부인할 수가 없다. 종전과 다른 점은 대멸종의 원인이 자연현상이 아니라, 인간 스스로가 자초하고 있다는 사실이다.

금년 유난히 긴 장마와 폭우, 이상기온을 겪으니 어쩌면 가이아가 몸살을 겪고 있는지도 모른다는 생각이 든다. 가이아의 분노가 어떤 종류의 괴물을 앞세워 인류에게 반격해 올지 짐작이 가지 않는다.

(2023.5.30.)

## 제우스를 위한 변론

올림포스 최고의 신 제우스의 출생과정은 눈물겹다.

아버지 크로노스가 자식에 의해 권좌신들의 왕에서 쫓겨날까 봐 두려워 태어나는 자식을 모두 집어삼키자, 어머니 레아는 여섯 번째 아이제우스를 낳은 뒤 돌덩이를 아이라며 던져주고, 그 아이를 크레타의 동굴에 숨겨 몰래 키웠다. 그 아이 제우스가 장성하자 크로노스 뱃속에 갇혀있던 형제들을 살려낸 후, 모두 힘을 합쳐 크로노스와 거인족의 연합군을 물리쳤다. 이 전쟁의 승리로 제우스는 신들의 새로운 왕이 되었다. 제우스는 올림포스의 주신主神이자 우주를 주관하는 신으로서, 율법과 정의를 관장한다.

그런데 제우스에게는 한 가지 약점이 있었다.

그는 정실부인을 두고도 다른 여자들을 넘보는 난봉꾼이다. 예쁜 여성은 신이든 인간이든 그냥 내버려 두는 일이 없었다. 구애하다가 안 되면, 뻐꾸기, 백조, 황소, 황금 소나기, 심지어는 자신의 딸 아르테미스로도 변신했다. 유혹해도 안 되면 겁탈과 납치도 마다하지 않았다. 여신, 님프, 왕비나 왕녀 등 알려진 이름만

60명쯤 된다.

한편, 그의 정실부인이자 누나인 헤라는 질투의 화신이다. 결혼과 가정을 관장하는 여신인데, 가정의 평온을 파괴하는 불륜은 눈에 쌍심지를 켜고 감시했다. 그녀는 제우스의 불륜 상대방인 여성은 물론, 그사이에 태어난 사생아에 이르기까지 가혹하리만큼 괴롭혔다. 상대 여성이 제우스의 변신술에 속아 임신했는데도 사정을 봐주는 법이 없었다. 병신을 만들거나 죽음으로 내몰았다.

제우스는 헤라의 처신이 지나침에도 대들지 못했다. 헤라도 같은 신의 반열이고, 아내만 사랑하겠다는 혼인서약을 했기 때문이다. 아내 앞에서 '신의 제왕' 제우스의 체통이 말이 아니었다.

제우스의 외도外道가 고금을 통해 지탄을 받아야만 할 일인지 생각해 본다.

우선 가정의 안녕 측면에서 보자.

정실부인을 두고 외도하여 아이를 갖는 것에 대한 윤리적 정당성에 관한 문제다. 신화 생성 초기 - 신들만의 세상일 때는, 근친혼이나 불륜이 빈번했지만, 중후기 - 인간이 세상을 차츰 지배하고부터는, 근친상간이나 불륜을 징벌하는 분위기였다. 현대의 일부일처제 윤리관으로는 용납되지 않는다. 이런 측면에서 헤라의 질투는 정당하다. 그러나 헤라가 죄 없는 상대 여성과 사생아에 대해 가한 무자비한 응징은 본처의 투기로 보기에는 과한 면이 있다.

다음은 상대 여성에 대한 여권 존중의 측면에서 살펴본다.

제우스가 자기의 모습을 숨기고 다른 사람으로 변신하기도 하고, 심지어는 새나 동물, 빛이나 안개 형태로 상대 여성의 침실에 뛰어드는 행실은 떳떳하지 못하다고 할 수밖에 없다. 현행법으로는 신분사칭과 상습강간범에 해당하겠다. 하지만 하느님이 동정녀 마리아의 몸을 빌려 예수를 잉태할 때, 그녀의 의사를 물어봤다는 얘기를 듣지 못했다. 신화시대의 신과 인간 간의 통상적인 생명 잉태방법으로 보인다.

다음은 생물학적인 측면에서 제우스의 외도를 고찰해 본다.

당시는 신과 인간이 태어난 지 얼마 되지 않아 근친혼이 성행하던 시절이다. 근친혼은 우생학적으로 유전병이나 열성유전자를 가지고 태어날 확률이 높다. 혈연이 먼 부족과 관계를 맺는 것이 우수한 자손을 낳는 데 유리하다.

비근한 예로, 과거 에스키모 지방이나 티베트 등 오지를 여행하는 나그네가 어느 집에 하룻밤을 청하면, 그 집주인은 자기 아내를 나그네의 잠자리에 넣어주는 풍습이 있었다고 한다. 그 이유는 우수한 유전자를 받기 위한 방편이었다. 예전에도 오지인들은 근친혼의 위험성을 이미 알고 있었던 것 같다.

그래서인지 사람들은 '첩의 자식이 똑똑하다'고 말한다.

제우스의 여러 자식 중에서도 돋보이는 존재는 유부녀인 알크메네의 배를 빌어 태어난 헤라클레스Herakles다. 알크메네는 정실부인 헤라의 분노를 누그러뜨리려 아들의 이름을 '헤라의 영광'이란 뜻의 Herakles라고 지었다. 하지만 헤라는 분노를 누그러뜨리지 않고 헤라클레스에게 12개의 과업을 수행하게 했다. 헤라클레스는 헤라의 온갖 해코지를 극복하고, 올림포스 신들을 도와 거인들과의 전쟁을 승리로 이끌었다. 그가 죽어 신이 되자 헤라는 그를 딸이자 청춘의 여신인 헤베와 맺어줬다.

그런데, 제우스가 동족인 신을 놔두고 인간의 육체를 넘본 이유가 궁금하다.

인간을 개입시키지 않는 신들만의 러브스토리는 대중성이 모자랄 것 같다. 또한, 신들은 늙지 않는 음식인 '암브로시아'를 먹기 때문에 죽지 않는다. 그래서 영생하는 신들의 자손만 낳다 보면 산국이 신들로 넘쳐날 수 있어, 수명이 유한한 인간을 선택했을 수도 있겠다.

혹자는 다른 견해를 내놓기도 한다. 제우스를 인간을 겁탈하는 바람둥이로 만든 장본인이 후세 이야기꾼이라는 것이다. 그들 나라의 건국신화를 신들의 왕인 제우스와 연결하려고 하다 보니, 제우스와 그들 부족의 왕녀나 공주 사이에 아이가 태어나는 스토리를 만들게 되었고, 그 아이가 건국신화의 주인공으로 연결된다는 해석이다.

다른 한편, 광활한 왕국을 다스릴 후손을 생산해야 하는 제우스의 입장을 생각해 본다. 인간 세상의 제왕에 비하면 그는 억울할 것이다.

중국이나 우리나라의 왕은 왕비를 두고도 수많은 후궁을 두었다. 게다가 궁궐에는 수많은 궁녀를 두고 언제든지 여자를 취할 수 있었다. 아이를 낳은 여자에게는 벼슬까지 내리며 대우했다. 하지만 황후나 왕비는 시기나 질투를 할 수 없었다. 투기를 엄격히 규율해 목숨이 위태로워질 수 있었기 때문이다.

중세 오스만 제국에서는 다른 나라를 정복할 때마다 그 나라의 미인을 공납하여 황제에게 바치게 했다. 황궁에는 여인들만 거주하는 하렘Harem이 있었다. 하렘 여인들은 왕자를 생산하는 의무를 지고, 태어난 아이는 왕자교육을 받았다. 왕이 죽기 직전에 왕세자를 지명하면, 그의 어머니는 하렘의 우두머리가 되었다. 하지만 나머지 여인들은 내쳐지고 경쟁에 밀려난 왕자들은 죽음을 면치 못했다. 하렘은 우수한 말을 생산하는 종마장 역할을 했다.

이처럼 전제군주국가에서 황제는 여자들을 취하는 데 아무런 제약이 없었다.

왕에게는 외도라는 단어를 쓸 수 없고, 단 한 가지 - 훌륭한 왕자생산만 있었다. 다른 여자를 취하는 것은 당연한 권리이면서도 의무이기도 했다. 제국의 번영이 최우선 목표였고, 이를 위해 광활한 지역을 다스릴 자기 핏줄이 필요했기 때문이다.

끝으로, 제우스가 성적 쾌락만을 목적으로 바람을 피운 것 같지는 않다.

제우스와 헤라가, 남자와 여자 중 어느 쪽이 섹스에서 더 많은 즐거움을 느끼는지 논쟁을 벌였을 때, 심판관으로 양성兩性을 모두 경험한 테이레시아스를 불러 물어보았다. 그는 여자가 아홉 배나 더 많이 느낀다고 말했다. 자존심이 상한 헤라는 자기편을 들어주지 않은 테이레시아스의 눈을 멀게 해버렸다.

나는 그리스신화가 쓰여 질 무렵에는 모계사회가 기울고 부계사회로 이행해 가는 과정이라고 생각한다. 헤라가 불륜의 책임을 제우스에게 직접 묻지 못하고, 상대 여성과 아이에게만 퍼부었다. 그래도 끝내 제우스의 바람기를 잠재우지 못하고 뒤처리만 해야 했다.

한 가지 주목해야 할 점은, 제우스와 헤라 커플이 온갖 트러블에도 불구하고 헤어지지 않고 결혼생활을 지속한다는 사실이다.

그 이면에는 부부생활을 묶어주는 그 무엇인가가 있다는 해석이 나온다. 인간 세상에도 이같이 한 사람의 자유로운 영혼과 다른 한 사람의 자제력이 균형을 이루면서 부부생활을 용케 지탱하는 경우를 종종 본다.

현대에 제우스의 이야기를 재구성한다면 전혀 다른 이야기가 나올 법하다.

생명공학의 힘을 빌려 제우스의 유전자를 인큐베이터에서 키워낼지도 모른다. 아니면 생물학적 후손만 고집하지 않고, 천하의 훌륭한 인재를 골고루 등용하는 탕평책을 쓸 수도 있겠다.

그리스 로마 신화는 인간의 상상에 기초한 옛이야기지만 인류 보편의 진리를 담고 있다. 지도자의 욕망과 세습의 고민은 오늘날 북한과 같은 독재국가뿐 아니라 기업경영에서도 가끔 볼 수 있다.

한 대기업의 창업주는 외도로 자식을 여럿 얻었다고 한다. 정실부인은 속을 끓이면서도 밖에서 낳은 자식이 아들이면 호적에 입적시켜 직접 키우고, 딸이면 산모에게 부양비만 주었다고 한다. 그들 부부가 고인이 된 지금, 정실과 첩실 자식들이 힘을 합쳐 물려받은 기업을 경영하고 있다.

(2023.4.8.)

※ 이 글은 2023년 월간 『수필과 비평』 9월호에 게재

# 제4장 사 색

## 뜰 앞의 은행나무

○○원 정문 앞 정원에는 몇 그루의 은행나무가 있다.

나잇살을 먹어 키가 제법 크다. 아침 출근하는 길에 힐끗 쳐다보니 아직은 푸른색이 살짝 남은 나뭇잎 사이로 노란 알이 알차게 열려있다. 싱그러운 가을의 문턱을 느끼게 해준다.

반가운 마음에 수위장에게 한마디 건넨다.

"은행알이 옹차게 열렸네요!"

수위장이 무심코 한 나의 인사말을 되받는다.

"많이 열리면 알이 잘아요."

그래서 농부들은 배나무나 사과나무의 열매를 적당히 솎아 내어야 가을에 큰 과일을 수확한다고 하는가 보다.

어느 착한 농부가 옥황상제玉皇上帝에게 소원을 빌었다.

"옥황상제님! 비나이다 비나이다. 올해는 제발 거친 태풍과 모진 가뭄 없이 마냥 화창하고 촉촉한 보슬비를 내려 주십시오."

그해 옥황상제는 그 농부의 소원을 들어주기로 마음먹고 농부가 원하는 대로 따스한 햇살과 적당한 비를 뿌려줬다.

가을이 되자 들판은 온통 누렇게 물들고 곡식은 주렁주렁 많이 열렸다. 농부는 기쁨에 차 흥겨운 마음으로 추수했다. 한데 이게 웬일인가. 곡식알이 텅 빈 채 쭉정이가 태반이지 않은가?

농부는 옥황상제를 다시 원망했다.

"왜 이리 쭉정이만 주십니까?"

옥황상제는 한숨을 쉬면서 말했다.

"눈, 비바람, 강렬한 햇살이 없는데 어떻게 알찬 열매를 기대하는가?"

그제야 농부는 옥황상제가 천상에서 알차고 찰진 곡식알을 만들기 위해 얼마나 노력했는지 알아차렸다. 적당한 햇살과 적당한 비로는 곡식의 외형은 그럴듯해도 그 알맹이가 채워지지 않는 것이었다. 목 타는 가뭄을 겪고 태풍이 지나가야 알맹이가 가득 차는 자연의 이치를 몰랐다. 농부는 가뭄과 혹한, 비바람은 쓸데없는 것이라고 여기고 있었으나 옥황상제는 이들을 재료로 곡식알을 채우고 있었던 것이다.

○○원 재직 27년을 넘기니 이런저런 소회가 깊다. 소위 보직과 관련한 음지와 양지 얘기다. 어떤 직원은 양지만 잘도 찾아 옮기는데 어떤 직원은 음지만 골라 다니기도 한다. 그런데 내 경우를 돌이켜보면, 음지와 양지 모두 다 거쳐보아 딱히 불만은 없다. 게다가 유학과 직무훈련으로 해외 생활을 두어 번 하면서 재충전의 기회를 얻게 된 것도 나름의 혜택이라고 여긴다.

돌이켜보니, 쉬운 보직보다 힘든 보직이 더 기억에 남는다. 특히 기억에 남는 시기는 1993년 새 원장 취임 직후 부정방지대책위원회 행정실에 근무할 때, 1998년경 다리를 다쳐 깁스를 한 채 자동차를 끌고 양평군 등을 돌면서 〈팔당상수원 감사〉를 몇 달간 할 때, 2004년도 6월 캐나다에서 귀국 후 곧바로 〈K사건〉 조사차 전쟁 상황인 이라크에 다녀온 일, 2005년부터 2년간 홍보담당관으로 근무한 일 등이다.

힘든 시기는 하루하루를 '오늘도 무사히'[25]라는 심정으로 시작했다. 하지만 지난날을 돌이켜 보면, 힘들고 빛나지 않는 자리가 있기에, 상대적으로 쉬운 자리가 더 빛이 나는 게 아닌가 싶다. 그리고 힘든 자리를 이겨내고 나면 스스로 내적 성장이 이루어진 것을 느낀다. 힘든 일을 거뜬히 해낼수록 업무를 보는 눈이 다시금 떠지고 감사관으로서의 자신감도 더 살아나는 것 같다.

자고로 높이 자라는 나무는 그 뿌리도 깊게 내려간다고 한다. 나무가 높이 올라갈수록 바람은 세지고 시련도 많기 때문에 이를 이기려면 뿌리가 깊게 받쳐줘야 한다는 자연의 섭리다.

한 제자가 조주선사에게, "달마가 서쪽에서 오신 뜻이 무엇입니까?祖師西來意"라고 묻자, 조주 왈曰, "뜰 앞의 잣나무庭前柏樹子." 라 했다. 조주의 말이 구체적으로 무엇을 말하는지는 감히 짐작할 수 없으나 뜰 앞의 잣나무 한 그루나 풀 한 포기가 온 우주와 연결되어 있다는 뜻으로 새겨보니 진의眞意에 한 백 리 정도는 다가선 느낌이다.

단풍이 익어가는 가을날 아침, 수위장의 무심한 말 한마디가 인간사 이런저런 면을 생각하게 하는 아침이다.

(2007.10월)

※ 이 글은 『감우정담』에 게재

---

25) 1970년대 버스운전기사 운전석 위 상단에 걸려 있던 소녀의 기도 문구

## 장주지몽莊周之夢

어느 날 장자莊子가 낮잠에서 깨어나 엉엉 울고 있었다.
놀란 제자들이 장자에게 그 이유를 물었다.

장자가 말했다.

"잠결에 꿈속에서 내가 나비가 되었다. 훨훨 나는 나비였다. 내 스스로 기분이 매우 좋아 내가 장주인 것을 알지 못했다. 갑작스레 잠에서 깨니 틀림없이 예전의 장주였다. 장주인 내가 꿈에 나비가 된 꿈을 꾸었는지, 나비인 내가 장주가 된 꿈을 꾸고 있는지 알지 못하겠다. 지금의 나는 정말 장자인가 아니면 나비가 꿈에서 장자가 된 것인가?" 정체성의 혼란을 느낀 장자는 슬퍼 울고 있었다.

『장자』의 제물론에 나오는 얘기다. 일명 호접지몽胡蝶之夢이라고도 알려져 있다.

집이 서초西草에 있는 나는 ○○원까지 출퇴근한다. 지하철은 계단을 오르락내리락하는 불편이 있는 반면, 버스는 스치는 창가를 통해 거리풍경을 볼 수 있고, 시원한 공기가 좋아 가능하면 버스를 주로 탄다. 집 앞에서 종로2가까지 와서 마을버스로 갈아타면 곧바로 사무실까지 온다. 버스를 타는 시간이 편도 40~50분은 되니, 이른 아침 버스에 몸을 싣고 승객이 타고내리는 것을 개의치 않고, 습관적으로 눈을 지그시 감는다. 이른 아침이라 신체 리듬이 아직 '잠 모드sleep mode'이기 때문이기도 하다.

매일 아침 졸면서 사무실에 도착했다가 일과 후 밤늦은 시간 퇴근할 때도 지하철이나 버스에서 졸다가 집에 도착하는 것을 반복하다 보니 하루하루가 잠결에 지나가는 기분이 든다. 마치 꿈속에 왔다가 꿈속에 가는 듯.

1980년도 입사 후 30년이 지난 지금 지난날을 돌이켜보니 참으로 꿈같은 세월이었다. 그동안 모신 원장만도 L원장을 비롯해 최근의 K원장까지 모두 10명이다.
입사 당시 26세로 과에서 제일 어렸으나 55세인 지금은 내가 원내에서 비교적 고령이고 고참에 든다.

2000년 이후 400여 명의 신규직원을 뽑아 서로 모르는 직원이 무척 많아졌다. 그 가운데 있는 나를 가끔 돌이켜보니, 내가 지난 세월 무엇을 했는지 자조적인 회의감이 들 때가 종종 있다.

그동안 옮겨 다닌 보직이 어림잡아 18개 부서에 대상기관이 수십 개는 될 듯하다. 특히 기억에 남는 대상기관은 서울시, 환경부, 국방부, 금융감독원 등이다.

두말할 것도 없이, ○○원은 공직기강을 바로잡는 것을 주 임무로 하고 있다. 그런데 주니어 감사관 시절인 80년대의 서울시 공무원의 비리행태와 비교하여 국장이 된 요즈음 느끼는 지방자치단체의 비리는 더 대담해지고 은밀해졌다는 느낌이다. 물론 그 원인을 찾으라면 지방자치제 시행 이후에

단체장을 선거로 뽑아 형사처벌 외에는 업무상 행정책임을 묻기 어렵다는 제도적 문제점도 있지만.

그러나 막내 아이를 중학교에 보내면서 느끼는 교원들의 공공연한 촌지 요구 행태를 보고 국민이 체감하는 비리는 그 뿌리가 의외로 깊다는 것을 실감했다. 학부모가 생업에 매달려 아이의 학교생활에 관심을 기울이기 곤란하고, 선생들의 잘잘못에 대해 학부모들의 감시가 어렵다는 점을 이용하여, 교사들이 학교 울타리 안의 빅브라더처럼 군림한다는 느낌이 들었다.

더구나, 언론보도를 통해 매일 같이 접하는 공기업의 모럴해저드, 공무원 인사 비리, 각종 로비사건 등은 정권이 여러 번 바뀌어도 계속 반복되고 있다.

이처럼 아직 공직사회가 밝지 못한 현실에서, 지나온 인생이 일장춘몽처럼 스쳐 지나가고, 내 스스로의 능력의 보잘것 없음과, 그런데도 뾰쪽한 방법이 없음에 한숨이 저절로 흘러나온다.

나 자신이 그동안 사정기관에 근무하면서 비록 많지 않은 월급에도 감사업무를 천직으로 알고 봉직했다고 생각한다. 사기업에 다니거나 개인 사업을 하는 친구들에 비해 그래도 공무를 수행한다는 떳떳한 자부심과 긍지로 자식들을 대하곤 했다.

하지만 요즈음 와서는 그러한 나의 자긍심이 가끔 자괴감으로 변해가는 듯하다. 퇴직 후를 대비한 준비도 별로 없고, 사회는 여전히 부정과 비리가 도사리고 있으며, 경제문제나 남북 관계에서도 나라의 앞날이 밝지 않다.

돌이켜보건대, 내가 몸담았던 조직을 하나의 고정무대라고 가정할 때, 그동안 같이 근무했든 직원들은 간부든 아니든 모두 '그때 그 시절 그 역할을 담당했던 배우에 지나지 않는다'는 느낌이 든다.

내가 입사할 무렵에는 말단 직원이었는데 이제 관리자가 되어 뒤를 돌아다보니 후배가 선배보다 훨씬 더 많고 나 자신도 외손녀를 둔 할아버지가 되고 보니 나에게 주어진 배역도 거의 막바지에 왔다고 여겨진다.

요즈음 신규로 입사하는 후배들의 눈에 내가 어떻게 비칠까 하는 생각과, 내가 젊은 시절 50세가 넘은 선배들을 보고 '구태에 찌든 구닥다리들'이라고 내심으로 비아냥거리기도 했던 것을 떠올리며, 먼저 무대에서 내려가신 선배들에게 왠지 미안하고, 한편으로는 지금의 후배들에게 내 자신이 그런 모습으로 비칠지도 모른다는 생각이 든다.

하지만 선배들이 박봉에 시달리면서도 직장을 무사히 마치고 자식들을 출가시키고 퇴직 후에도 다양한 분야에서 일하거나 취미활동을 하면서 건강을 다진다는 소식을 접하면 무척이나 존경스럽고, 나 자신도 퇴직 후 그렇게 할 수 있을까 하고 자문해 본다.

얼마 남지 않은 공직생활에서 멋진 연기는 아니더라도 무대에서 내려가는 그날까지 후배들에게 추한 뒷모습은 남기지 않으리라고 마음속으로 다짐한다.

(2010.10월)

※ 이 글은 『감우정담』에 게재

## 내 인생의 무게

사람이 100년을 산다고 가정할 때 지구의 나이에 비해서 사람은 상대적으로 얼마를 사는 것이라 할 수 있겠는가?

과학자들은 지구의 나이가 46억 년쯤 된다고 한다. 지구의 나이를 100년으로 간주할 때, 100년을 사는 사람의 상대 나이는 68초 정도[26]로 환산된다. 다시 말하면, 지구의 간주나이 100년에 비추어 본 인간 생존기간의 상대치는 68초에 불과한 것이다. 하루가 86,400초[27]이니 지구 상대나이에 비추어 본 인간은 하루살이의 0.00078배[28] 정도 지구에 머물다 가는 셈이다. 참으로 보잘것없이 짧은 순간이다.

인간은 이 68초 동안에 태어나서 자라고, 교육을 받고, 직장을 가지고, 결혼하고 자식을 낳고, 네가 잘 낫느니 내가 잘 낫느니 하며 아옹다옹하다가, 늙고 병들어 죽는다. 사랑도 하고, 배반도 하고, 슬퍼도 하고 기뻐하기도 한다.

---

26) (100×100/4,600,000,000)×365일×24시간×60분×60초 ≒ 68초.
27) 24시간*60분*60초=86,400
28) 68/86400≒0.00078

이러한 상대시간을 염두에 둔다면, 과연 나의 인생은 얼마 만큼의 무게를 가졌다고 해야 할 것인가?

최근 밀란 쿤데라가 1984년도 발간한 『참을 수 없는 존재의 가벼움』이란 책을 읽으면서 새삼 내 인생의 무게는 얼마일지 생각해 본다.

이 소설은 과연 인생에 있어 '행위의 무거움이란 무엇이며 가벼움이란 무엇인가'라는 근본적인 의문을 제기하게 한다.

여자 주인공인 사진기자 테레사가 촬영한 '소련군 탱크에 저항하는 민중의 사진' 한 컷이 신문에 실려 본인은 참으로 무게감이 나가는 중요한 일을 한 듯이 뿌듯한 감정을 느꼈다. 그러나 그 뒤 소련군 점령 공산 치하에서 그 사진은 되레 반공산주의자 색출에 유용한 근거로 이용됨을 알고는 주인공은 자신의 사진에 대해 후회한다.

남자 주인공 토마시도 우연히 쓴 '오딧세이 이야기'가 독자투고란에 실린 것이 점령 공산주의자들로부터 빌미가 되어, 의사인 직업을 잃고 유리창 청소부로 전락하고, 그 후 반체제자들의 포섭대상이 되기도 한다.

이 작품에서 주인공들이 삶을 영위하면서 행하는 이런저런 명분의 행위들이 상황에 따라 입장과 처지가 뒤바뀌고, 어떤 경우에는 본인이 전혀 의도하지 않은 결과에 이르기도 한다는 것을 목도한다.

테레사와 토마시의 결혼도 다섯, 여섯 번의 가벼운 우연이 겹쳐 결혼에 이르렀고 이런저런 공산치하의 억압세력에 밀려나 시골생활을 하나 결국은 우연으로 점철된 교통사고로 사망하는 최후를 맞는다.

아무리 가벼운 인생사도 무겁게 다가올 때가 있고, 무거운 짐을 지는 듯 신중한 결정도 지나고 나면 하찮은 일에 지나지 않을 수도 있다는 작가의 견해다.

나는 공직생활에서 운 좋게도 두 번의 외국 생활을 한 적이 있다.

외국에 있을 때마다 느낀 것은 공무원인 내가 과연 국가를 위해 중요하고 무게 나가는 일을 했는가, 애국을 했던가에 대해 자조적인 생각이 든 적이 있다. 정책감사를 한답시고 정부의 이런저런 정책을 분석, 비판했지만 결국은 탁상공론에 그치는 경우가 있었고, 오늘날까지도 국민의 삶은 그때와 비교해서 별반 바뀌지 않은 경우가 많다.

반면에, 외국에서 마주친 상사주재원이나 건설노동자들이 어려운 해외 시장 여건을 뚫고 상품을 한 개라도 더 팔거나 땀 흘려 일하는 모습을 볼 때, 공무원보다도 더 애국자일지 모른다는 생각이 든 적이 있다.

요즈음 다소 시간적 여유가 있어 내 출생부터 현재에 이르는 행장行狀을 더듬어 볼 기회가 있었다. 나의 의지와는 무관하게 한 부모의 아들로 태어나 이리저리 부딪치고 살아온 세월이 눈앞에 파노라마처럼 펼쳐진다. 안개 자욱한 길을 한발 한발 어렴풋이 헤쳐 나온 게 오늘 이 자리에 이른 듯하다.

오직 살아남기 위해 성실히 노력하면서 우연히 다가온 인연들을 소중히 여기고 조심조심 살아온 나 자신을 돌아보게 된다.

내 스스로 나에게 "내 인생의 무게는 얼마나 될까?" 하고 자문해 보니, 과연 하루살이보다 더 무게가 나갈까 하는 회의감이 든다.

(2018.7.13.)

※ 이 글은 2018년『감우정담』제17호에 게재

## 닭의 공덕功德

오늘은 현충일이자 연휴 마지막 날이다.

보훈의 날이라 피자집에서 원플러스원 행사를 한다. 저녁에 피자 배달을 주문하고 손주들을 불렀다. 피자 외에도 손주들과 파티할 때 빠뜨리지 않고 주문하는 음식이 있다. 바로 치킨이다. 아이들이 좋아할 뿐 아니라 한창 자라는 아이들에게 좋은 단백질 공급원이 되기 때문이다.

닭은 동서고금을 통해 여러모로 인류 문화에 이바지한 공이 크다.

예로부터 닭의 볏은 문文을, 발톱은 무武를, 싸울 때 용맹하니 용勇을, 먹이를 다투지 않으니 인仁을, 새벽을 알려주니 신信을 상징한다. 이를 닭의 다섯 가지 미덕이라 일컫는다. 게다가 아침 일찍 일어나 종일 모이를 쪼니, 닭띠는 12간지 중 부지런함의 상징이다.

닭의 조상은 5,000년 전 동남아 밀림의 새였다고 한다. 야맹증이지만 새벽빛에 혈액농도가 높아지면 생리현상으로 울음을 터트린다. 새벽의 수탉 울음소리는 여명과 희망의 아이콘이다.

새 가정의 탄생과 다산의 의미로 전통혼례에 닭을 올려두고 절을 한다. 닭은 새 시대를 여는 영물로 여겨져, 신라의 국호를 한 때 '계림鷄林'이라 했고, 1948년 대한민국 정부수립 축하 기념 담배 이름이 '계명雞鳴'이었다고 한다.

닭이 우리 식생활에 기여하는 공로는 노벨상을 몇 개 줘도 부족할 정도로 지대하다.

동서양을 망라하면, 닭요리의 종류는 수백 가지에 이를 것이다. 우리가 쉽게 접할 수 있는 닭요리로는 찜닭, 닭갈비, 닭발, 닭백숙, 삼계탕, 전기통닭, 닭도리탕, 닭육회, 프라이드치킨, 닭꼬치, 닭강정, 닭똥집 등이 있다.

닭은 소나 돼지보다 번식력이 좋고, 생멸주기가 짧아 식탁에 자주 오른다. 닭의 자연수명은 5~10년 정도지만, 육계는 1달, 산란계는 1년 정도면 도계屠鷄된다고 한다.

통계에 의하면, 우리나라 성인 1명당 연간 16kg의 닭고기를 소비하여, 전 국민이 한 해 10억 마리를 먹는다고 한다. 힌두교나 이슬람교 등 종교와 관계없이 닭고기를 즐겨, 전 세계적으로는 한 해 500억 마리를 소비한다니 그저 입이 벌어질 뿐이다.

이외수는 소설 『장외인간』에서 닭을 지구상에서 가장 다양한 비극을 겪는 가축으로 묘사했다.

열심히 낳은 알이 차례로 깨져서 프라이가 되는 비극.
병아리가 되더라도 어린애들의 장난감으로 팔려 가는 비극.
팔려가 온갖 시달림을 받다가 손독이 올라 목숨이 끊어지는 비극.

한평생 아무리 날갯짓을 해도 다른 조류들처럼 멀리까지 하늘을 날 수 없다는 비극.
특별한 잘못도 없이 주인에게 모가지가 비틀려야 한다는 비극.
죽어서도 펄펄 끓는 물에 통째로 처박혀야 한다는 비극. (이하 생략)

성서에는 사람을 하느님의 형상대로 창조했다고 한다.
하지만 나는 이 말에 이의를 제기하고 싶다. 하느님은 닭도 창조했을 텐데, 만일 닭에게 하느님의 형상을 그리라고 하면 사람의 모습을 닮은 하느님을 그릴 것이라고는 도저히 믿어지지 않는다. 닭의 처지에서 보면, 그들의 생명을 그토록 철저히 유린하는 인간을 어떻게 무한한 사랑을 베푸는 하느님의 형상이라고 상상이나 하겠는가.

위 소설에는 '금불알金佛揠'이라는 상호의 닭갈빗집이 등장한다. 금불알은 '닭갈비에서 부처를 뽑아낸다'는 뜻이라 한다. 나는 닭의 인류에 대한 헌신이 바로 금부처와 별반 다르지 않다고 생각한다.
성 프란체스코는 동물들과 교감하고, 대화하는 경지에 이르렀다 하여 성인으로 숭앙 되고 있다지만, 닭이야말로 우리 곁에 있는 성스러운 가축이라는 생각이 든다. 닭의 인간에 대한 희생은 실로 성인의 그것에 버금간다.
석가모니가 전생에 나찰을 만났을 때, 나찰이 배가 고프다 하여 팔, 다리, 몸통을 흔쾌히 음식으로 제공했다는 이야기가 있다. 그 공덕으로 석가모니는 이생에서 깨달음을 얻어 부처가 되었다고 한다.
닭도 육신을 아낌없이 바쳐 인간을 공양하니, 어쩌면 부처님 전생의 공덕과 비교해도 결코 가볍지 않다고 할 수 있다. 다만 부처님과 다른 점은 자발적인 공양이 아니라 타율적인 희생이라는 점이다. 만일 닭이 인간의 배고픔을 헤아려 스스로 기름 솥에 뛰어들고, 배고픈 이의 식탁에 선뜻 오른다면, 틀림없이 다음 생에 부처가 될 것으로 믿는다. 우리가 별생각 없이 즐겨 먹는 닭의 육신이 어쩌면 깨달음을 얻기 직전 보살행을 베푸는 예비 부처님의 공덕일지도 모를 일이다.

그런데 우리 인간은 만물의 영장이란 이유로 닭의 헌신을 당연하다고 여길 특권이 있는 것일까. 지구상 같은 생명체로서 닭에 대한 무분별한 학대를 지양하는 것이 우리가 가져야 할 참 지성이 아니겠는가.

(2022.6.6.)

※ 이 글은 2023년 계간 『문학의 강』 제29·30 합호, 신인문학상 수상작

## 소리의 공명共鳴

낙타는 사막의 배라 불린다.

400kg의 짐을 싣고, 400km의 사막을 물 한 모금 마시지 않고 건넌다. 인간에게는 고기와 젖과 털을 내놓는다. 오줌은 샴푸 대용으로, 건조된 똥은 땔감으로도 쓰인다. 낙타는 숙명적으로 노예와 같은 삶을 살아간다. 그래서인지 어린아이의 그것 같은 낙타의 눈망울은 슬픔을 품은 것 같다.

가끔 어미 낙타가 갓 태어난 새끼에게 젖을 물리기를 거부하는 경우가 있다. 어미가 젖 주기를 거부하는 이유는, 새끼에게 펼쳐질 고된 삶을 끊기 위한 선견지명先見之明에서인지도 모른다. 몽골 사람들은 젖을 물리지 않으려는 어미를 달래기 위해 위로의 음악을 들려준다. '마두금'이라는 전통악기의 구슬픈 선율에 맞춰 할머니가 낙타의 얼굴을 쓰다듬으며 노래를 부른다.

"낙타야, 나는 너의 마음을 안다. 네가 살아온 험난한 일생을 새끼도 반복할 거로 생각하니 얼마나 비통하겠니. '나처럼 살 바엔 차라리 지금 죽는 게 낫겠지'라는 생각이 들어서지. 이 할미도 새끼를 키워봐서 안다. 그렇더라도 너는 지금 튼튼하고 잘생긴 새끼를 낳았구나. 장하다."

할머니의 진심을 담은 위로의 노래에 낙타는 태초의 눈물을 흘린다. 이 순수의 순간에 낙타는 새끼에게 젖을 허락한다. 현악기인 마두금은 어둡고 우울한 음색으로 마음의 시원始原을 거슬러 올라가 영혼을 울리는 떨림을 준다. 악기의 선율과 할머니의 애달픈 위로가 어울려 낙타의 바위같이 단단한 감정을 녹이고 모성을 되찾게 한다.

사람들은 오랜 옛날부터 자연의 소리로부터 상처 난 심신의 기력을 되찾았다.

계곡의 물소리, 나뭇잎 흔들리는 소리, 바람소리와 같은 자연의 소리를 들으면 마음이 차분해지고 긍정의 기운을 얻게 된다.

인도, 네팔, 티베트 등지에서 행해지는 요가나 탄트라 명상에는 수천 년 전부터 소리를 이용한 치료법을 사용했다. 사운드 테라피sound therapy라고 한다. 온몸의 세포들을 자연의 소리와 연결해 주는 것만으로도 몸을 이완해 주고 혈압을 낮춰주며, 수면의 질을 높이는 육체적 변화를 일으킨다. 소리로 마음을 가라앉혀 트라우마나 불안감을 이겨내는 치료법이다.

사람들은 소리를 이용하여 신이나 신성에 다가가려 한다.

절에서는 종이나 북, 목어를 두들겨 삼라만상 뭇 생명의 영혼을 깨우려 한다. 성당에서는 웅장한 파이프 오르간의 울림과 성가대의 합창이 시너지 효과를 내어 성스러움을 더한다. 신에게 인간의 간절한 기도를 소리로 전달하려고 한다.

소리를 매개로 한 인간의 이러한 노력이 의미가 있을까. 모든 물체는 각기 고유의 파동을 가지고 있다. 과학자들은 파동이 소리에 한정하지 않고, 바위나 산과 같은 고체에도 있다고 한다. 고체는 진동이 크지만 주파수가 느리고, 기체는 진동이 작지만 빠른 주파수를 지니고 있다.

그런데 두 개의 서로 다른 파동이 부딪치면 파동의 간섭으로 공명共鳴이 일어난다. 파동이 겹치면서 증폭되기도 하고 상쇄되기도 한다. 공명이 클수록 서로 영향을 많이 받아 공감을 일으킨다.

등산하고 나면 힐링治癒이 된다. 그 이유가 바로 서로 다른 물체의 파동이 부딪쳐 일으키는 공명 때문이다. 사람 몸의 파동과 산의 파동이 서로 만나면 공명을 일으키는데, 공명한 파동의 크기는 두 파동의 평균값이다. 외형적으로 물체의 크기가 클수록 파형이 크고 길며 주파수가 느린 파동을 낸다. 그 결과 작은 산을 다녀온 뒤보다는 큰 산에 다녀온 뒤의 공명 파동이 더 크다. 그래서 큰 산에 오르고 난 뒤일수록 힐링 효과가 오래간다고 느낀다. 설악산을 다녀오면 동네 뒷산을 다녀온 것 보다 여운이 오래간다.

결론적으로 서로 다른 소리나 물체의 파동이 일으키는 공명이 정서적 공감을 불러온다.

그래서 낙타가 마두금의 낮고 떨리는 선율과 할머니의 애절한 기도에 공명을 일으켜 눈물을 흘리고 새끼에게 젖을 내놓는 것이다. 사운드 테라피도 신체가 자연의 소리와 공명을 일으켜 뇌파의 진동수를 느리게 만들고 안정을 되찾게 만든다. 뇌는 잠이 드는 이완상태에서는 베타파, 명상상태에서는 델타파에 든다고 한다. 의사들은 불면증 환자에게 잠들기 전에 뇌의 주파수를 베타파로 떨어뜨리는 처방을 한다. 호텔 로비에 흐르는 BMG배경음악도

마음의 평온을 유지하도록 흘려주는 음악이다.

절이나 교회에서 하는 집단예배에서 빠지지 않는 것이 타종이나 악기소리, 합창과 노래다. 이것들이 어우러져 서로가 공명을 일으키고 가슴과 영혼을 따뜻하게 울려주어 신의 성전에 쉽게 들어서게 만든다. 합동 예불이나 집단예배를 하면 혼자 올리는 기도보다 손쉽게 순수의 상태로 접어들고 눈물을 흘리게 되는 이유가 바로 소리의 공명 때문이다.

우주가 내는 신비의 소리를 '옴Aum'이라 하는데, 불자들은 우주와 공명하여 한 몸이 되려는 여망을 품고 끊임없이 옴을 되뇐다. 만물은 공명을 매개로 서로 공감한다.

(2023.1.16.)

## 연어의 회귀回歸

베토벤의 '합창'이 울려 퍼지는 것 같다.

9월 말부터 두 달간 캐나다 서부에는 진기한 구경거리가 펼쳐진다. 바로 연어 떼의 귀환이다. 산란기에 접어든 북태평양 연어는 옆구리가 붉은색으로 변한다. 고향으로 돌아가야 할 때가 되었다는 표시다. 염수인 바다에서 담수인 강으로 들어서면, 치아가 날카로워지고 주둥이가 뒤틀어진다. 전투모드로 바뀌어 먹이를 먹지 않는다.

이때부터 연어는 강을 거슬러 장장 500km가 넘는 여정을 시작한다. 중간에 댐도 있고 바위도 있지만 그들의 행진을 막을 수가 없다. 붉게 변한 몸이 만신창이가 되어도 오직 전진뿐이다. 이들의 목적지는 록키산맥의 중턱에 있는 맑은 시냇물이다. 천신만고 끝에 목적지에 도착한 연어는 모랫바닥에 알을 낳는다. 암컷 한 마리당 4,000개의 알을 낳는다고 한다. 알을 낳으면 수컷이 뿌옇게 정자를 뿌린다. 할 일을 마친 연어는 숨을 할딱거리며 죽어간다. 온 시내가 연어의 주검으로 붉게 물든다.

때마침 하늘에서는 독수리가 내려온다. 죽어가는 연어를 나무 위에 걸쳐놓고 마음껏 쪼아 먹는다. 다른 한편에서는 겨울을 준비하는 늑대무리와 곰 가족이 나타나서 붉은 살점을 포식한다. 가을을 재촉하는 빗방울로 붉게 물든 단풍이 절정을 이루게 된다. 짙푸른 가을하늘 아래 독수리, 늑대, 곰들의 축제가 열린다. 연어는 죽어가면서까지 세상의 뭇 생명들에게 넉넉한 잔칫상을 안겨 준다.

연어는 우리 식탁에 내린 축복이다.

캐나다 서부 브리티시컬럼비아주에서 태평양으로 흐르는 하천의 지류는 약 2,000개에 이른다. 그중 큰 지류의 하나가 프레이저강이다. 매년 프레이저강에 회귀하는 연어의 숫자가 어느 정도인지 정확히 알 수는 없으나, 4년마다 돌아오는 대귀환 때에는 3,000만 마리를 웃돈다고 한다. 민물에서 부화가 된 연어는 강을 따라 하류로 내려가 1년 정도 지나 35mm 정도로 자라면 바다로 나간다. 바다로 나간 연어는 고래의 먹이가 되기도 하지만, 살아남은 연어는 북태평양에서 4년 정도 보낸다. 이 기간에 어부들이 잡아 올린 연어가 우리들의 식탁에 오른다. 횟감, 구이, 샐러드 요리에 사용된다.

나는 2003년경 밴쿠버에 살 때, 연어의 회귀를 보고 자연의 어김없는 순환에 숙연해지는 것을 느꼈다. 무엇이 연어를 고향으로 돌아오게 했을까. 온몸이 만신창이가 되어도 먹지도 자지도 않고 고향으로 묵묵히 돌아온다. 산란이란 이 세상에서의 마지막 소임을 완수한 그들은 미련 없이 자연에 몸을 맡긴다. 귀로歸路에 다른 동물들의 먹이가 되기도 하지만, 먹히고 남은 육신은 자연으로 돌아간다. 자연의 순환 고리를 이탈하는 일이 없다. 삶의 순리를 져버리지 않고 오로지 자연의 장엄한 흐름에 몸을 맡긴다. 이 흐름의 조상은 8,800만 년 전 화석에서도 발견된다고 한다.

연어의 모천회귀母川回歸를 바라보면서, 과연 인간은 자연의 질서에 순종하는지 생각해 보게 된다.

사람들은 자기가 태어난 고향을 쉽게 잊는 듯하다. 수구초심首丘初心이란 말이 있지만 까마득히 멀어진 말이 되어간다. 연어처럼 무조건적인 부모의 희생에도 불구하고, 자기를 낳아준 부모를 못 본 채 할 때가 많다.

연어는 종의 보존을 위해 죽을힘을 다해 산란하는 데 반해, 요즈음 젊은이들은 후세를 생각하지 않는 것 같다. 혼자만 즐기다 생을 마감하면 그만이라고 여기는 듯하다. 독신이 시대의 유행처럼 번져 간다. 인간 생태계가 지속 가능할지 우려된다.

인간은 삶의 터전인 이 땅덩이에 득을 안겨 주지는 못할망정, 해악만 끼치면서 삶을 영위해 가는 것 같다. 매 끼니때마다 쏟아내는 음식쓰레기를 보면 혀를 내두를 지경이다. 생을 마감하면서도 화장장에서 연기만 내뿜어 공해를 더할 뿐 의미 없이 사라져 간다.

인간도 연어처럼 뭇 생명에게 잔칫상을 안겨주고 생을 마감할 수는 없을까.

(2022.12.22.)

※ 이 글은 2023년 계간 『현대수필』 봄호에 게재

## 인생의 의미

인간에게 자유가 없으면 어떻게 될까.

목숨이 풍전등화 같이 위협을 받는 상황에서도 희망과 용기를 낼 수 있을까. 도살장으로 끌려가는 소를 상상해 보자. 소에게는 죽음의 길만 보인다. 다른 선택지가 없다. 과연 소는 그때 무슨 생각을 할까.

이와 비슷한 일이 불과 70여 년 전 인간 세상에서도 벌어지고 있었다. 아우슈비츠 나치 강제수용소에서다. 정신과의사인 빅터 프랭클은 저서, 『죽음의 수용소』에서 그가 체험한 일을 담담하게 소개하고 있다.

그는 자기 아내와 함께 아우슈비츠로 끌려갔다.

둘을 남녀 막사로 분리 수용시키더니, 간단한 분류작업이 진행됐다. 게슈타포 중 한 사람이 희미한 웃음을 지으며 신의 판결처럼 손가락을 까닥거리면, 그가 손짓하는 쪽에 가서 줄을 서야 했다. 9대 1의 비율로서 두 그룹으로 나누어졌는데, 그는 1에 해당하는 그룹으로 분류됐다. 며칠 후 그는 9에 속한 사람들은 굴뚝의 연기로 사라졌다는 소문을 들었다.[29)]

살아남은 사람들에게는 강제노역이 기다리고 있었다. 하루하루가 생지옥이었다.

그들을 부를 때도 이름 대신 번호로만 불렀다. 매일 구타, 감금, 강제 노역에 시달렸으며, 음식, 옷, 연료, 약품이 절대적으로 부족했다. 빵조각, 옷가지를 둘러싸고 치열한 쟁탈전이 벌어지곤 했다. 죽어가는 사람이 남긴 수프를 서로 먹으려고 달려들고, 그가 남긴 넝마까지 차지하려고 싸웠다.

수용자들은 차츰 여위어 피골이 상접 해갔다. 더 이상 노동을 감당할 수 없게 되면 가스실로 보내졌다. 수용소 내에서 인간의 모습은 그야말로 생존을 위해 투쟁하는 아귀와 같았다. 인간성은 눈을 씻고 찾아보려 해도 찾을 수가 없었다.

가장 악질은 같은 수용자이면서도 수용자를 감시하는 카포였다. 나치에게 잘 보이려고 동족을 괴롭혔다. 옆 사람의 죽음은 일상이 되다시피 했다. 삶을 포기한 사람들은 음식을 끊고 죽음을 기다리거나, 자살을 시도하기도 했다. 하지만 자살을 말리는 행위조차 금지되었다. 그래도 한 가지 놀라운 것은 고압전류가 흐르는 철조망에 몸을 던지는 사람이 생각보다 많지 않았다는 점이다. 훗날 살아남은 수용자들이 회상하기를, 제일 힘들어했던 일은 언제 지옥 같은 생활이 끝날지 모르는 불안감이었다고 토로했다.

그러나 프랭클은 죽음의 늪에서도 자신을 지탱하게 하는 한 가지 희망의 빛을 보았다.

사랑하는 아내를 떠올리는 일이었다. 아내와의 지난 일을 떠올리고 수용소에서 벗어나 아내와 다시 만날 일을 상상하며 희

29) 통계에 의하면, 나치 강제수용소로 끌려간 사람 중 생존자는 28명 중 1명꼴이 채 되지 않았다고 함.

망의 끈을 놓지 않았다. 그때 그는 극단적인 절망 속에서도 사랑하는 사람의 모습을 생각하는 것만으로도 충족감을 느낄 수 있다는 사실을 깨달았다. 인간에 대한 구원은 사랑을 통해서, 그리고 사랑 안에서 실현된다는 사실을 알게 되었다. 그 경우 사랑하는 이의 생사는 문제가 되지 않았다.[30]

또한 그는 인생에서 모진 시련을 당하는 사람도 그 시련이 자신의 고유한 것이고 남에게 떠넘길 수 없다면, 그 짐을 짊어지는 방식을 결정하는 것은 오롯이 그의 몫이라는 사실을 깨달았다. 세상에서 더 이상 잃을 것이 없을 만큼 모든 것을 박탈당한 인간에게도 단 한 가지, 마지막 남은 것은 인간의 자유 - 주어진 환경에서 자신의 태도를 결정하고 자기 자신의 길을 선택할 수 있는 자유만은 빼앗아 갈 수 없다는 사실이었다. 이 같은 긍정적 자세가 그가 삶의 희망을 놓지 않은 비결이었다.

아우슈비츠 수용소 생활에 지친 사람들은 "내 인생에 더 이상 기대할 것이 없어요."라고 자주 말했다. 이들을 통해 그는 새로운 진리를 깨달았다. 인생에서 중요한 것은 우리가 인생으로부터 무엇을 기대하는가가 아니라, '인생이 우리에게 무엇을 기대하는가'라는 것이었다. 인생의 의미를 찾는 막연한 질문을 중단하고, 대신 인생으로부터 질문을 받고 있는 우리 자신에 대해 생각할 필요가 있었다. 그에 대한 대답은 말이나 명상이 아니라 올바른 행동과 태도에서 찾아야 했다.

전쟁이 끝난 후 그는 우울증 환자들이 인생의 의미를 찾지 못해 극단적 선택을 고려하는 것을 보고, 로고테라피Logotherapy라는

---

30) 그의 아내의 생사에 관하여서는 언급이 없는 것으로 보아 사망한 것으로 추정됨.

삶에 의미를 부여하는 세 가지 방법을 창안했다.

첫째는 무엇을 창조하거나 어떤 일을 함으로써, 둘째는 선, 진리, 아름다움을 체험하거나 다른 사람을 사랑함으로써, 셋째는 피할 수 없는 시련에 대해 어떤 태도를 보이기로 함으로써 삶의 의미를 찾을 수 있다고 했다.

그의 책을 읽고, 나는 내가 그동안 품었던 '인생의 의미'에 대한 질문의 방향이 잘못되었다는 생각이 들었다. 나는 그동안 '인생이 내게 무슨 의미가 있을까'라는 의문을 품어왔다. 질문의 방향이 나로부터 인생으로 향했다. 하지만 이 광활한 우주는 내게 아무런 해답을 주거나 일말의 힌트조차 준 적이 없었다. 이제는 플랭클의 말처럼 질문의 방향을 인생에서 내게로 향해야겠다. 인생의 의미는 삶이 인간에게 알려주는 것이 아니라, 우리 각자가 삶을 어떻게 의미 있게 꾸려가느냐에 달려있다. '삶에 의미를 불어넣는 것'이야말로, 인생을 살아가는 진정한 이유가 아니겠는가.

나는 이런 생각이 든다.

인간은 세상에 태어나면서 조물주로부터 각자 하얀 도화지를 한 장씩 받았다. 그 도화지 위에 어떤 그림을 그릴 것인가에 대해서 조물주는 관여하지 않는다. 그 위에 어떤 의미 있는 그림을 그릴 것인가 하는 선택은 전적으로 각자의 몫이다. '인생이란 캔버스' 위에 아름다운 그림을 그리는 것이야말로 우리가 인생을 살아가는 이유이며 책무라고 여겨진다.

'호랑이는 죽어서 가죽을 남기고, 사람은 죽어서 이름을 남긴다'는 말이 색다른 의미로 다가온다.

(2023.11.25.)

## 어느 두개골의 소망

예로부터 사자死者의 시신이 훼손되면 횡액을 당했다고 했다.

온전치 못한 시신은 화장하는 것이 관례였지만, 간혹 죽은 영웅의 머리는 예외였다.

삼국쟁패의 영웅 관우는 손권에게 사로잡혀 참수되었다. 손권은 조조의 환심을 사기 위해 그의 수급首級을 조조에게 보냈다. 조조는 적장 관우를 예우해 목에 나무로 된 몸을 붙여주고, 후하게 장례까지 치러줬다. 결국 관우의 목은 뤄양, 몸은 후베이성 당양, 의관은 고향인 산시성 윈청에 각각 모셔졌다. 오늘날 중국인들의 수호신으로 숭앙받는 한 영웅의 모습이다.

중세 유럽에서도 한 유명 철학자의 목이 사라지는 일이 일어났다.

프랑스 철학자 데카르트는 '나는 생각한다. 고로 나는 존재 한다.'[31] 라는 명제로 유명하다. 그가 보여준 철학적 성찰은 전통적인 형이상학과 신학의 기반을 뒤흔들었다. 철학자 화이트 헤드는 '유럽 철학이 플라톤에 대한 각주脚註라면, 근

31) Cogito, ergo sum

대 유럽 철학은 데카르트에 대한 각주'라며 그에 대한 찬사를 아끼지 않았다.

지적 호기심이 왕성했던 스웨덴의 크리스티나 여왕이 유명해진 그를 철학교사로 초빙하자, 그는 1649년 가을 스톡홀름으로 갔다. 그러나 그는 안타깝게도 이듬해 폐렴에 걸려 사망했다. 그의 유해는 스톡홀름의 한 묘지에 묻혔다가, 1666년 프랑스로 옮겨져, 여러 성당을 거쳐 파리 생제르맹 데 프레 성당에 안장되었다. 한데 마지막 유골을 옮기는 과정에서, 그의 두개골이 없어진 사실이 밝혀졌다.

사실 그의 두개골은 스웨덴 근위대장에 의해 빼돌려져, 학자들 사이에 전해오다 한참 뒤인 19세기 말 스웨덴의 한 경매에 부쳐졌다. 경매 당시 그의 두개골에는 라틴어로 난삽하게 쓴 낙서가 있었다.

"여기 작은 머리뼈는 한 시대를 아우른 위대한 데카르트 것이니라. 그의 다른 유해는 프랑스 저 멀리 외따로 묻혀 있노라니, 그가 이룩한 천재적 업적은 세상 모든 곳에서 칭송이 자자하여 하늘나라에서 기뻐하고 있으리라."

이를 불쌍히 여긴 스웨덴의 베르셀리우스 남작은 큰돈을 들여 그의 두개골을 구매하여 '몸통과 같이 안치해 주라'는 내용의 편지와 함께 프랑스로 돌려보냈다. 하지만 프랑스는 그의 두개골을 파리 국립자연사박물관에 보내서 현생인류의 조상인 크로마뇽인의 머리뼈 옆에 안치했다. 박물관은 '최초의 근대인'이라는 안내문을 써 붙였다.

"르네 데카르트의 두개골/호모 사피엔스(1596~1650)"

수년 전 내가 파리 박물관을 방문했을 때, 한 관광객이 그의 두개골을 프린트한 티셔츠를 기념품으로 사 입고 다니는 모습을 목격한 일이 있다.

나는 한 철학자의 두개골이 중간에서 탈취된 배경이 궁금하다.
스웨덴 근위대장이 철학자의 두개골을 탐낼 이유를 찾기 힘들다. 그의 절도행위는 데카르트의 철학적 업적을 흠모한 누군가의 사주使嗾에 의한 것이 아닌가 싶다.
그의 무엇이 그의 두개골을 탐하게 했을까.
사람의 영혼과 몸의 관계를 규명하려는 노력은 수천 년간 이어져 왔다.
고대 이집트에서는 사람이 죽더라도 낮에는 영혼이 육체를 벗어나 떠돌지만, 밤에는 다시 육체의 집을 찾는다고 생각했다.
그래서 미이라를 만드는 것이 성행했다. 사자의 영혼이 육체를 다시 찾아 깃들기를 바라는 염원에서였다. 대부분 종교도 이같이 '육체와 별도로 영혼이 존재한다'는 이원론을 바탕으로 한다.
그래서 '생각하는 나'와 구별되는 '실존하는 나'를 상정한 데카르트의 명제는 이원론으로서 별반 새로운 것이 없다.
하지만 데카르트의 명제는 '의심하는 존재'로서의 인간의 본질을 설파한다.
그의 명제는 감각을 느끼는 동물로서의 인간뿐 아니라, 사고하는 존재로서의 인간을 표현한 것이다. 그 결과 그는 '방법론적 회의론자'로 불리고 있다.

스웨덴의 물리학자 울프 다니엘 손은 현대의 대표적인 회의론자이다. 그는 자신의 저서, 『세계 그 자체』에서 인류가 수학과 과학에 매달려 세계를 있는 그대로 바라보지 못하고 있다고 꼬집는다. 세상에는 객관적 진리는 없다고 주장한다. 외계인이 지구를 방문했을 때 아인슈타인의 상대성 원리를 이해하지 못할 것이라 단언한다. 숫자의 나열이 우주는 아니며, 세계는 있는 그대로가 진리라고 말한다. 오늘날 숫자로 표시된 수학과 과학만 진리인 것으로 여기는 풍조에 이의를 제기한다.

그는 또한 '내 안에 또 다른 내가 있다'라는 생각도 아무런 근거가 없다고 본다. 그런 의미에서 데카르트의 이원론을 반대한다. 더하지도 빼지도 말고, 눈에 보이는 대로 객관적인 세상을 있는 그대로 바라보아야 한다고 주장한다.

이원론 논쟁은 별개로 하더라도, 철학적 방법론으로써 회의론은 그 가치가 있어 보인다. 끊임없이 의심하는 것은 인류문명 발달의 원동력이고 출발점이기 때문이다.

그러던 데카르트의 실존은 어디로 갔는가. 박물관의 희미한 조명 아래서 그의 두개골이 침묵으로 애원하는 듯하다.

"내 몸통은 어디에!"

(2023.9.1.)

## 악의 기원

한때 『엑소시스트 Exorcist』라는 영화 시리즈가 유행했다. 신부神父가 퇴마사退魔師가 되어, 어린아이 몸속에 숨어든 악마를 내쫓기 위해 고군분투하는 영화였다.

옛 시절 이러한 영화를 보면서 나는 늘 궁금했다. 대체 저 악마들은 어디서 나왔을까 하는 의문이었다. 하느님이 세상의 모든 생명을 창조했다는데, 사랑의 하느님이 악마를 만들었을 리는 만무하지 않은가. 그렇다면 '하느님이 창조하지 않은 악마의 조상祖上은 누구일까'라는 의문이 들었다. 때론 악마의 힘이 강해서 퇴마사가 감당하기가 어려울 때가 많았다. 영화는 대부분 퇴마사가 험난한 과정을 겪은 후, 하느님의 힘을 빌려 악마를 퇴치하고 평온을 찾는 해피엔딩으로 끝난다.

인간의 창작물인 소설, 영화, 연극을 보면, 선과 악의 대결을 주제로 한 내용이 많다. 동서양을 막론하고, 많은 명작이 인간사회의 선과 악, 정의와 불의, 빛과 어둠을 주제로 한 작품이다. 결론도 비슷하다. 처음에는 악의 힘이 득세하지만,

차츰 선의 힘이 강해져 종국에는 악이 파멸하는 권선징악의 내용이다.

인류 문명사에 있어 악이 선에 대립하는 개념으로 나타난 것은 언제부터일까.

신부들이 성경이나 성수를 이용하여 퇴마의식을 하는 것으로 비추어 보아, 악마는 성경 출현 이전부터 있었던 것으로 추측된다. 선악을 구별하는 이분법적 세계관은 조로아스터교까지 거슬러 올라간다.

기원전 1700년경 페르시아에서 조로아스터, 본명 '자라투스트라 스피타마'란 사람이 태어났다. 자라투스트라는 '낙타를 가진 이'란 뜻이다. 그는 사막을 여행하면서 낮과 밤의 순환에서 힌트를 얻어 이원론에 입각한 교리를 완성하고 전파하기 시작했다. 이를 조로아스터교라 했는데, 불을 숭상하여 배화교라고도 했다.

조로아스터교는 새의 형상을 한 '아후라 마즈다'라는 창조주를 믿었다. '지혜의 주님'이란 뜻이다. 그때까지 다신교 사회에 최초로 유일신을 선포한 것이다.

조로아스터에 따르면, 아후라 마즈다에서 쌍둥이 아들이 태어났다고 한다. 하나는 선한 영靈 스펜타 마이뉴Spenta Mainyu이고, 다른 하나는 악령惡靈 앙그라 마이뉴Angra Mainyu였다.

악령은 흔히 사탄Shaitan이라고 불린다. 사탄의 주위에는 추종자들이 있어 명령에 따라 사람을 시험하거나 괴롭히는 일을 수행한다. 쌍둥이는 계속 싸웠고, 인간들도 각자가 추종하는 신의 편에 서서 끊임없이 투쟁했다. 조로아스터교는 세계에서 최초로 악마에 대한 계보를 체계화한 종교라 할 수 있다.

한편 기원전 586년 왕국이 멸망한 유대인들은 바빌론으로 끌려가서, 기원전 539년 페르시아의 고레스 왕이 이들을 해방시켜 줄 때까지 포로로 살아야 했다. 당시 고레스 왕이 신봉하던 종교가 조로아스터교였다.

자연히 유대인들은 조로아스터교의 영향을 받았다. 유대인들이 포로에서 풀려나온 후 유대 문헌에는 천사장, 사탄, 육체부활, 심판, 낙원, 지옥, 세상 종말의 개념이 나타난다.

조로아스터교의 천사와 악마의 개념은 유대교, 기독교, 이슬람교에 영향을 끼쳤다. 그 후 조로아스터교는 7세기 비슷한 교리의 이슬람교에 밀려 세력이 약해지자 인도로 스며들어, 오늘날에는 그 명맥만 유지되고 있다.

그런데 선과 악을 구분하는 것이 진리라고 할 수 있을까.

한자로 惡자는 亞버금 아와 心마음 심자가 결합한 모양이다. 惡은 '또 다른 마음'이란 의미다. 또한 亞자는 '사면이 꽉 막혀있는 집'이다. 자신만 소중하게 여기고 남을 미워하는 마음을 뜻하기도 해 '미워할 오'라고도 발음한다. '남을 미워하는 것이 곧 악'이라는 뜻으로 풀이된다.

조로아스터교에서도 창조주의 영이 선한 영과 악령으로 분화되었다고 하니, 사실상 한 몸이라고 해석된다. 나는 인간의 내면에 '선의 씨앗'과 '악의 씨앗'이 공존한다고 본다. 선의 씨앗은 '빛을 지향하는 영성靈性'을 뜻하고, 악의 씨앗은 나만 소중하게 여기는 '이기적 자아自我'다.

인간은 생래적으로 이기적이다. 이기심이 나와 남을 구분 짓고, 남을 굴복시키려는 욕망을 일으킨다. 이기심이 적을 규정하고 악을 만들어 내며, 투쟁을 싹틔우고 부채질한다. 이기적 자아가 만악萬惡의 근원이다.

인류는 역사상 수많은 전쟁을 겪었다. 아군은 선이고 적군은 악의 세력으로 규정했다. 중세 십자군 전쟁의 경우, 어느 진영이 선이고 악이었던가. 기독교 진영에서 보면 이슬람교 진영이 악일 것이지만, 이슬람교 진영에서 보면 기독교 진영이 악으로 여겨졌을 것이다. 보편적 진리로서의 선과 악은 존재하지 않는다.

요즈음, 임대인과 임차인, 사용자와 노동자, 러시아와 우크라이나가 서로 대립하고 있지만, 어느 편이 선이고 악이냐는 논란은 의미가 없다. 이기주의에 바탕을 둔 이분법적 구별이기 때문이다.

영원히 극복되지 않는 악은 존재하지 않는다.

악은 이기적 마음의 작용으로 스스로 만든 가상의 적이다. 악을 없애기 위해서는 상대방을 나와 동등하게 인정해야 한다. 나와 남이 다르지 않다는 불이不二의 마음가짐만이 악의 굴레에서 벗어나는 지름길이다.

내 마음속 '영성'이 성령이고, '이기적 자아'가 악마다.

(2023.3.12.)

## 선善의 폭력

칫솔질하려고 치약을 찾았다.

치약 튜브가 홀쭉해져 새것을 꺼내려고 수납장을 뒤졌다. 아내가 한마디 건넸다.

"아직 충분히 더 쓸 수 있겠구먼, 새것을 꺼내네."

나는 짜증이 났다. 아내는 튜브를 돌돌 말아 마지막 한 방울까지 짜내지 않으면 잔소리한다. 늘 당하던 나도 이번에는 화가 나서 내뱉었다.

"그까짓 치약 한두 번 더 짜는 게 뭐가 대수야. 스트레스 주지 마."

아내는 내가 치약 짜는 것만 감시하는 듯하다. 아내는 내 말에 서운해했다. 살림을 아껴 쓰자는 말인데, 잔소리로 받아들인다나. 아내는 살림을 아끼는 것은 선善이고, 낭비하는 것은 악惡이라는 공식을 신봉한다.

사람들은 자기가 좋아하는 것을 선으로, 싫어하는 것을 악으로 양분하는 경향이 있다. 선과 호好, 악과 오惡는 세트로 움직인다. '인간은 이기적인 유전자를 가진 동물'이라는 리처드 도킨스의 주장과 같이, 사람들은 자기와 이해관계가 맞아떨어지는 사람을 선호한다.

신앙생활에 있어 이러한 경향이 두드러진다.

첫 대면에서 같은 종교를 믿는 사람을 만나면 친근감을 표시한다. 반면에 종교가 다르면 적당한 거리를 둔다.

등산로나 지하철역 입구에서, 목청을 높여 '예수천국, 불신지옥'을 외치며 전도를 하는 사람들을 자주 본다. 이들은 진정으로 비기독교인을 천국으로 인도하려는 선의로 목청껏 부르짖고 있는 것일까. 천국이 그처럼 살기 좋은 곳이라면, 자기들만 천국에 가면 될 것을 왜 눈살을 찌푸리게 소음을 내는지 이해가 되지 않는다. 천국에 사람들이 넘치면 공해가 발생하여 지옥으로 변할지도 모르지 않는가. 겉으로는 '천국 인도'라는 착한 뜻을 내세운 듯 보이지만, 속으로는 다른 종교와 세력 경쟁에서 우위를 점하려는 이기적 동기가 깔려있음을 부인하기 어렵다.

정치인의 선동구호에도 선과 정의를 앞세우지만, 그 이면에는 정권장악이라는 숨겨진 목표가 있다.

2008년 미국산 소고기 수입을 둘러싸고, 데모꾼들이 광우병 괴담을 퍼트려 마치 국민이 광우병에 걸릴 위기에 봉착한 것처럼 극한 투쟁을 했다. 그로부터 15년이 지난 지금, 우리나라 수입 소고기의 소비량은 오히려 늘어나고 있다. 투쟁에 앞장섰던 주인공이 지금에야 나타나, 당시 자신들의 주요 관심사는 국민건강이 아니라 정권퇴진이었다고 실토했다. 선을 위장한 악의적 행동으로 인해 국민이 겪어야 했던 고통과 낭비된 국력은 누가 보상할 것인가.

윤동주의 「서시」는 한국인이 가장 애송하는 시다.

죽는 날까지 하늘을 우러러 한 점 부끄럼이 없기를,
잎새에 이는 바람에도 나는 괴로워했다. (생략)

이 시의 앞부분은 맹자의 군자삼락君子三樂 중 두 번째인 '우러러 하늘에 부끄럼이 없고, 굽어 사람에 부끄럽지 않음'[32]이란 말을 떠올리게 한다. 한국인들은 백의민족으로서 정신적으로 수정같이 맑은 순결성을 좋아한다.

그런데 현실을 둘러보자.

도덕적으로 순결한 사람만 사는 세상이 과연 가능한가. 백퍼센트 순수한 영혼으로 가득 찬 세상은 허상일 것이다. 무균실에는 아무런 생명체도 살 수 없고, 지나치게 맑은 물에는 큰 물고기가 살 수 없다.

더구나 그 지고의 순수성을 선善이라고 받들며 옆 사람에게 강요할 경우, 순수성은 뒷전으로 물러나고 상대방에 대한 지배욕, 나아가서는 폭력으로 변질될 수가 있다. 자기가 좋아한다고 하여 이를 타인에게 강요하면, 그 강요행위가 상대방에 대한 영적 지배나 독재로 변질될 수 있다. 그 전형적인 것이 마르크스 공산주의 혁명이다.

마르크스는 자본주의의 폐단을 극복하고 평등한 사회를 만들기 위해 공산주의를 주창했다. 혁명이 일어난 지 100년이 지난 현재, 지구상의 공산국가를 살펴보자.

한때 공산주의를 표방했던 동구권이나 중남미 국가들은 대부

---

32) 仰不愧於天 俯不怍於人 二樂也 앙불괴어천 부부작어인 이락야

분 체제를 바꾸었다. 지구상 남은 공산주의 국가로는 러시아, 중국, 북한 정도다. 이들 국가의 국민은 자유와 평등을 누리기보다는 독재자의 폭정 아래 빈곤과 불평등에 신음하고 있지 않는가.

이처럼 우리가 선을 앞세우며 숭고하다고 받드는 생각, 신앙, 이념들은 그 속살을 들여다보면 실체가 없고, 사람의 마음 속 호오好惡와 관련된다는 것을 알 수 있다.

철학자 김형효는 그의 책, 『마음혁명』에서 모든 선의 이면에는 그 반가치反價値 - 악이 도사리고 있다고 주장한다. 그 이유가 무엇일까.

본래 마음은 인간이 태어날 때는 우주와 한 몸이었다. 분열되어 있지 않았다. 그런데 생후 두 살 전후부터 나와 남을 구별하는 자의식이 생겼다. 이 분별심이 세상을 '하나로 보는 마음'을 사라지게 한다.

결국 사람들은 자기가 좋아하는 것은 선으로, 싫어하는 것은 악으로 구분하여 심적 분란을 자초하고 있다. 그래서 불교에서는 선과 악은 마음의 작용이라고 한다.

선과 악을 구별하는 분별심을 내려놓는 것이 최선의 방책으로 보인다.

(2023.7.2.)

# 어머니와 신성神性

'신의 속성은 창조에 있다'라고 정의한다면, 어머니는 신과 진배없다. 신이 세상 모든 생명체를 빚어내는 반면, 어머니는 생명의 씨앗을 잉태하여 자식을 세상에 내보낸다.

그리스 로마 신화에는 모든 생명의 근원으로 대지의 여신인 가이아Gaia가 등장하고, 동양에서도 대지의 생산성과 수용성에 주목하여 대지를 어머니에 비유하기도 한다.

하지만 대지보다는 바다가 어머니의 속성에 더 가깝다고 생각한다.

한자로 바다 해海는 어미 모母를 품고 있다. 라틴어에서도 어머니를 mater, 바다를 mare라 하고, 영어에서도 어머니mother와 바다marine가 모두 M으로 시작된다. '*M*' 은 파도를 형상화했다 한다. 동서양 모두 어머니를 바다에 비유하는 것은 어머니의 본성에 대한 인류의 깊은 통찰에 연유한 것 같다.

어머니의 자궁은 대양을 닮았다.

과학자들에 따르면, 생명을 잉태한 자궁 속 양수의 성분이 바닷물과 같다고 한다. 양수의 염분 농도뿐 아니라, 수소, 산소,

나트륨, 염소와 같은 원소의 구성 비율도 바닷물과 비슷하다.

독일의 의사이자 생물학자 헤겔은 "개체발생은 계통발생을 되풀이한다."고 주장했다. 어머니는 태아를 임신해서 출산에 이르는 10개월 동안, 과거 20억 년 동안 지구상에서 생명이 진화해 온 전 과정을 압축해 다시 보여준다. 생명의 씨앗이 자궁에 착상될 때의 수정란은 단세포인 프랑크톤 크기이다. 이 단세포는 아가미와 지느러미가 달린 어류, 도롱뇽 같은 양서류, 포유류인 인간의 형태로 차례로 거듭 변신한다. 어머니는 신이 오랜 세월 펼쳐 보인 생명 진화의 전 과정을 한 치의 오차도 없이 재현하는 기적을 일으킨다.

어머니는 바다와 같은 수용성과 너그러움을 본성으로 한다.

빗물은 세상의 먼지와 더러운 물질을 씻어내어 냇물을 이루고 강을 지나, 바다로 흘러간다. 바다는 낮은 곳에 임하여, 아무리 오염된 물이라도 배척하는 일이 없다. 지구상의 온갖 먼지와 더러움이 섞인 물을 받아들여, 속으로 삭이고 정화시켜 깨끗한 물로 탈바꿈시킨다.

어머니도 다를 바가 없다. 자식이 험한 세상을 살아가며 그 어떤 잘못을 저지르고 집으로 돌아와도, 모든 허물을 감싸 안고 받아들인다. 망나니 같은 자식이라도 내치지 않고 넉넉한 가슴으로 용서한다. 어머니의 눈물로 탕아蕩兒는 거듭 태어난다.

어머니의 생명창조 능력과 무한한 수용성이 신의 속성과 맞닿아 있어, 어머니를 비롯한 여자가 종교 친화적이라는 점이 전혀 어색하지 않다. 신과의 영적 교감에 있어 여자가 남자보다 수월하다. 주말에 교회나 사찰의 집회에 참석해 보라. 여자 신도가 남자신도보다 훨씬 많다.

남자와 여자는 기본적인 사고방식에 있어서도 차이가 있다.

남자들이 정치, 경제, 사회, 철학 등 거대 담론과 현재보다 미래를 더 많이 걱정하는 미래지향적 부류라면, 여자들은 육아, 음식, 살림, 건강 - 미래보다 현재의 평화와 안녕을 중시하는 현재 중시형 부류로 볼 수 있다. 모든 종교가 공통으로 던지는 깨달음의 화두인 '현재, 그리고 지금에 집중하라'는 가르침을 여성들이 더욱 잘 실천한다는 방증傍證으로 보인다.

그런데 동서고금을 통해 불교나 기독교의 성직자 중, 깨달음을 얻어 선각자의 반열에 이른 이는 남자가 여자보다 왜 더 많을까.

여자들은 가슴에 신성을 품고 있어 이미 신전에 들어선 반면, 신전 밖에서 서성이는 남자들은 신성에 목말라하며 수행하기 때문에, 깨달은 이가 많아 보이는 것은 아닐까.

신이 창조한 우주의 신비를 알고 싶다면, 어머니의 신성을 참구해 볼 일이다. 어머니는 인간 생명의 알파요 오메가다.

(2022.6.29.)

※ 이 글은 2023년 계간 『문학의 강』 제29·30 합호, 신인문학상 수상작

## 천당과 지옥 엿보기

음력 7월 보름날은 백중이다.

백중은 백 가지 곡식이 씨앗을 갖추었다 하여 유래된 명칭이다. 이날 절간에서는 일 년에 한 번 지옥문이 열린다며 우란분재盂蘭盆齋를 지낸다. 재를 지내고 스님들께 음식을 공양하는 공덕으로 지옥에서 허덕이는 조상들을 극락에 태어나게 한다고 믿는다.

한편 지하철이나 시장바닥, 등산로 입구 등에서 '예수천당, 불신지옥'이란 팻말을 들고, 큰 소리로 외치는 사람을 종종 볼 수 있다.

우리가 많이 믿는 두 종교 - 불교와 기독교가 천당 혹은 극락과 지옥을 언급하는 것으로 보아, 대부분 종교는 영혼불멸과 사후세계를 인정하는 듯하다. 영혼불멸이 진리인지는 모르겠으나, 천당이나 지옥과 같은 사후세계가 존재하는지는 좀 더 들여다볼 필요가 있다.

천당이 있다면, 과연 어떤 풍경일까.

어릴 적 이발소 어디선가 '천당 상상도想像圖'를 본 적이 있다. 화사하게 그려진 화폭에 따스한 햇살, 싱그러운 나무와 풀,

아름다운 꽃이 피어있고, 남녀노소가 웃음꽃을 피우고 있는 풀밭에는 소, 양, 사슴, 사자, 비둘기 등 온갖 동물들이 함께 어울려 평화롭게 노닐고 있는 풍경이었다.

그런데 나는 늘 그림 속 천당이 실재할까 하는 의구심이 들었다. 이유는 천당에 있는 동물들은 무얼 먹고 살까 하는 지극히 현실적인 의문에서다. 천당에 있는 사자는 무엇을 먹고 살까? 사람은 무엇을 먹고살지? 만일 고기를 먹을 수 없다면 사자나 사람이 즐거울까? 육식이 허용된다면 사자 옆에 앉아 있는 소, 양, 사슴은 행복할까 하는 생각이 꼬리를 문다. 어떤 사람은 천당에서는 음식이 필요 없고 사랑만으로 배가 부를 것이라고 주장하지만, 먹는 즐거움이 사라진 세상이 과연 행복할까 싶다. 그래서 나는 천당은 실재하는 게 아니라 상상의 산물일지도 모른다는 생각을 해본다.

천당의 대척점對蹠點에 있는 지옥도 '실재한다'는 믿음이 선뜻 가질 않는다.

기독교에서는 예수를 믿느냐 여부에 따라, 천당은 신의 선물이며 지옥은 징벌의 공간이 된다. 예수를 믿지 않으면 사후에 지옥에 떨어진다고 한다. 그것도 한번 떨어지면, '탈출구도 없어 영원히 고통을 받는다'고 한다. 불교의 백중과 같은 사후구원제도가 없다.

그런데 의문이 간다. 예수를 만나거나 들어 본 적도 없는 석가모니, 소크라테스, 공자도 지옥에 2,000년이 넘게 갇혀 있을까? 하느님을 믿지 않는 다른 종교인들 - 불교도, 힌두교도 모두 지옥행일까? 하느님은 지구상 80억 인구가 자신을 믿는지 일일이 가려내어 천당과 지옥으로 보내는 심판을 하느라 얼마나 바쁠까. 우주를 다스리느라 바쁠 하느님이 그럴 시간이나 있을까? 사랑의 화신化身인 하느님이 한번 지옥으로 떨어진 인간을 영원히 고통받게 내버려 둘까. 부처님은 우란분절을 만들어 지옥에서 고통받는 중생들을 천당으로 건져 올린다고 하지 않는가. 하느님도 특단의 대책을 내놓지 않을 리가 없다. 이런저런 생각을 해보니 기독교가 주장하는 '영원히 고통스럽고 탈출이 불가능한 그런 지옥'은 있을 리가 없다는 추론에 이르게 된다.

그러면 사람이 죽으면, 영혼이 과연 불멸할까.

대부분 과학자는 영혼의 존재를 인정할 만한 증거가 없다며 이를 부인한다. 하지만 1907년 미국 의사 던칸 맥두걸이 사람이 죽기 전후의 몸무게를 측정해 본 결과, 떠나간 영혼의 무게가 21그램쯤 된다고 발표했다. 전혀 허무맹랑한 얘기로는 여겨지지 않는다.

모든 종교는 삶의 고통과 죽음의 두려움을 이겨내기 위해 태어났다. 종교는 육체와 분리되는 영혼이 있다는 이원론을 전제로 한다. 만일 영혼이 없고 내세도 없다면, 죽은 이후를 걱정할 필요가 없어서 종교도 필요 없을 것이다. 그래서 모든 종교는 사람이 죽더라도 영혼은 저승여행을 계속한다고 말한다.

사람이 죽으면 영혼은 어디로 갈까.

죽음학자 최준식은 그의 저서, 『한국 사자의 서』에서 사람이 죽어 저승에 도착하면 그리 편할 수가 없다고 한다. 대부분 영혼은 오랫동안 비워뒀던 고향 집을 찾은 기분을 느끼며, 찬란한 빛을 따라 꽃동산에서 노닐기도 한다. 이승이 육신의 고향이라면, 저승은 '영혼의 고향'이라고 한다. 그런데 영혼의 고향에서 느끼는 행복의 실체는 그 누가 만들어 주는 것이 아니다. 파동형태의 영혼이 스스로 이미지를 상상해 만든 결과라는 것이다. 스스로가 천당을 그리면 천당이 생기고, 지옥을 연상하면 불지옥이 생긴다. 그래서 죽음을 앞둔 사람에게 선한 생각과 긍정적인 마인드를 가지라고 조언하는 듯하다. 장례식장에서 망자에게 불경이나 찬송가를 들려주는 것도 영혼이 평온을 얻는 데 도움을 줄 수 있을 것 같다. 당연한 결론으로 저승에 천당과 지옥을 보내는 심판자는 존재하지 않는다.

시민경제론을 주창한 브루니 교수의 '비유담'에 귀를 기울여 보자. 한 착한 사람이 지옥과 천당에 견학을 갔다.

먼저 지옥에 도착했다.

산해진미가 가득 차려진 밥상을 앞에 두고 모두가 식사하지 못해 얼굴을 찌푸리고 앉아 있었다. 모두 배가 고픈 모습이었다. 연유를 살펴보니, 모두가 자기 팔 길이보다 긴 포크를 쥐고 있었는데 '포크의 손잡이 끝을 잡고 먹어야 한다'는 식사규칙 때문에, 팔을 오므리지 못한 사람들이 음식을 그림의 떡처럼 바라보고 테이블에 앉아 있었다.

다음은 천당에 갔다.

천당에도 지옥과 똑같은 길이의 포크와 식사규칙이 적용되고 있었다. 그런데 천당 사람들은 밥상을 사이에 두고 웃으며 맛있게 식사하고 있었다. 어떻게 하는지 유심히 살펴보았다. 천당 사람들은 마주 보고 있는 상대편 사람의 입에 서로 음식을 떠 먹여주고 있지 않은가. 모두가 행복하게 음식을 즐기고 있었다.

지옥 사람들은 서로 자기 입만 생각하는 이기심 때문에 배를 곯고 있는 반면, 천당 사람들은 서로 맞은편에 앉아 있는 사람에 대한 배려로 모두가 배부른 모습이었다.

인류는 수천 년 동안 천당과 지옥을 애타게 찾았다. 하지만, 아직도 그곳을 네비게이션에 표시하지 못하고 있다. 천당에 있다고 믿어 온 하느님의 거소를 아직도 찾지 못하고 있다. 누군가 하느님은 수줍어해 우리의 가슴 속에 숨어있다고 한다. 가슴에 손을 얹고 가만히 심장의 박동 소리를 들어 보자. 하느님을 조우遭遇할 지도 모른다.

나는 천당이나 지옥이 내세의 그 어디에 있지 않고, 지금 현재 여기에 존재한다고 믿는다. 서로를 사랑하고 배려하면 천당이고, 미워하고 이기적인 행동을 보이면 지옥이다.

어디에 살 것이냐의 선택은 각자의 마음 씀씀이에 달려 있지 않을까.

(2022.6.29.)

※ 이 글은 2024년 월간 『수필과 비평』 3월호에 게재.

# 제5장 명 상

## 노바디nobody

인도의 시성詩聖 타고르가 여름휴가를 갔다.

그의 여름 별장은 호젓한 호숫가에 있는 수상가옥이었다. 밤이 되자 그는 방안에서 촛불을 켜고 책을 읽고 있었다. 한참 동안 책을 읽다가 눈이 피곤하여 책을 덮고 촛불을 껐다. 그러자 갑자기 밤하늘의 별빛과 달빛이 창문을 통해 방안을 비추는 게 아닌가. 그는 깜짝 놀라 방 밖으로 나왔다. 태고의 정적이 감도는 호수 위에 별빛이 쏟아지고 휘영청 달빛이 온 세상을 감싸는 아름다움에 잠시 넋을 잃었다. 다음 날 아침 그는 지난밤의 감동을 글로 남기면서 "조그만 촛불 하나가 온 우주의 축복을 가로막고 있었다."고 말했다.

오쇼 라즈니쉬는 우리의 일상도 이와 같아 "자아ego라는 촛불이 마치 호두 껍데기처럼 단단하게 외부 세계에서 오는 우주의 노래를 가로막음으로써 우주가 우리에게 퍼붓는 축복을 애써 외면하며 살고 있다."고 했다.

나의 껍질을 벗어 던지고 외부 세계와 직결되는 순간 나는 아무런 존재가 아닌 nobody가 되는 순간이다.

『이상한 나라의 앨리스』라는 동화에 나오는 대사 한 토막이다.

이상한 나라의 왕이 이제 막 자신의 왕국에 도착한 앨리스에게 "네가 오면서 만난 사람은 없니?"하고 묻는다.
앨리스 왈曰 "Nobody."
왕은 "Who is Nobody? Nobody walks slower than you?"
앨리스는 고개를 갸우뚱하며 혼자 중얼거린다.
'Nobody is nobody. Stupid!'

물론 이 대화에서 왕이 nobody를 '아무도 아니다'라는 뜻이 아닌 특정인somebody의 이름으로 이해한 난센스에서 비롯된 우문우답愚問愚答이다.

나는 일과 후 동창생들이나 직장 동료들과 회식 모임을 가끔 가진다. 오랜만에 지인들과 만나면 반가운 마음에 왁자지껄 지나온 얘기를 하고 근황을 서로 얘기하면서 즐거운 시간을 보낸다. 술잔이 몇 순배 돌아가고 각자 하고 싶은 얘기를 거의 다 토해낸다. 대부분 자기가 그동안 한 영웅담을 늘어놓거나 성공담을 자랑하면서 오랜만에 만난 지인들에게 자신의 존재를 과시하기에 바쁘다. 한참 시끌벅적거리다가 어느 순간 간헐적으로 정적이 찾아온다. 그것은 서로가 헤어져야 할 시간임을 알리는 징후다.
이윽고 모두 헤어지고 밤늦은 귀갓길에 곤히 버스나 지하철에 몸을 실으면 어느새 자신이 혼자 내동댕이쳐진 것을 느낀다. 이윽고 덜컹거리는 맞은편 창문에 비친 자신을 물끄러미 건너다보며 별 의미 없이 "Who are you?"라고 묻는 경우가 있다. 그 물음에 대해 조금 전까지 친구나 동료에게 자신의 활약이나 직장에서의 위치를 자랑삼아 떠들고 자신이 대단한 인물인 양 뽐내던 자기 모습이 창문에 보일락 말락 참으로 초라하게 비치는 순간이 온다. 그러고는 내심 심각해져 다시금 "Who are you?"하면서 한 번 더 진지하게 자문自問한다. 이번에는 자신이 이미 멍청한 질문을 했다는 것을 느낀다. 나는 이미 스스로를 'nobody' - 아무것도 아닌 존재라는 사실을 너무나 잘 알고 있다.

사실 누구나 이 세상에 태어나는 순간 우리는 '아무것도 아닌 존재'였으며 이름조차 없었다. 우리는 인생살이를 하면서 문득문득 스스로가 아무것도 아닌 존재임을 느낀다. 그리고 머지않은 장래에 아무것도 아닌 존재로 사라질 것이라는 확실성을 잘 안다. 이런 측면에서 보면 생후 붙여진 이름이라는 것이 somebody특별한 존재라고 생각하게 하고 자아의 껍질을 단단하게 만들었다.

나는 스스로 nobody임을 철저히 깨닫는 것이 신성神性에 이르는 지름길이라고 생각한다. 개개인이 somebody라고 생각하는 한 ego - 자아의 껍질은 신성과의 교감통로를 막아버린다. 인간이 자아에 사로잡혀 있는 한 우주의 무한한 사랑의 신호를 받아들이지 못한다.

대나무 속과 같이 텅 빈 nobody - 무의 상태, 내가 없이 우주의 모든 흐름이 nobody인 나를 통해 흘러갈 때 거기에 진정한 신성이 깃든다고 한다.

나는 어떻게든 스스로 nobody가 되도록 노력해 본다.

마치 벼락이 내 몸을 관통해 흐르더라도 내 몸이 저항하지 않고 전류를 흘려보내면 나는 아무런 느낌을 받지 못하듯이 온 우주의 기운이 나를 통해 거리낌 없이 지나가도록 해보고 싶다. 이러한 연습은 정신건강뿐 아니라 육체적인 건강에도 도움이 될 것으로 여겨진다.

직장이나 사회생활을 하다 보면 상사나 다른 사람과의 관계에서 자존심을 짓밟히는 기분이 들 때가 종종 있다. 그럴 경우 스스로 nobody임을 깨우치면서 주변의 흐름에 저항하지 않고 분노나 짜증을 흘려보내면 마음이 혼탁해지지 않고 금세 맑아지는 것을 느낀다.

그러나 높은 경지에 오른 이들은 'nobody가 되려는 노력 자체가 nobody에 이르는데 장애가 된다'고 한다. 진정한 nobody는 nobody가 되려는 노력조차 하지 않는 nobody를 일컫는다는 말이라고 한다.

내겐 여전히 아득한 '이상한 나라의 이야기'로 들리지만….

(2007.11월)

# 마음의 거울 닦기

얼굴을 비춰보는 거울을 물경物鏡이라고 한다면, 마음을 비춰보는 거울은 심경心鏡이라고 하겠다. 물경에 먼지가 앉으면 얼굴이 보이지 않듯이, 심경에 먼지가 끼면 정신이 혼탁해진다.

명경지수明鏡止水는 심경이 깨끗하여 마음이 고요하고 투명한 상태이다. 누구나 명경지수와 같은 마음을 원한다. 한데 선반 탁자에 뽀얗게 먼지가 내려앉듯이, 마음에도 알게 모르게 먼지가 낀다. 날마다 번뇌에 시달리고 악업惡業을 짓는다.

마음의 거울을 닦고 선업善業을 쌓아 먼지를 씻어내야겠다. 불가佛家에서는 저승 입구에 명경대明鏡臺가 있어 일생 동안 쌓은 마음의 먼지를 비춘다고 한다.

1,300년 전 당나라 때, 선종의 제5대 조사인 홍인弘忍이 의발衣鉢을 전수할 제자를 선발하려고 시험공고를 냈다. 모두가 인정하는 수제자 신수神秀가 먼저 답안을 써냈다.

신시보리수 身是菩提樹 몸은 보리수요
심여명경대 心如明鏡臺 마음은 명경대라

시시근불식 時時勤拂拭 때마다 부지런히 털고 닦아서
물사야진애 勿使惹塵埃 티끌과 먼지 끼지 않게 하리라.

신수의 글을 전해 들은 방앗간지기 혜능慧能이 이의를 제기했다. 글을 모르는 그는 자신의 게송을 다른 사람에게 부탁하여 답안을 냈다.

보리본무수 菩提本無樹 보리는 본래 나무가 아니고
명경역비대 明鏡亦非臺 밝은 거울 또한 명경대 아니네
본래무일물 本來無一物 본래 한 물건도 없는데
하처야진애 何處惹塵埃 어느 곳에 티끌과 먼지가 묻으리오.

신수는 마음 닦기를 게을리하지 말아야 한다고 한 반면, 혜능은 마음이란 본래 없는 것인데 무슨 닦고 말고가 어디 있느냐고 반문하면서 단박에 깨달음을 얻어야 한다고 읊은 것이다. 다시 말해, 신수가 점수점오漸修漸悟 - 점진적인 마음수련을, 혜능은 돈오돈수頓悟頓修 - 번개와 같은 일시의 깨달음을 주장한 것이다.

홍인대사는 밤늦게 아무도 몰래 혜능에게 의발을 전수하고 곧바로 곁을 떠나보냈다. 글자도 모르는 혜능이 불법을 전수받은 사실이 알려지면, 다른 제자들이 반발할 것을 우려해서였다. 훗날 신수는 북종선北宗禪의 우두머리가 되었고, 혜능은 제6대 조사가 되어 남종선南宗禪의 선풍을 드날렸다. 한국 불교 조계종도 혜능의 법맥을 이어받았다.

불교를 공부하는 사람으로서는 매일 마음을 닦는 번거로움보다는 한꺼번에 깨우침을 얻는 수행법이 끌리는 것은 당연하다. 그런데 마음이 어디에도 없다는 가르침을 범인凡人이 쉽게 깨달을 수 없다는 것이 문제다. 선종에서는 명상瞑想이나 화두참구話頭參究를 권하지만, 한 소식깨달음을 얻었다는 불자는 드물다.

이런 연유로, 범인들은 신수의 점진적인 마음수련법에 여전히 매달린다.

나는 기도하는 습관이 있다. 기도하는 목적은 마음 수련이라기보다는 먼지 날리는 마음을 가라앉히기 위해서다. 한동안 아침에 일어나면 불경을 틀고, 촛불과 향을 피워놓고 108배를 했다. 요즘은 향과 촛불의 그을음이 기관지에 좋지 않고, 절이 관절에 무리를 주어 생략한다. 아침에 불경만 틀어도 집안의 공기가 정화되는 듯하다. 일요일에는 온 가족이 절로 향한다. 예불하고 나면 상쾌한 기분이 든다. 기도가 습관화되니 기도하지 않으면 하루나 일주일이 아무런 준비 없이 시작하는 듯하여 찜찜하다. 기도가 가벼운 마음 체조 같다.

그런데 기도도 계속 반복되니 매너리즘에 빠져버린 것 같다. 마음의 먼지를 잠시 가라앉힐지는 몰라도 없애지는 못한다. 마음의 먼지는 조그만 미풍에도 곧 풀풀 날린다. 깨달음은 먼 얘기 같다. 혜능이 가리키는 단박에 깨달음에 이르는 길은 어디에도 보이지 않는다.

마음이란 물건이 어디 있는지, 닦을 먼지가 무엇인지, 아니면 마음이란 물건이 애초에 있기나 한지 안개 속에서 헤맨다. 기도는 하지만 여전히 미망迷妄이다.

(2023.1.3.)

# 신성의 씨앗

늘 그것이 무엇일까 궁금하다.

내 속에 무언가가 있다. 그것은 내게 '나란 누구인가'하고 묻는다. 선가의 공안公案 시심마是甚麽 - '이 뭐꼬?'와 비슷하다.

도마복음의 한 구절이다.

예수가 말했다.

"여러분이 여러분 속에 있는 그것을 태어나게 하면, 여러분에게 있는 그것이 여러분을 구원할 것입니다. 여러분 속에 있는 그것을 태어나게 하지 못하면, 여러분 속에 있는 그것이 여러분을 죽일 것입니다."

예수는 우리 마음속에 있는 '신성의 씨앗'을 말하고 있다. 그는 우리가 신성의 씨앗을 알아채고 발아시켜 열매를 맺으면, 구원을 받을 수 있다고 한다. 깨달음의 씨앗이다. 겨자씨에 비유하기도 한다. 그 씨앗을 싹틔우느냐 아니냐가 영혼의 생生과 사死를 가른다.

예수는 덧붙였다.

"나는 모든 것 위에 있는 빛입니다. 내가 모든 것입니다. 모든 것이 나로부터 나왔고 모든 것이 나에게로 돌아옵니다. 통나무를 쪼개십시오, 거기에 내가 있습니다. 돌을 드십시오, 거기서 나를 볼 것입니다." 여기서 말하는 나란 자연인 예수가 아니라, 우리 개개인의 가슴에 존재하는 참나眞我를 의미한다. 참나를 찾으면 한 줄기 빛을 본다는 의미다.

'인간의 본성은 빛이다'라는 선언은 대부분의 종교나 선각자들의 공통된 일깨움이다.

불교에서는 이를 불성佛性이라고 부른다. '천상천하유아독존天上天下唯我獨尊'이라고 할 때 '나'我란 참된 자아를 말한다. 불교인들은 아미타불 염불을 통해 무한한 빛인 무량광無量光 부처님을 염원한다.

힌두경전 『우파니샤드』에도 "그대 홀로, 그대만이 영원하고 찬연한 빛이다."라고 했다. 이러한 빛은 인간에게만 있는 것이 아니라 만물에 편재해 있다고 한다.

장자도 '땅강아지나 개미에게도, 기장이나 피에도, 기와나 벽돌에도 도道가 널려 있다'고 했다.

내 가슴속에서 반딧불이처럼 깜박이는 희미한 빛은 신성의 씨앗이다. 그것은 어두움보다 밝음을 지향한다. 그래서 나는 인간의 본성이 착하다고 믿는다. 이 씨앗을 싹틔워 영원한 우주의 빛으로 승화시키고 싶다.

깨달음에 이르고 싶다.

(2023.3.6.)

# 오쇼, 자유로운 영혼

캐나다 밴쿠버의 여름은 환상적이다.

맑은 하늘과 덥지 않은 기온 덕에 세계에서 살고 싶은 도시 1, 2위에 꼽힌다. 하지만 겨울은 우울하다. 11월경부터 이듬해 4월까지 이어지는 긴 겨울은 영상 0도를 약간 웃도는 기온에 비가 자주 온다. 오후 4시경 해가 지면 이튿날 아침 8시가 되어도 어둑어둑하다. 아침이면 자동차 전조등을 켜고 아이들을 등교시켜야 한다. 밴쿠버 사람들에게 겨울은 어둠의 시간이다.

나는 2002년 12월부터 1년 6개월 동안 밴쿠버에서 파견근무를 했다. 겨울철 우울함을 이기려고 일요일에는 가족들과 함께 써리Surrey에 있는 서광사통도사 말사를 찾았다. 그 절에는 작은 도서실이 있었다. 한글로 된 불교 관련 책들을 꽤 소장하고 있었다. 거기서 오쇼 라즈니쉬[33]를 처음 접했다. 그의 책을 몇 권 읽어보니, 마시멜로같이 달콤한 맛이었다. 귀국 전까지 도서실에

---

33) 인도의 구루. 1960년대 이후 아차리아 라즈니쉬(Acharya Rajneesh), 1970년대와 1980년대에는 브하그완 슈리 라즈니쉬(Bhagwan Shree Rajneesh), 1990년 죽기 1년 전인 1989년에 '오쇼'(Osho)라는 이름을 새로 택하여 그 뒤 '오쇼 라즈니쉬'라고 불림. 오쇼는 '화상(和尙)'의 일본어 발음. 우리말의 '큰스님' 뜻.

있던 오쇼의 책은 모두 읽었다. 귀국 후에도 그의 신간을 꾸준히 구입해서 읽었다.

나는 청년시절까지 종교가 없었다. 어릴 때 어머니를 따라 절을 몇 번 기웃거렸을 뿐이다. 어머니는 시골 아낙네들이 대부분 그렇듯이, 가끔 절에 가서 불공을 드렸다. 게다가 어머니는 다산多産을 위해 용왕님께 지성으로 기도를 드렸다.

어머니가 돌아가시고 한참 뒤인 1992년경, 아내가 막내를 임신하고 N선원 불교대학에 다니면서, 어디서 구했는지 최인호의 장편소설 『길 없는 길』을 가져다주었다. 한국과 중국의 선불교의 맥을 찾아가는 소설이었다. '나는 누구인가'라는 화두를 깨우치기 위한 선승들의 치열한 구도 정신에 감명받았다. 그때부터 차츰 불교에 관심을 가지고 관련 책을 몇 권 읽어보았으나 쉽게 이해가 가지 않았다. 특히, 고승들의 선문답은 지나치게 추상적이어서 쉽게 이해가 되지 않았다.

그러던 차에 오쇼의 책을 접해보니, 불교의 새로운 지평이 열리는 것 같았다. 반야심경, 금강경, 법화경을 쉽게 이해할 수 있었다. 오쇼는 불교와 노장사상에 해박한 지식을 가지고 있었다. 대부분 불경은 어려운 한문경전을 문리적으로 해석하는 형식으로 엮어져 있는 데 비해, 오쇼는 진리를 깨친 사람답게, 경전의 저자가 직접 혹은 저자보다 더 쉽게 강의하는 듯 느껴졌다.

오쇼는 동양사상뿐 아니라 서양사상도 많이 강의했다. 기독교 복음은 물론, 헤라클레이토스, 니체, 칼릴 지브란 등 유명한 사상가들의 저술을 강의하기도 했다. 오쇼는 직접 책을 집필한 적은 없다. 그의 강의 내용을 제자들이 녹음하여 여러 나라의 언어로 출간했다. 모두 30개가 넘는 언어로 600권이 넘는 책을 발간했다. 우리나라에서도 많은 책이 있다. 감명 깊었던 책은, 『도』도덕경, 『반야심경』, 『이렇게 나는 들었다』금강경, 『자라투스트라』, 『도마복음』, 『또 다른 여인이 나를 낳으리라』칼릴 지브란의 예언자 등이 있다.

오쇼는 1931년에 인도 북부 쿠치와다의 자이나교 집안에서 태어났다. 그는 어린 시절부터 반항적이고 독립적인 정신의 소유자였다. 기존 지식이나 믿음에는 항상 물음표를 던졌다. 전승해 오던 종교나 인습은 뒤집어 생각해 잘못된 맹신을 파고들었다. 그는 나이 21세 때 영적 깨달음을 얻고, 자발푸르 대학 교수로 9년간 재직했다. 대학에서도 기행奇行으로 학교를 발칵 뒤집어 놓기도 했다. 그 후 그는 집단 공동수행처아쉬람를 세워 제자들에게 명상을 가르쳤다. 기존의 정적인 명상보다는 몸을 흔들고 춤을 추는 현대적 다이내믹 명상법을 소개했다.

1981년 그는 미국 오리건 주로 건너가 아쉬람을 열고 제자들을 가르쳤다. 하지만 얼마 지나지 않아, 지역주민, 정부와 마찰을 일으켜 미국에서 영구 추방되었다. 주민들이 그를 사이비 교주로 고발했기 때문이다. 추방된 오쇼는 인도 푸나로 돌아와 아쉬람에서 독서와 강의를 하면서 추종자들과 함께 공동생활을 했다.

그는 평생 혼자 살면서 여러 여성과 섹스를 즐겼다고 한다. 어떤 사람들은 그를 섹스교주, 자동차 수집광이라고 폄훼하기도 했다. 인도로 돌아와서도, 미국 감옥에 갇혔을 때 미국정부가 몰래 투입한 독극물 때문에 건강이 나빠져 가고 있다고 말하곤 했다. 마침내 그는 1990년 59세로 생을 마감했다. 그가 가고 난 뒤, 푸나 아쉬람은 창조적 명상치료 프로그램의 메카로 유명해져, 해마다 수천 명의 영적 성장을 추구하는 세계인들이 방문한다.

그는 내가 접한 어떤 종교지도자나 사상가보다 해박한 지식과 시원한 강의로 동서양 사상을 넘나드는 영적 지도자였다. 그의 강의는 폭포수와 같이 거침이 없다. 아무리 어려운 경전이나 책도 그의 입을 거치면 명쾌한 진리의 도도한 흐름으로 나타난다. 그는 특정 종교를 가졌다기보다는 영혼을 깨친 신비주의자였다. 그는 모든 종교의 창시자들은 근본적으로 같은 진리의 산봉우리 - 깨달음에 이르렀다고 말했다. 힌두교, 기독교, 불교, 이슬람교 등 모든 종교의 근본 진리는 서로 통한다고 했다.
그는 생전에 "인생은 한바탕 농담에 지나지 않는다."고 곧잘 말했다. 그의 묘비에는 "태어나지 않았고 죽지 않았다. 다만, 지구라는 행성을 다녀갔을 뿐이다."라고 적혀 있다.

그는 장자를 특히 좋아했다. 자유로운 영혼의 신비주의자로 지내다가, 장주처럼 나비가 되어 날아간 영적 지도자 오쇼 라즈니쉬!
나의 영성을 밝히는 데 큰 영향을 끼친 영적 스승임을 부인할 수가 없다.

(2023.1.5.)

## 예수의 신비로운 화법話法

예수와 같이 신성을 가진 이의 말에는 향기가 배어 나온다.

보통사람은 그 향기를 눈치채지 못하지만, 깨달음을 얻은 사람의 눈에는 그것이 느껴지는가 보다. 인도의 신비주의자 오쇼 라즈니쉬[34]의 강의록, 『너희에게 이르노니』에서 그 향기를 맡을 수 있다.

요한복음 제8장에 있는 구절이다.

1 예수는 감람산으로 가시다
2 아침에 다시 성전으로 들어오시니 백성이 다 나오는지라 앉으사 저희를 가르치시더니
3 서기관들과 바리새인들이 간음 중에 잡힌 여자를 끌고 와서 가운데 세우고
4 예수께 말하되 선생이여 이 여자가 간음하다가 현장에서 잡혔나이다
5 모세는 율법에 이러한 여자를 돌로 치라 명하였거니와 선생은 어떻게 말하겠나이까

---

34) 1931년에 태어나 1990년에 타계한 인도의 신비주의자.

6 저희가 이렇게 말함은 고소할 조건을 얻고자 하여 예수를 시험함이러라. 예수께서 몸을 굽히사 손가락으로 땅에 쓰시니
7 저희가 묻기를 마지 아니하는지라 이에 일어나 가라사대 너희 중에 죄 없는 자가 먼저 돌로 치라 하시고
8 다시 몸을 굽히사 손가락으로 땅에 쓰시니
9 저희가 이 말씀을 듣고 양심의 가책을 받아 어른으로 시작하여 젊은이까지 하나씩 하나씩 나가고 오직 예수와 그 가운데 섰는 여자만 남았더라
10 예수께서 일어나사 여자 외에 아무도 없는 것을 보시고 이르시되 여자여 너를 고소하던 그들이 어디 있느냐 너를 정죄한 자가 없느냐
11 대답하되 주여 없나이다 예수께서 가라사대 나도 너를 정죄하지 아니하노니 가서 다시는 죄를 범치 말라 하시니라

이에 대한 오쇼의 강해다.

Q 예수는 왜 감람산에 갔을까?

사람들이 사는 이 세상은 병든 세상이다. 온갖 풍진에 물든 세상은 마치 큰 정신질환자 수용소와 같다. 아무리 영혼이 맑은 예수라 하더라도 그 먼지를 많이 덮어쓰고 나면 일정기간 마음의 먼지를 털고 안정을 찾을 방도를 강구해야 하는데 깨달음에 이른 사람들의 경우 종종 인적이 없는 산을 택한다고 한다. 그러기에 인도의 수행자들은 무시로 히말라야를 찾는다. 태고의 정적을 대하면 풍진에 찌든 영혼이 맑아진다고 한다. 우리 주변을 보더라도 영적인 삶을 사는 이들이 종종 산으로 들어가 정신을 맑게 한 후, 속세로 돌아오

는 경우를 보는 이치와 같다.

Q 왜 서기관과 바리새인인가?

이들은 율법주의자와 엄격한 도덕주의자들을 지칭한다. 여기서 도덕과 종교의 대립양상을 보게 된다. 도덕은 사회의 질서를 유지하는 것을 목적으로 하는 죽은 종교를 말한다. 반면에 살아있는 종교는 모든 인간을 구제하는 것을 목적으로 한다. 검劍으로 말하자면 도덕이 살인검殺人劍에 해당한다고 한다면, 종교는 활인검活人劍에 해당한다.

예수가 성전에 돌아오자, 도덕적 엄격주의자들은 모세의 율법을 내세워 예수로 하여금 간음한 여자를 단죄하라고 윽박지른다. 여기서 성전이라 함은 예수가 기거하는 곳을 말한다. 깨달은 사람이 기거하는 곳은 그곳이 곧바로 성스러운 곳 - 성전이기 때문이다.

Q 도덕주의자들의 화살은 실은 예수를 향하고 있다.

도덕주의자들의 화살은 일응 한 간음한 여자를 향하는 것처럼 보이나 실은 예수를 시험하고 있다. 사실 간음한 한 여자를 모세의 율법에 따라 군중이 처형하면 그뿐인 것을 굳이 예수 앞에 데리고 나올 필요가 있었을까? 하지만 영악한 이들 기득권층은 만인에 대해 사랑을 외치는 예수의 반응을 떠보고 있다. 이들은 또한 예수가 할 수 있는 모든 대답 가능성을 미리 철저히 대비하고 있다. 예수가 "간음의 증거를 대라 혹은 보지 못했으니 나는 판단할 수 없다"는 말이 나올까 봐 이들은 이 여자를 미리 현장에서 잡았고 여기 증인이 있다고 배수진을 치고 예수를 몰아세운다. 이제 이들이 예측한 예수의 대답은 대충 두 가지이며 각각의 경우 모두 만반의 반박 준비를 해두고 있었다.

첫째, 모세의 율법에 따라 돌로 쳐 죽이라는 대답이 가능하다. 이 경우 이들 도덕주의자는 예수가 그동안 사랑이라고 주장하는 말은 헛구호에 지나지 않다고 조롱을 퍼부을 것이다.

둘째, 만일 이 여자를 용서하라는 대답도 할 수 있다. 이 경우 사람들은 예수가 그들의 조상인 모세의 율법을 지키지 않았다고 비난할 것이다. 이와 같은 진퇴양난의 상황에서 예수가 살아 나갈 방법은 그리 많을 것 같지 않아 보인다.

Q 한편 간통죄의 다른 일방은 어디 있는가?

간통은 분명 혼자 한 것은 아닐 것이다. 그런데 여자 한 사람만 내세우고 그 일방은 어디에 있는지 언급이 없다. 사실상 그 일방은 이들 지배계층인 서기관과 바리새인 스스로를 말하는 것일 수도 있다. 이는 이들 도덕주의자가 얼마나 위선의 탈을 쓰고 한 창녀 혹은 예수를 단죄하고 몰아세우려 하는지를 알 수 있다. 사회를 지배하는 자일수록 제 잘못은 감추고 힘없는 약자에게 모든 멍에의 짐을 뒤집어씌우는 비겁한 일이 비일비재하게 존재한다.

Q 예수는 왜 몸을 굽히사 손가락으로 땅에 쓰셨을까?

곤란한 상황에 직면한 예수는 곰곰이 생각했다. 사람들

은 강둑에 있고 예수는 강가의 모래를 밟고 있었다. 그러고는 난처한 상황을 헤쳐 나갈 궁리를 하려고 시선을 땅에 둔 채로 주저앉아 곰곰이 생각한다. 여자를 살릴 묘책을 생각하는 것이다.

Q 너희 중에 죄 없는 자가 먼저 돌로 치라.

마침내 예수는 자리에서 일어나 말하기를 모세의 율법을 부정하지 않고 조건부 판결을 했다. 너희 중에 '죄 없는 자'가 먼저 돌로 치라. 참으로 절묘한 대답이다. 서기관과 바리새인들이 기대했던 돌로 쳐 죽이라든지 사랑으로 포용하라든지 하는 극단의 대답이 아니고 조건부 대답이었기 때문이다. 그리고 여기서 말하는 '죄 없는 자'라는 것은 하느님 앞에서 죄 없는 자를 말하지, 이른바 사회적 도덕률에 어긋난 행위를 한 자를 뜻하지 않는다.

Q 예수가 다시 몸을 굽히사 손가락으로 땅에 쓰신 이유는?

예수가 위와 같은 조건부 단죄를 말하고도 예수가 도덕주의자들의 눈을 마주치기가 한편 두려웠을 것이다. 그들의 눈을 마주침으로 하여 그들이 자신들이 역으로 벼랑 끝에 섰다는 걸 알고 군중심리가 작용하여 흥분하여 돌을 던지는 불상사가 생길 것을 염려했기 때문이다. 이러한 일촉즉발의 상황에 예수는 자신을 향한 칼끝을 군중 스스로에게 향하도록 돌리고는 그 자리에서 사라지는 존재가 되기 위하여 다시 고개를 숙여 땅에 글씨를 쓰는 것이다. 그러자, 칼끝이 다시금 군중 개개인의 가슴으로 되돌려진 것이다.

Q 내 너를 정죄하지 아니하노니

'내 너를 정죄하지 아니하노니', 참으로 아름다운 말이다. 예수가 마지막 그 여자에게 한 말이 예수의 정신세계의 높이를 가늠하게 해준다. 죄를 인정하되 죄를 묻지 않겠다는 말이 아니라 아예 '죄라고 규정짓지 않겠다'는 말이다. 종교적 차원에서 죄란 본시 없는 것이다. 죄란 사회 도덕적 차원에서의 인간세상을 규율하는 수단이다. 그러기에 천수경千手經에는 죄무자성종심기罪無自性從心起 - 죄는 본래 자성이 없고 마음 따라 일어나는 것이라고 하지 않던가? 이러한 예수의 말은 불교 선각자들의 깨달음과 일맥상통한다.

Q 군중이 쏜 공격의 화살을 각자의 심장으로 되돌림

예수의 답변은 참으로 절묘하다. 한 여자에 대한 집단적 분노의 화살, 그리고 실제 과녁은 예수 자신의 목숨을 노리고 있는데도 예수는 그 화살을 엄격한 도덕주의자로서 모인 개개인의 심장을 향하도록 되돌린 것이다. 결국, 각 개인은 스스로에게 '나는 죄가 없는가' 하는 물음을 가지고 돌아가게 하면서 신앙심에 불을 붙인 것이다.

이 에피소드를 보면, 두 가지 점에서 놀라게 된다.

한 가지는 2천 년 전 성경에 쓰여진 글자에 생명을 불어넣은 듯, 당시 상황이나 군중들의 심리 상태가 생생히 살아나는 느낌을 얻을 수 있다는 점이다. 예수가 난처한 상황을 지혜롭게 헤쳐 나가고, 종국에는 군중들의 양심에 손을 얹도록 만들어 각자의 신앙심을 고취하게 하는 신비로운 광경을 보게 된다.

다른 한 가지는 오쇼가 예수를 이해하는 깊이다. 예수가 왜 산에 다녀와야 하는지, 군중 고발의 궁극적 탄착점이 어디를 향하고 있는지, 왜 예수가 땅에 손가락으로 썼는지, 왜 정죄하지 아니하였는지 등을 하나하나 밝히고 있다. 마지막에는 분노한 군중을 어떻게 양순한 양떼로 변하게 되는지를 생생히 전해주고 있다.

오쇼의 이러한 견처는 복음의 저자인 요한도 미처 깨닫지 못한 면이라 여겨진다. 오쇼처럼 선지자 예수의 정신세계에 이른 자만이 가능할 듯하다.

이 일화는 사회 군중이 한 희생양에 대하여 가진 집단적 분노를 개인적이고 종교적 고해성사의 단계로 승화시킨 아름다운 일화라고 하겠다.

사람에 따라서는 성경에 대한 위와 같은 해석을 반대하거나 불경하다고 여기는 사람도 있을 수 있다. 그러나 동서양 사상을 여러 가지 시각에서 바라보는 여유로움도 우리의 영혼을 풍요롭게 하는 일이 아닌가 하는 것이 나의 생각이다.

(2005.6월)

※ 이 글은 『감우정담』에 게재

## 존재의 비밀

이 우주 속에서 나의 존재는 어떤 의미가 있을까?

철학자 김형석은 『남아 있는 시간을 위하여』라는 책에서 우주 속 나의 존재를 하찮은 것이라고 말했다. '무한의 우주 속에 할딱이는 육체, 끝없는 시간 위의 한순간을 차지하고 있는 내 생명, 가없는 암흑을 상대로 곧 소멸되어 버릴 한 찰나의 가느다란 불티같은 내 의식, 이것이 나다. 내가 이 세계 안에 있다는 것은 바로 이러한 현실 이외의 아무것도 아니다'라고 했다.

한편 그는 나라는 존재가 사라진다면, 이 우주도 내게 아무런 의미가 없다고 말한다.

"내가 없다면 이 우주, 인류와 역사, 사회와 문화, 그 아무것도 생각의 대상이 될 수가 없다. 내가 없으면 우주는 무, 그리고 암흑일 뿐이다. 내가 있다는 것이 모든 것의 출발이고 빛의 근원이며, 존재의 바탕이다. 그야말로 유아독존唯我獨尊이란 이를 두고 한 말이 아닐까."

나는 김 교수의 견해에 공감한다.

'우주'가 큰 원을 그리고 있는 객관적 존재라고 한다면, '나'는 주관적 존재로서 원의 중심점임을 제시해 준다. 원의 중심점이 없으면 원이 존재할 수 없듯이, 우주의 중심점인 내가 없으면 우주는 존재할 수 없다. 즉 나와 우주는 1:1 비중으로 구성된 중요한 존재임을 깨우친다.

한편 나의 존재가 우주에서 차지하는 시공간적 비중은 하찮을지 모르나, 나의 의식은 온 우주를 담을 정도로 무한하다.

법성게法性偈에 '일미진중함시방一微塵中含十方'이란 구절이 있다. 한 점의 먼지 속에 온 우주가 담겨있다는 뜻이다.

어떻게 이런 신비스러운 일이 가능할까?

내 생각에, 인간은 우주의 꽃이다. 한 인간의 태어남은 꽃 한 송이 피어남이요, 죽음은 그 꽃의 떨어짐이다. 마치 한 생명체의 비밀이 세포 속 DNA에 숨겨져 있듯이, 온 우주의 비밀이 인간의 영혼 - 그 꽃씨에 숨겨져 있다고 생각된다. 죽음으로 육신은 비록 사라지나, 영혼은 잠들었다가 시절인연을 만나 다시 피어난다.

그 무한 반복이 생사윤회生死輪迴가 아닐까.

(2022.8.14.)

## 입전수수入廛垂手

청소년 시절에 나는 무협소설을 좋아했다.

그때는 답답한 현실을 벗어나려고 무협이라는 가상의 세계에서 상상의 나래를 펴곤 했다. 밤마다 무협지를 읽으며 장풍을 날리고, 칼춤을 추고, 공중을 날았다. 좋아했던 내용은 주인공이 은둔고수를 만나 숨겨진 무술을 전수받는 장면이다. 기존에 알려진 명문정파의 고수보다는 절정의 실력을 숨기고 산속이나 속세에 묻혀 있는 고수를 좋아했다. 주인공이 기연으로 고수를 만나 비기를 전수받고 혜성처럼 강호에 등장하는 시나리오를 좋아했다. 그 시절의 영웅 심리와 판타지가 어우러진 일탈이었다.

우리는 명문세가名門勢家보다, 은둔실력자의 우연한 조우遭遇에 더 희열을 느낀다.

그 이유가 무엇일까. 기존에 명망을 얻은 사람은 세속에서 군림하기도 하였고, 이미 누릴 것은 다 누리고 있으므로 신선함을 안겨주지 못한다. 반면에 은둔고수들은 겸손의 미덕을 가지고 있다. 스스로 얼마든지 명성을 얻을 수 있음에도 이를 숨기고 평범한 사람들 속에 묻혀 지내는 것이다. 사람들은 이들의 소탈한 심성을 좋아한다.

우리는 이웃을 잘 모른다. 영혼을 깨우친 성인들이 옆에 있어도 범인凡人들은 알아보지 못하는 모양이다.

예수가 '그리스도'가 되어 고향으로 돌아왔다. 그 당시에도 사람을 평가하는 기준이 오늘날과 다름없이 학벌, 직업, 가문이었다. 마을 사람들의 눈에는 예수가 무식한학벌 목수직업이며, 마리아의 아들가문이라는 것밖에는 기억하지 못했다. 사람들은 그가 영혼이 깨어난 '그리스도'라는 사실을 알아보지 못했다.

살아있는 부처라는 마조馬祖선사도 깨달음을 얻고 난 뒤 고향을 방문했다. 고향사람들은 그를 '키[35]잡이 마씨네 꼬마녀석'이라고 비아냥거렸다. 사람들의 눈에는 깨어있는 부처가 보이지 않았다. 마조는 '고향에서는 도를 이룰 수 없다'고 한탄했다고 한다.

12세기 중엽 송나라 확암廓庵선사는 성불의 단계를 10개의 그림에 담은 십우도十牛圖를 그렸다. 마지막 10번째 그림은 깨달음을 얻은 행각승이 시정市井의 저잣거리에 들어가는 모습으로 그려진다. 이를 입전수수入廛垂手라고 한다. 육도중생을 제도하려고 속세에 들어가는 각자覺者의 마지막 단계이다. 도를 깨치고 난 뒤 최종 종착지는 사람들 가운데 녹아드는 일이라는 뜻이다.

이 경지를 누군가 노래했다.

---

35) 곡식 따위를 까불러 쭉정이나 티끌을 골라내는 도구

천명의 성인도 나를 알아보지 못한다.
왜 옛 성현의 발자취를 더듬거려야 한단 말인가?
술집에도 가고 시장에도 가니
내 눈에 보이는 사람 모두가 깨달았다.

이조 말엽 선승 경허鏡虛는 깨달음을 얻은 후 홀연히 사라졌는데, 훗날 제자들이 그가 어느 산골의 훈장으로 지내다가 열반에 든 사실을 발견했다. 입전수수의 대표적인 사례다. 세속 사람들은 깨달은 부처를 알아보지 못하고, 부처도 스스로 깨쳤다는 것을 잊은 채 중생과 어울려 여생을 보낸다. 아름다운 마감이다.

요즈음 길거리에는 많은 노인이 다닌다. 모두 각자 맡은 분야에서 평생을 일했으니, 그 분야에 전문지식이 풍부한 분일 것으로 짐작된다. 그분들 중에는 은둔고수나 영혼을 깨우친 선각자로서 입전수수하여 세월을 낚는 분들이 적지 않으리라.

한편 스스로를 돌아보니, 입전수수는커녕 선지식도 찾지 못해 오늘도 거리를 헤매고 있다. 휑한 겨울 하늘 아래 냉기가 사정없이 옷소매를 파고든다.

(2022.11.25.)

# 제행무상

부처님은 제행무상諸行無常이라 했다.

이 세상의 모든 것은 변하고 생멸한다는 말이다. 그리스의 철학자 헤라클레이토스도 '같은 강물에 두 번 발을 담글 수 없다'고 했다. 처음 강물에 발을 담그는 순간과 두 번째 담그는 순간의 강물은 같은 강물이 아니라는 자연의 이치를 말한다. 엄밀히 생각해 보면, 두 번째 발을 담그는 사람도 첫 번째 발을 담글 때의 바로 그 사람이라고는 단정할 수 없다. 강물이라는 객체뿐 아니라 발을 담그는 주체도 계속 변하기 때문이다.

2014년 미국의 한 10대 남자아이가 상수원 저수지에 소변을 보는 장면이 카메라에 잡혔다. 이 장면이 TV로 방영되자, 수자원공사는 3만 6천 달러를 들여 저수지의 물 약 1억 4천만 리터를 빼냈다. 소변의 양은 0.1리터 정도였다. 저수지 물의 양의 10억분의 1에도 못 미쳤다. 저수지에는 동물의 똥오줌이 많았을 것이지만, 사람들의 거부반응에 물을 빼내야 했다. 과학자들이 계산한 결과, 사람들이 소년의 오줌을 마실 확률은 율리우스 시저나 클레오파트라의 오줌을 마실 확률보다 적었다.

자연계의 물질은 여기서 저기로 순환한다. 이 물질들이 순간적으로 함께 모여 '나'라는 실체를 구성한다. 그러므로 나의 세포 속 물질은 계속 변한다. 이를 좀 더 확장하면, 오늘의 나는 어제의 내가 아니란 말이 된다. 하물며 어머니의 배 속에서 태어날 때의 내가 현재의 나와 같을 수는 없다. 그런데도 나는 한평생 변하지 않는다고 착각하고 있다. 과학적으로 따지면, 방금 체포된 사람은 10년 전의 그 사람이 아니기 때문에 범인을 잡았다고 할 수 없다. 사람 몸을 구성하는 세포는 7년 정도의 주기로 모두 바뀐다고 한다. 그래서 현재의 사람이 과거 그 범인의 죗값을 치르는 셈이다.

우주에 변하지 않는 존재는 아무것도 없다. 혹자는 절대자인 하느님도 변하지 않고는 존재할 수 없다고 말한다. 저 하늘 어디에선가 내려다보는 인격을 가진 하느님 - 젊지도 늙지도 않는 그런 인격체로서의 하느님은 있을 수 없다고 말한다. 일부 종교학자들은 우리가 신성이라고 부르는 우주의식도 끊임없이 변화하고 학습하고 있다고 주장한다.

우주는 138억 년 전 빅뱅Big Bang을 일으킨 후 아직 팽창하고 있다. 그러다가 언젠가는 다시 소멸한다. 자연은 거대한 흐름이다.

자연의 흐름에 몸을 맡기는 것이 진정한 종교요, 명상이지 않겠는가.

(2023.2.26.)

# 호모나랜스

지구상에 얼마나 많은 생명체가 존재할까.

과학자들은 생명체의 핵심 구성요소인 탄소로 바이오매스[36]를 측정했다. 식물이 생물 총량의 82%를 차지한다. 다음은 박테리아가 13%를 차지한다. 동물은 0.4%이다. 인간은 0.01%를 차지한다.

지구상에 모두 몇 종의 생명체가 있을까.

총 875만 종이 있다. 그중 777만 종이 동물인데 육지에 560만 종, 바다에 215만 종이 있다. 인간이 속한 포유류는 6천 종 이상이다. 이처럼 다양한 생명체가 살고 있는 지구상에서 인간이 최상위 포식자이고 지배종이다. 어떻게 지구상 바이오매스의 일만분의 1을 차지하는 데 불과한 인간이 '만물의 영장'이 되었을까.

인간이 다른 동물과는 무엇이 다를까.

---

36) 태양광을 받아서 자라는 식물, 이 식물을 먹고 자라는 동물, 동식물의 사체를 분해하며 번식하는 미생물 등 한 생태계 순환 과정을 구성하는 생물(Bio)의 총 덩어리(Mass)를 바이오매스라 함.

약 4만 년 전 지구상에 나타난 현생인류의 조상크로마뇽인은 1만 2천 년 전부터 종래의 수렵채취 생활에서 벗어나 농업혁명을 일으켰다.

인간의 눈동자는 다른 동물의 눈동자와 달리 흰자위가 많다. 이는 다른 생명체와 교감의 능력을 키워준다. 그래서 개, 소, 말 등 다른 동물들을 길들이고 사육을 할 수 있었다. 더 이상 사냥을 다닐 필요가 없어진 것이다. 이때부터 인간들은 집단 정주생활을 시작했다. 이를 '신석기 혁명'이라고 하는데, 18세기 산업혁명에 견줄 수 있는 인류 변천사의 중요한 전환점이다.

인간은 다른 동물과 달리 의사소통의 수단으로써 언어를 사용한다. 다른 동물도 생존을 위한 소통수단으로써 약간의 언어를 사용하지만, 인간과 같이 폭넓게 언어를 구사하지는 못한다.

역사학자 김기봉은 그의 책, 『역사학 너머의 역사』에서, '신이 무에서 유를 만들어 내는 창조력創造力을 갖고 있다면, 인간은 유에서 무를 떠올리는 상상력想像力을 갖고 있다'고 말했다.

그는 인간 상상력의 원천을, 언어를 이용한 '이야기하려는 본능'에서 찾았다. 존 닐은 '인간은 이야기하려는 본능이 있고, 이야기를 통해 사회를 이해한다'고 했다. 그는 인간을 이야기하는 사람이라는 뜻의 라틴어인 '호모나랜스'라고 불렀다.

이야기 능력을 가진 인간은 전설, 신화를 만들어 냈다. 미래학자 유발 하라리는 인간이 자신을 잡아먹을지도 모르는 사자를 보고도 도망가지 않고, '사자는 우리 동족의 수호령이다'라고 말할 수 있는 능력이야말로 인간의 독특한 면이라고 했다. 인간은 허구를 통해 스토리텔링을 할 수 있다.

인간은 사실의 기록에서 만족하지 않고 새로운 표현을 하거나 창조를 하기도 한다. 시, 소설, 연극, 그림, 음악 등 예술이 그 범주에 든다. 오늘날 디지털 가상의 공간에서 글, 사진, 동영상 등을 통해 자신의 이야기를 생산하고 공유하는 모습에서 '인간의 이야기하는 본능'을 찾아볼 수 있다.

또한 인간은 과거의 경험을 기억하고 미래를 대비한다. 인간은 문자를 사용해 후세에 기억을 남겨 문명을 전승시켰다. 생명이 유한한 인간이 집단기억을 남기면, 후세에서 집단학습을 통해 과거의 기억을 되살리는 능력을 가지고 있다.

하지만 인간의 기억은 과거의 경험을 왜곡하는 경우가 많다. 경험하는 자아와 기억하는 자아가 다르기 때문이다. 예를 들면, 엄마가 아기를 낳을 때는 출산의 고통 때문에 다시는 아이를 낳지 않는다고 맹세한다. 하지만 곧 얼마 지나지 않아 또 다른 아이를 임신한다. 아이를 얻은 기쁨과 아이를 키우는 가치가 기억에 강하게 남아 있기 때문이다. 그래서인지 사람들은 '추억은 아름다워'라고 곧잘 말한다.

또한 역사 기록은 역사적 사실이라기보다는, 역사가의 관점에서 왜 그런 일이 일어났는지를 일방적으로 해석한 경우가 많다. 역사기록은 대부분 백성의 기록이 아닌 왕조의 흥망사이다.

인간이 만든 상상력의 결정체는 돈, 국가, 신 등이다. 이들은 엄밀히 말해 실체가 없는 허구다. 인간은 객관적 실재와 주관적 감각 세계 외에도 이야기로 창조된 제3세계에 살기 때문이다. 자본주의, 공화국, 종교와 같은 제3세계는 인간 문명의 징표들이다.

이것들은 실체가 없는 법, 규칙, 말씀 등으로 구축된 허구이지만, 인간들은 이를 토대로 체계를 구축해 사회질서를 유지한다. 교통신호 준수, 세금 납부, 돈이자 지급의무 등을 기꺼이 지킨다. 조국이라는 이념적 조직을 수호한다는 명분으로 전쟁에 나가 기꺼이 목숨을 내놓기도 한다.

인간은 다른 동물과 차별화된 능력에 힘입어 지구상 최상위 포식자로서 지구를 지배하고 있다. 인간만이 옷을 입고, 안경을 쓰고, 자동차와 비행기를 타고 다닌다. 최근에는 인간 복제와 인공지능 시대를 열고 있다.

생물학자 에드워드 윌슨은 그의 저서, 『생명의 편지』에서 말했다.

"인간은 돌연변이다. 석기시대의 감성과 중세의 자아상과 신적인 기술이 뒤범벅된 존재다. 그런 혼성 때문에 인간은 장기생존에 필수적 원동력인 대자연 자체에는 관심이 없다."

인간의 상상력과 이야기하는 능력으로 인해, 인간은 다른 동물들을 지배하고 지구를 멋대로 착취하고 있다. 인간은 신과 같이 능력을 갖춘 존재인 양 뭇 생명과 자연의 질서를 어지럽히고 있다.

하지만 인간은 여전히 동물의 한 종으로서 자연의 일부라는 사실을 망각해서는 안 된다. 인간의 오만은 언젠가 응분의 대가를 치러야 할지 모르기 때문이다.

(2023.8.24.)

# 경이로운 인간

불경에 맹구우목盲龜遇木 섬개투침纖芥投針이란 말이 있다.

맹구우목은 바닷속 눈먼 거북이가 백 년에 한 번꼴로 물 위로 떠 오르는데, 그때 마침 바다 위를 떠다니는 널빤지에 작은 구멍이 뚫어져 있어 거북이의 머리가 들어가 숨을 쉬게 되는 순간과 같은 기막힌 우연을 뜻한다. 섬개투침은 바늘을 땅 위에 세워놓고 하늘에서 겨자씨를 던져서 그 겨자씨가 바늘에 꽂히는 희귀한 인연을 말한다. 부처님이 인신난득人身難得 - '사람의 몸을 받아 세상에 태어나기가 어렵다'는 뜻으로 한 말이다.

나는 이 비유가 황당무계하여 인도인 특유의 과장어법으로만 여겼다. 그런데, 최근 칼 세이건의 『코스모스』와 데이비드 크리스천의 『빅 히스토리』를 읽고, 그 말이 과장이 아니라는 생각이 들었다.

한 인간이 지구상에 태어날 확률은 불가능에 가깝다.

시간, 공간, 인간적인 측면에서 각각 그 가능성을 들여다보자.

먼저 시간적인 측면이다.

138억 년 전, 한 특이점이 큰 폭발을 일으켜 공간, 시간, 에너지가 갑자기 생겼다. 이것을 빅뱅Big Bang이라고 한다. 이 대폭발로 우주가 형성되고 수많은 별이 태어났다. 수명이 다한 별은 블랙홀별 무덤 속으로 빨려 들어가 생을 마감한다.

지구는 태양계의 나이와 같이 46억 년 전에 생겼다. 지구가 처음 태양에서 떨어져 나올 때는 불덩어리였다. 그 후 35억 년 전 무생물에서 단세포생물이 생겨나는 기적이 일어났다. 단세포생물이 다시 다세포생물로 진화를 거듭하다가, 800만 년 전에 최초 인류인 호미닌이 지구상에 출현했다. 현생인류의 조상인 호모 사피엔스 사피엔스크로마뇽인는 4만 년 전에 나타났다.

우주의 나이 138억 년을 1년이라고 가정하면, 최초 인류는 지금 막 5시간 전12월 31일 오후 7시에 등장한 셈이다. 같은 방식으로 지구의 나이와 비교하면, 불과 15시간 전에 태어난 셈이다.

다음은 공간적인 측면에서 보자.

우주에는 스스로 빛을 내는 항성star과 빛이 없는 행성planet이 있다. 항성은 하늘에 반짝이는 별이다. 항성인 별은 활활 타고 있으므로 생명이 살 수 없다. 동화 속 어린 왕자가 사는 별나라나 견우와 직녀가 만나는 별로 만들어진 다리는 존재할 수 없다.

지구는 소규모 별 묶음인 태양계에 속한다.

항성인 태양은 빛을 낸다. 그 주위를 지구를 비롯한 8개의 행성이 돈다. 태양의 지름은 지구보다 109배 크며, 질량은 약 33만 배 무겁다. 태양에서 지구까지 거리는 약 1억 5천 만km이다. 1초에 30만㎞의 속도로 달리는 빛으로도 8분이 넘는 거리다.

은하계 안에는 태양계와 같은 소규모 별 묶음이 천억 개가 있고, 은하계 밖에는 은하계와 비슷한 별 집단이 또다시 천억 개나 있다

고 한다. 각 은하계에는 별의 숫자만큼 많은 행성이 존재한다.[37]

항성과 행성들을 우주공간에 묶어주는 힘이 뉴턴이 발견한 중력이다. 아인슈타인이 뉴턴의 이론을 수정하여 중력장 이론을 내놓았으나, 아직 과학자들은 그 힘의 정확한 실체를 밝히지 못하고 있다.

빛이 1년에 10조㎞를 갈 수 있는데 이를 1광년光年이라고 한다. 하늘에는 수억 광년 떨어진 별이 많다. 별빛이 지구에 도착할 무렵에는 그 별이 수명을 다하고 이미 사라진 것도 있다. 지구에서 은하를 지나 우주의 지평선까지 거리는 얼마나 될까. 빅뱅이 일어날 때 그 거리는 4천만 광년이었던 것이 계속 팽창하여 지금은 약 500억 광년으로 늘어났다. 우주는 언어도단言語道斷의 광활한 공간이다. 어떤 형태인지도 모른다.

우주공간은 별빛으로 반짝일 것 같지만, 실제는 캄캄한 암흑이다. 우주공간을 채우고 있는 대부분 물질은 암흑이다. 암흑에너지 73%, 암흑물질 23%, 나머지 4%가 보통 물질이다. 우주물질의 대부분은 수소와 헬륨이다. 지구에서 흔히 보는 질소와 산소는 희귀한 원소다.

한편, 지구의 중심은 뜨거운 용암이지만, 지각은 바위나 단단한 물질로 형성되어 있고 희귀한 원소가 많다. 대부분 행성이 기체덩어리인 경우가 많아, 지구와 같이 생명이 살 수 있는 행성은 드물다. 지구는 우주의 한 송이 꽃과 같은 아름다운 행성이다. 과학자들은 생명이 존재하는 행성이 우주에 더 있을 가능성은 인정하지만, 확실한 증거는 발견하지 못하고 있다. 한 가지 분명한 사실은 인간은 참으로 희귀한 행성에서 태어났다는 점이다.

37) 이론상 항성과 행성 개수의 총합은 $2\times10^{10}\times10^{10}=2\times10^{20}$.

마지막으로 나의 실존에 대해 생각해 보자.

내가 세상에 태어날 확률은 얼마나 될까.

여자가 평생 300여 개의 난자를 생산할 수 있다. 남자는 평생 1조 4천억 개의 정자를 생산한다. 부모의 난자와 정자가 만나 한 생명으로 탄생할 확률은 수백 조분의 1의 확률이다. 로또 당첨과도 비교할 수 없을 정도로 어렵다. 우리는 이렇게 어려운 확률을 뚫고 세상에 태어났다.

인체는 약 30조 개의 세포로 구성된다. 대부분 세포는 6개월이면 새 세포로 교체되고, 모든 세포가 바뀌는 데 7년이 걸린다. 모든 세포가 바뀐 후에도 여전히 나로 인식되는 이유는 나라고 여기는 자의식 때문이다.

사람의 몸은 물, 칼슘, 그리고 유기분자들로 이루어진 하나의 덩어리다. 우주의 구성 성분과 다를 바 없다. 칼 세이건은 인체를 구성하는 화학물질의 총가치가 97센트에서 10달러에 지나지 않는다고 했다. 하지만 헤럴드 모로위츠는 사람 한 명을 구성하는 각종 물질을 화공약품 가게에서 구입하려면 약 천만 달러가 든다는 흥미로운 계산 결과를 내놓았다.

놀라운 점은 지구상 인구 80억 명의 몸을 구성하는 물질과 성분이 같은데도, 각자 다른 특성과 인격을 가졌다는 사실이다. 쌍둥이조차 성격이 판이하다. 생명의 본질은 몸을 구성하는 물질에 있는 것이 아니라, 물질이 결합하는 방식에 있는 것이다. 칼 세이건은 우주가 인간에게 이처럼 복잡 미묘한 존재로 진화하게끔 허용했다는 사실이 즐거운 일이라고 말한다.

영겁의 세월 속 광활한 우주에 떠 있는 나의 실존을 생각해 보면, 인류가 창조주라 믿어온 신神조차도 한 점 반딧불처럼 희미하다. 지구상의 모든 지식과 종교의 의미가 퇴색된다.

다른 한편으로 한 인간으로 세상에 태어난 것이 얼마나 큰 행운이고 아슬아슬한 곡예인가. 최근 등장한 '빅뱅 이론'으로 말미암아 인간은 무지에서 눈을 뜨게 되었다. 인간이 비록 지구라는 우물 안 개구리 신세지만, 우물 밖 우주의 존재를 알아낸 '소크라테스 형形 개구리'가 되었다.

인간은 불가능의 확률을 뚫고 태어난 희귀한 생명체다.

우주 어디에도 인간과 같은 생명체가 있다는 정보가 없다. 우주 변방에 피어난 한 떨기 작은 꽃과 같은 경이로운 존재가 아닌가. 인간은 이 지구상에 태어났다는 사실만으로도 축복받아야 한다. 나 같이 하찮은 생명체가 이처럼 웅대한 우주를 상상할 수 있다는 사실 자체가 기적보다 더한 경이로움이 아닌가.

그런데 인류는 이러한 소중한 진리에 귀를 기울이지 않고 있다. 하나뿐인 지구 위에서 '너 잘 났네, 나 잘 났네'라며 아옹다옹하고 있다. 핵과 군비경쟁, 환경파괴, 영토분쟁을 일으키고 있다. 인간들의 옹졸함과 자만심이 지구를 파멸로 이끌고 있다.

하지만 지구가 하루아침에 사라진다 해도, 우주는 장대한 흐름을 이어갈 것으로 보인다. 태양계의 조그마한 행성 지구의 멸망이 우주에 큰 영향을 끼칠 가능성은 별로 없다.

우주 속 한 점 먼지 같은 존재인 나는 생각에 잠긴다.

어디에서 와서 어디로 가는가.

나란 존재는 무엇인가.

(2023.8.20.)

# 제6장 종 교

## 종교의 시원始原

영국의 방송인 데이비드 애튼버러는 제2차 세계대전이 끝나고 얼마 지나지 않아, 오세아니아주의 섬나라 비누아트의 '화물숭배 신앙'을 취재했다.

섬 주민들은 비행기 모형을 만들어 놓고 숭배하고 있었다. 사제와 노파는 고장 난 라디오를 들고 전선줄을 몸에 감은 후 구세주섬에 왔던 인물로 여기는 '존 프럼John Frum'과 교신했다. 노파가 그와 무아지경에서 교신하며 중얼거리면, 사제가 노파의 말을 해석했다.

마을에는 활주로와 대나무로 만든 관제탑을 세우고 그 안에 헤드폰을 쓴 모형 관제사들을 모시고 있었다. 그들은 존 프럼이 비행기를 타고 돌아오는 날을 2월 15일로 기억하고, 매년 그날이면 미군 제복을 입고 행진을 했다. 그들은 존 프럼이 진기한 화물을 가득 실은 비행기를 몰고 와, 그들에게 푸짐한 선물을 안겨줄 것을 고대하고 있었다.

태평양전쟁 당시 미군은 일본군을 공격하기 위해, 여러 섬에 활주로를 닦고 관제탑을 세우고 생필품과 먹거리 등 물자를 실어 날랐다. 비행기에 실려 온 먹거리에는 스팸이나 코카콜라, 허쉬 초콜릿, C-레이션전투식량 등 현지인 관점에서 별

식거리인 식료품도 있었다. 주민들은 섬에서 아무것도 하지 않는 미군들이 통신을 이용하여 하늘에 뭐라고 말하면, 비행기가 날아와 풍부한 화물을 내려주는 것이 신기했다. 하늘 어딘가 물자를 보내는 신적 존재가 있고, 군인들이 통신연락을 하면 선물을 보내주는 것으로 이해했다.

전쟁이 끝나자, 미군들은 섬을 떠나가고, 화물이 더 이상 보급되지 않았다. 사람들은 미군들이 하던 방식대로 하늘에 교신을 시도했다. 이것이 '화물신앙'이 생겨난 계기였다.

애튼버러가 구세주 존 프롬을 19년이나 기다리고 있지만 아직 나타나지 않는 데 대해 한 주민에게 묻자. 그는 "당신들이 예수 그리스도가 돌아오기를 2,000년 동안 기다릴 수 있었다면, 우리들은 존을 19년 이상 기다릴 수 있지요."라고 대답했다.

흥미로운 사실은 화물숭배 신앙이 비누아트에만 발견된 것이 아니라는 점이다. 인류학자들은 뉴칼레도니아, 솔로몬제도, 피지, 뉴헤브리디스, 뉴기니 등 미군이 주둔해 있던 50여 곳의 섬에서 비슷한 숭배현상을 발견할 수 있었다고 한다.

사방이 바다로 둘러싸인 섬에 사는 주민들이 보기에는 하늘에 커다란 보물창고가 있어, 하늘과 교신을 하면 풍부한 화물을 선물로 받을 수 있다고 여길 수 있었을 것 같다. 그들은 하늘에서 내려준 선물을 간절히 갖고 싶은 욕망 때문에 비행기를 숭배하고 신앙으로 발전시킨 것이다.

리처드 도킨스는 『만들어진 신』에서, 이들의 화물숭배 신앙이 종교가 탄생하고 전파되는 실제과정을 보여주는 사례라고 보았다. 선물을 고대하는 간절한 마음이 화물숭배 신앙으로 발전되었다. 이를 기독교에 빗대면, 존 프럼은 재림 예수에,

사제와 노파는 성직자에, 비행기는 십자가에 비견된다.

기성종교도 깨인 눈으로 보면, 화물숭배 신앙과 별반 다르지 않을지도 모른다.

무엇이 사람에게 종교를 가지게 할까. 사람들은 어떤 고통과 어려움이 닥쳐도 희망을 놓치지 않으려고 한다. 초자연적인 존재를 상정하고 기도하며 간절히 매달린다. 기도하는 단 하나의 이유는 절망적인 상황이 호전되기를 바라는 마음에서다. 간절한 마음이 종교를 태동시키는 밑바탕이다.

신에게 기도하면 간혹 상황이 호전되기도 하지만, 그 호전이 기도 때문인지 아니면 자연의 순리인지도 구분할 수가 없다. 열심히 기도해도 상황이 더 나아지지 않는 경우가 있다. 이 경우 기도를 포기하기보다는 신이 다른 이유에서 내 기도를 들어주지 않나 보다 하고 스스로 위안을 찾는다. 이를 심리학에서는 '인지부조화'라고 한다.

사람들은 자기가 믿는 종교가 참이 아니라고 해도 마음의 평온을 얻기 위해 기꺼이 믿으려 한다. '두드려라 열릴 것이다, 믿는 것이 손해 볼 것도 없지 않으냐, 신이 존재한다는 확신이 없지만, 혹시 만萬에 하나라도 있다면 믿는 것이 유리하지 않겠느냐'는 식의 아전인수격我田引水格 해석이 종교를 지탱하게 만든다.

알베르 카뮈는 이를 두고, "인간은 자기의 삶이 부조리하지 않다며 스스로 설득하면서 생을 보내는 동물이다."라고 말했다.

간절함, 기도, 그리고 신에 대한 근거 없는 긍정적 마음이 종교의 시원始原이 아닐까.

(2023.4.5.)

## 은밀한 전승傳承

예수가 도마에게 말했다.

"나는 자네의 선생이 아니네. 자네는 내게서 솟아나는 샘물을 마시고 취했네." 그러고는 예수가 도마를 따로 불러 세 가지 은밀한 말을 전했다.

도마가 돌아오자, 동료 제자들이 도마에게 물었다.

"예수님이 자네에게 무슨 말씀을 하셨는가?"

도마가 말했다.

"예수님이 내게 하신 말씀 중 하나라도 자네들한테 말하면, 자네들은 돌을 들어 나를 칠 것이고, 돌에서 불이 나와 자네들을 집어삼킬 것일세."

도마복음의 한 부분이다.

1945년 우연히 발굴된 도마복음은 기독교의 정경正經에 들지 못하고, 이단으로 취급되어 숨겨져야 했다. 이유는 예수의 기적, 재림, 예언의 성취, 종말, 부활, 최후의 심판, 대속과 같은 언급이 전혀 없는 대신, 내 속에 계시는 하느님을 아는 것 - 깨달음을 말하고 있어서다.

예수의 제자 중 도마는 예수의 쌍둥이 형제라고도 불린다. 도마가 예수의 생물학적 쌍둥이라기보다는, 예수만큼 높은 경지의 깨달음을 얻은 제자라는 의미로 이해된다. 예수는 자신과 같은 수준의 깨달음을 얻은 제자는 도마가 유일하다고 보았다. 그래서 은밀히 따로 불러 진리의 깨달음을 인가해 준 것이다.

예수로부터 깨달음의 인증을 받은 도마는, 동료들에게 자신이 깨달은 바를 말했다가는 동료들의 질투를 불러올지도 모르고, 깨달음의 진리를 폭로하는 순간 다른 제자들은 놀라운 진리를 이해하지 못해 폭력적으로 변할지도 모른다고 생각했다.

이처럼 종교에서 깨우친 스승이 제자에게 진리를 승인해 줄 때는 조심스러워했다. 예수조차 남에게 드러내고 말하기가 곤란해했다. 아직 미망迷妄속에 헤매는 제자들의 질투와 폭력을 우려해서였다. 기독교 초기 도마복음이 금서禁書로 불태워지고, 최근에 발견된 이유도 사람들이 깨우침에 관한 진리의 말씀을 곧바로 마주 대하기가 두려웠던 측면이 있었다. 이로 인해 기독교는 '믿음'의 종교로만 인식되고, '깨달음'의 종교와는 멀어지게 되었다.

스승이 제자에게 깨달음을 인가할 때는 은밀히 전수하는 것이 중국 선불교의 오래된 전승이다. 선불교의 초조 달마가 제자들의 수행정도를 시험했다.

한 제자가 말했다.

"너는 내 살을 가졌다."

또 다른 제자가 말했다.

"너는 나의 뼈를 얻었구나."

혜가慧可가 나서서 스승께 절을 올리고 가만히 옆에 섰다.

"너는 나의 골수를 얻었다."

달마는 혜가에게 그의 의발衣鉢을 전수했다.

이로부터 선불교에서는 스승이 법을 이어받는 제자에게 '가사와 바리때'를 깨달음의 증표로 전수하는 관습이 생겼다.

선종의 5조 홍인弘忍이 6조 혜능慧能에게 법을 전할 때였다. 일자무식인 혜능에게 의발을 드러내놓고 전할 수 없어, 한밤중에 몰래 전수하고 절을 떠나도록 했다. 혜능은 의발을 전수받고도 그 후 수년간 숨어서 정진해야 했다. 다른 제자들의 자신에 대한 질투와 스승을 향한 원망을 덜어주기 위해서였다.

그 후 혜능은 의발을 더 이상 전수하지 않았다. 의발전수로 인한 제자들 간의 상호불신과 비방의 싹을 없애버렸다.

이러한 선가의 특이한 전승방법의 연원淵源은 멀리 부처님 당시로 거슬러 올라간다.

영산靈山에서 부처님이 연꽃을 들어 대중들에게 보였다. 사람들은 그것이 무슨 뜻인지 깨닫지 못했으나, 가섭迦葉만은 참뜻을 깨닫고 미소를 지었다. 부처님은 그가 불법의 진의를 이해했다는 것을 직감했다.

부처님은 가섭에게 "나에게 정법안장正法眼藏, 열반묘심涅槃妙心, 실상무상實相無相, 미묘법문微妙法門이 있으니, 이를 가섭에게 부촉하노라."고 했다. 이를 불가에서는 염화시중拈花示衆의 미소, 또는 이심전심以心傳心의 비법이라 말한다.

오쇼 라즈니쉬는 “깨달은 사람이 다른 깨달은 사람을 만나면 마치 강물이 바닷물을 만나 한 몸이 되듯, 진리의 바다에서 함께 노닌다. 그래서 누가 누구의 스승이고 제자라는 경지를 벗어난다. 깨닫고 난 후에는 깨달음만 이 우주에 남는다. 기도하는 이와 절대자가 한 몸이 된다.”라고 말했다.

도마에게 ‘예수의 샘물을 마시고 취했다’는 의미가 바로 진리의 바다에서 함께 노닌다는 의미라고 이해된다.

나는 언제쯤 진리의 바다에서 유유히 노닐 수 있을까.

서쪽 하늘만 쳐다본다.

(2023.2.28.)

## 유대인의 전승방식

현재 전 세계 유대인은 1,500만 명이다.

그중 650만 명은 이스라엘, 570만 명은 미국에 살고 있다. 유대인은 아브라함의 적손嫡孫 야곱의 후손이다. 야곱은 꿈에서 하늘의 천사와 겨루어 이긴 후, 이름을 '하느님과 겨루어 이김'이라는 뜻의 '이스라엘'로 바꾸었다.

유대인들은 기원전 597년 포로가 되어 신新바빌로니아의 바빌론으로 이주한 이래로 1948년 이스라엘이 건국되기 전까지 2,500년을 나라 없이 떠돌았다, 그들은 머무는 곳마다 그 나라 국민들로부터 언제든 쫓겨 나갈 각오를 해야 했다. 그래서 농업이나 공업보다는, 상업에 종사하게 되고, 환전이 쉬운 금과 돈을 모아 금융업에 일찍 눈을 떴다. 이것이 오늘날 유대인이 세계무역과 금융계에 영향력을 가지게 된 배경이다.

또한 그들은 '세상에 빼앗길 염려가 없는 것은 지식밖에 없다'는 이치를 깨치고, 평생 지식을 쌓는 일에 몰두했다. 이러한 생활철학이 오늘날 유대인을 세계에서 뛰어난 두뇌로 길러낸 원천이다. 노벨상이 제정된 1901년부터 2014년까지, 전체 수상자 860명의 23퍼센트에 해당하는 194명이 세계인구의 0.2퍼센트에 불과한 유대인[38]이 차지했다.

유대인을 저력을 가진 민족으로 키워낸 교육의 중심에는 탈무드가 있다. 탈무드란 말에는 '위대한 연구', '위대한 학문'이라는 뜻이 있다. 유대인들은 탈무드를 '바다'라고 부른다. 무궁무진한 지혜의 바다이다.

탈무드의 뿌리는 구약성서로 기원전 500년부터 기원후 500년까지 1,000년간 구전되어 오던 것을 2천 명의 학자들이 10년 동안 편찬한 것이다. 파리에 있던 탈무드가 1224년 기독교도에 의해 불태워지는 등 로마인, 가톨릭교도, 이슬람교도에 의해 여러 번 금서禁書로 지정되고 훼손되는 수난을 겪었다. 1334년에 손으로 쓴 탈무드가 현존하는 책 중 가장 오래된 것인데, 1520년에 베니스에서 최초로 인쇄되었다. 탈무드는 총 20권에 1만 2천 쪽 분량이다. 2백50만 개 이상의 단어로 되어있고 무게가 75㎏이나 된다.

탈무드에는 유대인 역사 5천 년의 지혜가 담겨있다. 전체 6부로 구성되어 있다. ①농업 ②제사 ③여자 ④민법과 형법 ⑤사원 ⑥순결과 불순 등이다.

탈무드는 미슈나가르침와 게마라보완로 구성된다. 미슈나는 고대 이스라엘의 교훈과 약속 부분을 기록한 작은 책인데, 다시 두 부분할라카와 하가다으로 나누어진다.

할라카는 유대인의 생활양식이다. 제사, 건강, 예술, 식사, 언어대화, 대인관계 등 모든 생활을 규율한다. 하가다는 인간

---

38) 부모 중 한쪽 이상이 유대인

이 알아야 할 모든 지식이 포함되어 있다. 철학, 신학, 역사, 도덕, 시, 속담, 성경해설, 과학, 의학, 수학, 천문학, 심리학, 형이상학 등이다.

유대인들은 특별히 종교라는 말을 쓰지 않는다. 생활 자체가 종교이기 때문이다.

유대교에는 교황과 같은 최고의 권위자가 없다.

유대사회에서 탈무드를 보존하고 전파하는 핵심 인물은 랍비다.

유대교의 현인을 일컫는 랍비는 히브리어로 '선생님'이라는 뜻이다. 탈무드를 가장 많이 공부한 사람이 랍비다.

랍비는 수염을 기르는 사람이 많다. 성서에서 몸을 소중하게 여기고 상처를 내지 못하게 되어있어, 면도하다 얼굴에 상처를 낼까 두려워해서다. 옛 선비들이 유교의 '신체발부 수지부모身體髮膚 受支父母'라는 가르침에 상투를 맨 이치와 비슷하다.

유대인들은 치밀한 계획에 따라 랍비를 양성한다.

이스라엘에서는 아홉 살 때부터 탈무드를 공부한다. 고등학교를 졸업한 후 종교학교에 입학하면 10년에서 15년 동안 탈무드를 공부하여 랍비가 된다. 엄격하고 혹독한 훈련과정을 거치게 된다.

미국에서는 대학졸업 후 랍비 양성학교에 들어가 4년에서 6년간 탈무드를 공부한다. 공부를 마치면, 2년 동안의 봉사를 한다. 봉사가 끝나면 대학에 남아 교직생활을 하든지, 유대사회에서 랍비로 일하는 길을 준다.

유대인 공동체는 세계 어디서나 20가구 이상이 되면 교회를 세우고 랍비를 초청한다. 15세기까지 랍비는 무보수여서 별도의 직업이 있었으나, 요즈음은 주민이 보수를 지급한다.

랍비는 지역학교의 책임자이며, 교회의 관리자이며 설교자다. 랍비는 사람이 태어나서 죽을 때까지 모든 문제를 다룬다. 사람이 태어나면 그를 맞이하고, 죽으면 그를 묻어준다. 결혼과 이혼의 입회자가 되고, 경사나 흉사에 참석해야 한다. 랍비는 학자이자 목회자이기도 하다. 유대인 공동체의 지도자이며 구심점이다.

유대인들은 세계 각국에 흩어져 산다. 그들은 그들이 머무는 나라의 규범을 지키면서, 그들 고유의 규범과 가르침을 탈무드와 랍비라는 두 축을 중심으로 전승해 오고 있다.

나라 잃은 유대인들이 절망을 이겨내고 민족정신의 꽃을 피우는 독특한 전승방식과 교육제도에 놀라움을 느낀다.

아울러 내 조국의 소중함을 새삼 깨닫게 된다.

(2023.3.29.)

## 자연무사自然無私

명심보감에 '재앙은 홀로 오는 법이 없다'禍不可單行라는 구절이 있다.

살다 보면 엎친 데 덮친 격으로 불행이 한꺼번에 밀어닥치는 것을 경험할 때가 있다. 금년에 큰딸네가 그랬다. 큰사위가 회사부서를 옮기고 얼마 되지 않아 관리업체에 큰불이 나서 수습하느라 정신이 없었다. 비슷한 시기 중학교 다니는 손녀가 친구들과의 문제로 학교에 가기 싫다고도 했다. 그 와중에 이사 문제로 큰딸은 머리를 싸매고 한숨을 멈추지 않았다. 부모로서 그 심정을 짐작할 수 있었다. 불행은 어딘가 숨어있다가 한꺼번에 떼 지어 몰려오는 듯하다. 나는 딸에게 나쁜 일이 닥치더라도 낙담하지 말고 마음을 단단히 먹어야 한다고 조언하는 일밖에는 할 수 없었다.

국내에도 금년은 어려운 한 해였다. 몇 년째 계속되는 코로나19의 여파로 경제가 곤두박질쳐 서민들이 힘들어한다. 뿐만 아니라, 이태원 참사로 150여 명이 목숨을 잃는 사고도 발생했다. 북한은 허공에다 연일 미사일을 쏘아대더니, 어제는 무인정찰기를 여러 대 서울 상공에 보냈다. 그 와중에도 정치인들은 밤낮으로 싸움을 멈추지 않고 있다.

세계로 눈을 돌려도 마찬가지다. 중국은 코로나19 방역을 핑계로 국가를 셧다운시키다시피 하면서 시진핑 개인의 우상화에 열을 올리고, 티베트, 대만을 복속시킬 궁리에 여념이 없다. 러시아는 우크라이나의 영토 일부를 자국 영토에 편입시키기 위해 전쟁을 일으켜 수만 명이 죽어간다. 지구촌 곳곳이 유례없는 겨울한파로 꽁꽁 얼어붙었다. 지구촌이 혼란에 휩싸여 있다.

개인, 국가, 세계 곳곳에 고통과 고난의 파고가 넘실대고 있다.

우리는 어려움을 당할 때, 한 가지에 기대어 위로를 얻으려 한다. 기도다. 인간은 이 우주를 만들었다고 믿는 절대자 - 하느님에게 문제를 해결해달라고 애원한다. 그런데 아무리 기도해도 응답이 없다. 침묵뿐이다. 하느님의 침묵은 어제오늘만이 아니었다. 그의 독생자 예수가 십자가에 못 박혔을 때도, 히틀러가 600만 명의 유대인을 죽였을 때도, 지구상에서 수만 명이 질병과 기아로 죽어가는 현재에도 침묵으로 일관하고 있다. 몰인정沒人情하다. '과연 하느님은 존재하는가'라는 의문을 제기하지 않을 수 없다.

답답한 심정을 아는지 일찍이 노자는 그 이유를 설파했다. 예수보다 500년 먼저 왔다 간 그는 친절하게도 해답을 써 놓았다. '천지불인天地不仁[39) - 하늘과 땅은 인자하지 않다'고 했다. 자연에

---

39) 천지불인(天地不仁) 이만물위추구(以萬物爲芻狗). 하늘과 땅은 어질지 않아 만물을 짚으로 만든 개(인형)처럼 여긴다는 뜻으로 만물을 하찮게 여긴다는 의미.

는 인간의 관점에서 말하는 사랑이 없다는 말이다.

노자보다 30년 후에 나타난 공자도 비슷한 말을 했다. 공자는 삼무사三無私라고 했다. 삼무사란 '하늘은 사사로이 덮어줌이 없고天無私覆, 땅은 사사로이 실어줌이 없으며地無私載, 해와 달은 사사로이 비춰줌日月無私照이 없다'는 뜻이다. 사사로움이 없다는 말은 어느 누구에게라도 차별과 편애가 없다는 말이다.

나는 천지=자연, 불인=무사를 뜻하므로, 천지불인이란 다름 아닌 자연무사自然無私로 이해한다. 결국 '자연은 사사로움이 없다' - 자연은 인간 개개인에 대해 차별이나 편애하지 않는다는 의미라고 여겨진다. 정곡을 찌르는 말이다.

세상에 태어난 생명은 반드시 죽어야 한다. 왕후장상도, 재벌집 아들도 마찬가지다. 자연이 특정인을 어여삐 여겨 태풍, 화산, 지진이 비켜 간 적이 있다는 말을 들어 보지 못했다. 자연 앞에 모든 인간은 평등하다. 죽으면서 아무것도 가져갈 수 없다. 자연의 섭리에 따른 도도한 흐름이 있을 뿐이다. 모든 생명은 그 흐름에 얹혀간다.

미국의 저널리스트 엠브로즈 비어스Ambrose Bierce는 '기도하다'라는 말은 '지극히 부당하게 한 명의 청원자를 위해서 우주의 법칙들을 무효화 하라고 요구하는 것'이라고 정의했다. 이는 신이 자기를 위해 주차 공간을 비워둘 것이라고 믿는 운전자들과 같아, 신이 기도를 들어주게 되면 다른 운전자는 그 공간을 뺏기는 불공평한 결과가 된다.

그런데 인간은 오해하고 있다. 자연 위에 군림하는 절대자로서 하느님을 상상하고, 그가 자연을 마음대로 주무를 수 있는 것처럼 여기고 있다. 그에게 기도를 열심히 하면 나를 어여삐 여겨 구제해 줄 것처럼 여긴다. 하지만 아무리 찾아보아도 고난과 고통을 구원해 줄 하느님은 보이지 않는다. 강, 바람, 구름 – 자연의 무심한 흐름만이 존재한다. 우리는 자연의 맥박에 따라 할딱이며 살아갈 뿐이다. 자연만이 우리의 유일한 의지처이고 보금자리다.

오늘날 인류가 지구상에서 자행하는 무분별한 환경파괴 행위는, 결국 인류의 파멸을 초래할 것이다. 인류가 탄소를 배출하고, 핵폭탄을 터트리는 행위는 자연의 순환 질서에 혼란을 불러오고 지구 종말을 재촉할 것이다.

우리가 삶을 살면서 겪는 고통과 고난을 덜기 위해, 신을 상정하고 기도하는 것도 일시적인 마음의 위안을 얻기 위한 임시방편은 되겠으나, 더욱 필요한 것은 자연의 섭리에 순응하며 살아가는 것이다. 인간은 자연에서 태어나 자연으로 되돌아간다. 불변의 진리다.

오늘은 크리스마스 - 하느님의 독생자, 예수의 탄생일이다. 그의 생몰生沒도 자연의 흐름에 비추어 보면 저 하늘에 떠 있는 한 점 구름의 부침에 지나지 않는다.

(2022.12.25.)

# 근본주의 종교

어젯밤 어머님 제사를 지냈다.

형님은 직업상선장 제사에 잘 참석하지 않지만, 가끔 참석하더라도 절은 하지 않는다. 목사가 우상을 섬기지 말라고 했단다. 나는 의아하다. 2,000년 전의 예수는 받들어 모시면서도, 자신을 낳아주신 부모님은 돌아가신 지 50년이 채 지나지 않았는데도, 우상이라며 절조차 거부하는 것이 이해되지 않는다.

형님은 50대 후반쯤 암에 걸려 수술을 받은 후 기독교에 귀의했다. 기독교인인 형수의 영향을 받은 듯하다. 그 뒤 형님은 내게 신앙 간증 책을 건네주기도 하고, 하느님을 믿고 죽으면 편안히 눈을 감을 수 있다며 믿으라고 권했다. 형님은 우리 식구들이 오랫동안 절에 다니는 사실을 알면서도 개의치 않았다. 불교는 종교로 여기지 않는 듯하다.

신학자 마커스 보그 교수는 소설 『Putting Away Childish Things 어린아이의 일을 버림』에서 근본주의 기독교인들의 태도를 비판했다. 그들은 자신들을 '구원받은 자Us'로, 하느님을 믿지 않거나 다른 종교를 믿는 사람들을 '구원받지 못한 자Them'로 구분한다.

그들은 Them의 의견은 무시하고 마치 전쟁하듯이 Them을 자신들 편으로 끌어들이려 한다. 자신들만이 종교의 모든 것을 다 알고 진리를 독점하고 있다는 듯이 Them의 말에는 귀를 기울이지 않는다. 그들은 사람들을 아군$_{Us}$과 적군$_{Them}$으로 나누고, 싸움에 승리해야 한다는 듯이 '공격적인 태도'로 포교를 한다. 이들은 Them의 의견은 들을 가치도 없다고 여긴다.

2020년도 코로나19가 한창 번지기 시작했을 때, 대구의 한 교회에서는 정부의 경고에도 불구하고 집단예배를 열어 5,000명이 넘는 감염자가 발생했다. 그들은 하느님이 자신들을 전염병으로부터 지켜준다는 확신을 가지고 정부의 방침은 못 들은 척했다. 생각해 보라. 하느님이 자신에게 기도하는 사람만 구원해 주고, 기도하지 않는 사람은 죽도록 내버려 둔다면 그런 존재를 신으로 받들 가치가 있겠는가. 우주를 창조했다는 '사랑'의 하느님이, 지구상 인구 80억 명 중에서 자기를 따르는 사람을 일일이 골라내고, 선별적으로 복을 안겨주는 '좀생이 짓'을 할 리가 있겠는가. 아인슈타인은 "나는 자기가 창조한 대상을 상주거나 벌주는 그런 신을 상상할 수 없다."고 했다.

사람들이 코로나19를 겪고 난 뒤 깨달은 것은, 이 세상 그 어떤 종교도 인간의 질병을 낫게 해줄 수는 없다는 엄연한 현실적 자각이었다.

이와 같은 기독교의 밀어붙이기식 포교방식의 밑바탕에는 성경을 문리적으로 해석하는 근본주의가 자리 잡고 있다. 우리는 통상적으로 '근본으로 돌아간다'라고 하면, 때 묻지 않은 순결한 상태로 회귀하는 것으로 여긴다. 하지만 종교 근본주의는 조금 다르다. 수천 년 전 쓰여진 성경의 문자적 자구해석으로 되돌아간다는 뜻이다. 성경을 문자 그대로 따르는 것만이 순결한 신앙인 양 여기는 성직자와 그들을 추종하는 무리가 문제다.

문리적 해석이 나쁘다고 할 수는 없지만, 성경은 그 옛날부터 구전해 내려오던 이야기를 문자화한 것이라 은유와 불분명한 표현, 그리고 오류가 섞여 있어 애매모호한 해석이 난무한다. 성경이 쓰여진 그 옛날과 현대문명의 갭을 무시하는 것이 문제다. 근본주의자들은 과학과 우주에 대한 인류 정신세계의 확장을 무시한다. 모든 면에서 그들보다 저만치 앞서가는 현대인들을 낮춰보고, 자기들이 믿는 옛 문자 편으로 끌어들이려고 안간힘을 쓴다.

왜 이러한 일이 일어날까.

'더닝-크루거 효과'라고 있다. 자신이 잘못된 결론을 내리고도 실수를 알아채지 못하는 것을 뜻한다. 그 원인은 지식의 부족, 잘못된 정보, 소속집단의 동조에 있다. 알베르 카뮈는 "인간은 자기 삶이 부조리하지 않다고 스스로 설득하면서 생을 보내는 동물이다."라고 했다. 이를 심리학에서는 '인지부조화'라고 한다. 근본주의자들은 잘못을 알아채더라도 그것을 인정하려 하지 않는다. 잘못을 인정하는 순간 인생이 허물어지는 나락에 빠질까 두려워하기 때문이다. 자기가 지지하는 집단이 잘못 선택했을 리 없다는 동류의식을 가지고 물 위의 기름처럼 뭉친다.

인류의 역사와 마찬가지로 종교도 생멸生滅을 거듭하고 있다. 원시 토테미즘totemism에서 출발하여 수많은 신과 종교가 부침을 거듭해 왔다. 지금도 수많은 다신교, 일신교가 존재한다. 그런데 사람들은 자기가 경험한 특정 종교만이 지구상의 유일한 진리인 양 여기고, 지구의 종말이 오더라도 끝까지 놓지 않겠다는 각오로 매달린다. 다른 종교와는 목숨을 건 전쟁을 불사한다.

찰스 킴볼은 그의 저서 『종교가 사악해질 때When religion becomes evil』에서 사람을 구원해야 할 종교가 사악한 괴물로 변신하는 다섯 가지 징후를 들었다.

첫째, 자기들의 종교만 절대적인 종교라고 주장할 때, 둘째, 맹목적인 순종을 강요할 때, 셋째, '이상적인 시간'을 정해놓을 때, 넷째, 목적이 수단을 정당화한다고 주장할 때, 다섯째, 신의 이름으로 성전을 선포할 때를 들었다.

중세 기독교 성직자들이 역사상 저지른 많은 오점에 대한 반작용으로 성경 근본주의가 나타난 측면도 있다. 그렇다 하더라도 옛 문자에 매달려 현실에 맞지 않는 교리를 고집하는 것은, 마치 초등학생이 대학생을 가르치려는 것과 같다. 대부분 이러한 맹신도들은 지식의 폭이 좁다. 그들이 가진 경전 외에는 모르고 다른 지식에는 귀를 닫는다. 그들이 수천 년간 그토록 찾아 헤맨 천당과 지옥은 아직도 발견되지 않았다. 그곳을 네비게이션에 표시하지도 못하고 있다. 왜냐하면 하느님은 그 어느 곳에도 거주하고 있지 않기 때문이다.

누군가 하느님은 수줍어해 인간의 가슴에 숨어있다고도 한다. 가슴에 손을 얹고 가만히 심장의 박동을 들어 보자. 하느님을 조우遭遇할 지도 모른다.

현대는 과학의 발달로 자연의 진리가 하나둘 드러나, 종교도 변신을 요구받고 있다.

(2023.2.20.)

# 기독교, 깨달음의 종교

기독교를 '깨달음의 종교'라고 한다면 고개를 갸웃할 것이다.

신을 믿지 않는 불교는 스스로 부처가 되는 종교, 즉 깨달음에 이르는 것을 목표로 발달하고 전승되었다. 그런데 기독교는 하느님을 유일신으로 받들고 오직 믿음만을 추구하며 전승되어 온 탓이다.

종교가 태동되어 오랜 세월이 지나면, 나뭇가지와 같이 곁가지가 생긴다. 불교는 부처님 말씀인 경전을 통해 '믿음'을 추구하는 교종教宗과 명상을 통해 곧바로 '깨달음'에 이르는 선종善宗이라는 두 갈래로 성장했다.

이에 반해 기독교는 하느님에 대한 '믿음의 종교'로 인식됐다. 그런데 1945년 11월 이집트의 한 농부가 나일강 하류 나그함마디라는 지역에서 밭을 일구다가 땅속에서 토기 항아리를 발견했다. 거기에서 파피루스에 쓰인 복음서가 나왔다. 예수와 그의 제자 도마의 대화집이었다. 이 복음서의 운명은 기구했다. 로마 콘스탄티누스 황제가 기독교를 공인하고 교리를 통일할 것을 선포하자, 325년 종교지도자들이 회의를 했다. 회의에서 기독교 문헌 27종을 제외한 나머지 경전은 모두 이단으로 몰며, 파기하라는 명령을 내렸다. 그로 인해, 이 복음서는 파기를 모면하기 위해 논바닥 항아리에 묻혀야 했다.

이 복음서가 이단으로 몰린 이유는 그 내용에 있었다. 도마복음에는 예수의 탄생, 기적, 부활, 대속과 같은 이야기는 한 마디도 없었고, 오직 신, '깨달음'에 다가가는 방법에 관한 내용만 있었다. 기존의 다른 정경正經에서는 볼 수 없는 내용이었다. 기독교 경전 중 유일하게 '깨달음'에 이르는 내용을 담은 경전이었다.

기독교가 도마복음을 이단으로 취급하지 않고 그대로 두었더라면, 오늘날 불교의 선종과 같이 '깨달음'의 종교로도 가지를 뻗어나갈 수 있었을 것이다.

기독교가 나뭇가지를 전지하듯, '깨달음'의 곁가지를 삭둑 자름으로써 '깨달음'의 종교가 되지 못하고, '믿음'의 종교로만 머물게 되었다.

불교에서는 하근기下根機 중생을 위해 나무아미타불만 외워도 성불한다는 쉬운 길易行道이 있는 반면, 상근기上根機 중생을 위한 명상이라는 어려운 길難行道도 있다. 불교는 아미타불에 대한 '믿음'을 외치는 불자들과 '깨달음'을 추구하는 불자들이 공존한다. 믿음을 따르는 재가신도들이 깨달음을 추구하는 선승들을 존경한다.

이에 반해, 기독교에서는 도마와 같이 하늘나라를 엿보려는 상근기 신도들을 이단시하고 신앙의 싹을 애초에 잘라버렸다. 그래서 공관복음만 믿는 '믿음'의 종교로만 남아 있다. 그 결과

21세기가 되어도 '깨달음'의 종교로는 발전하지 못하고 있다. 이러한 배경에는 초대 교부 이레네우스 같은 문자주의자들이 예수처럼 자유의 사람이 되라는 도마복음식 '깨달음'의 길을 배척하고, 예수를 믿고 그 은혜로 영생을 얻으라는 요한복음식 '믿음'의 길을 선택했기 때문이다.

현대는 사정이 달라졌다. 사람들이 최고의 교육을 받고, 모바일과 인터넷을 기반으로 한 정보화 시대에 살고 있다. '믿음'의 기독교인들이 '깨달음'에 눈을 돌리고 있다.

도마는 예수의 쌍둥이라는 말이 있다. 도마가 예수의 생물학적 형제인지는 모르겠으나, 예수와 같은 수준의 영적 깨달음의 경지에 이른 존재로 여겨진다. 그래서 예수는 도마에게 비밀리에 그의 영적 도달의 수준을 테스트한 후 은밀하게 비밀을 전한 것으로 알려져 있다.

예수가 말했다.

"나는 여러분들을 택하려는데 천 명 중에서 한 명, 만 명 중에서 두 명입니다. 그들은 홀로 설 것입니다." 당시에도 깨달음에 도달한 제자는 희귀했던 것 같다.

도마복음의 가르침이 선불교와 많이 닮아있다. 기존 기독교 전통에서 찾아보기 어려운 가르침이다. 기독교가 깨달음의 종교로도 뻗어나가길 기대해 본다.

(2023.3.1.)

## 예루살렘

예루살렘은 '평화의 근원'이라는 뜻이다.

현재의 예루살렘을 평화의 도시라고 말할 수 있을까. '예루살렘'이라는 이름에 따라다니는 키워드는 전쟁, 충돌, 테러, 충격 등이다. 유엔은 아직도 이 도시를 국제법상 이스라엘 영토로 인정하지 않고 분쟁지역으로 관리하고 있다.

역사적으로 볼 때, 예루살렘은 유대교가 1,000년, 기독교가 400년, 이슬람교가 1,300년 정도 각각 지배했다. 그래서 세 종교 모두가 이곳을 성지로 여기고 있다.

그곳에는 지구상의 종교 중 세력이 가장 큰 기독교25억명와 이슬람교20억명의 성지가 있어 연중 방문객과 순례자로 붐비는데, 유네스코는 이곳을 '위험에 처한 세계문화유산'으로 등재하고 있다.

분쟁의 핵심지역은 동예루살렘의 구舊시가지로서, 그 면적은 0.9㎢에 불과하다. 좁은 지역도 다시 4개 구역 - 유대인, 이슬람, 기독교, 아르메니아로 나누어진다.

이슬람인 구역은 북동쪽의 가장 넓고 인구가 많은 곳이다. 이슬람 구역인데도 성 안나 교회, 시온의 자매 수녀원 등 기독교 시설이 있다. 인근에는 이슬람교 성전이 있다.

아브드 알 말리크가 지은 '바위의 돔'은 무함마드가 대천사 가브리엘과 함께 승천했다고 전해지는 바위를 에워싼 신전이다. 또한 이곳은 아브라함이 아들 이삭을 하느님께 제물로 바친 장소라는 점에서 유대교에서도 신성시하고 있는 장소이다. 게다가 '솔로몬의 궁터'이기도 하며, 구약 성경에 등장하는 '언약의 궤'가 놓였던 곳이기도 하다. '엘악사 사원'은 비잔틴 시대의 교회를 모스크로 개조한 사원으로, 이슬람 3대 성지 중 하나다. 코란에 '아득한 모스크'로 묘사되어 있으며 지붕이 '은색 돔'으로 되어있다.

기독교인 구역은 북서쪽에 있다. 예수가 십자가에 못 박힌 뒤 그 시신이 묻혔던 장소로, 기독교 성지 중 하나가 된 '거룩한 무덤 성당'과 '골고타 언덕'이 이곳에 있다.

아르메니아인 구역은 남서쪽에 있다. 아르메니아가 세계 최초로 기독교를 공인하고 나서 아르메니아 수도자들이 예루살렘에 정착해 형성한 디아스포라[40]를 기원으로 한다. 오래전부터 터를 잡고 살아 기독교인임에도 그들만의 구역을 별도로 인정해 주었다.

유대인 구역은 남동쪽에 있다. '통곡의 벽'은 유대인의 성지로 이 벽을 향해 나라를 잃은 아픔과 슬픔을 토로했다.

인간은 전쟁, 질병, 기근, 죽음, 재해에 나약하다.

이러한 두려움과 고통에서 벗어나고 마음의 평온을 얻기 위

40) 팔레스타인을 떠나 세계 각지에 흩어져 살면서 유대교의 규범과 생활 관습을 유지하는 유대인을 지칭.

해 신을 믿기 시작했다. 원시사회는 부족 별로 여러 신을 믿는 다신교였다. 그러다가 기원전 1700년경, 불을 믿는 조로아스터교라는 일신교가 처음으로 나타났다. 그 후 기원전 1000년경 하느님을 섬기는 유대교가 생겨났다.

그 뒤 예수의 탄생으로 1세기경 기독교가 유럽으로 전파되었다. 또다시 600년이 흐른 7세기경 무함마드에 의해 이슬람교가 탄생하게 된다. 흥미로운 점은 두 후발 종교가 새롭게 생겨난 것이 아니라, 하느님을 믿는 유대교에 뿌리를 두고 뻗어 나온 - 분파 종교라는 사실이다. 창세기에 등장하는 아담의 9대손이 노아이고, 노아의 10대손이 아브라함이다.

세 종교 모두 아브라함의 자손들이 만든 종교라 하여 '아브라함 계통의 종교'라고 한다. 성경과 코란에서도 아브라함을 그들의 선조로 인정한다.

같은 뿌리의 세 종교는 공통점이 많다.

첫째, 모두 같은 유일신을 받든다. 여호와, 하느님, 알라를 모신다. 약간의 이론이 있지만, 실질은 같은 신God을 달리 표현한다.

둘째, 구세주를 믿는 종말론적 세계관이다. 신에게 순종해야 하며 언젠가 있을 신이 최후의 심판자로 인류역사에 개입할 것이라고 한다. 그를 따른 자는 구원받아 부활하여 영원히 함께 산다고 믿는다.

셋째, 경전을 가지고 있다. 유대교는 구약과 탈무드, 기독교는 구약과 신약, 이슬람교는 코란을 각각 경전으로 삼는다. 이슬람교는 무함마드만이 알라의 계시를 받았다고 주장한다. 이슬람교인들은 성경이 오랜 세월을 거치는 동안 후세 사람들에 의해 여러 번 고쳐 써져 하느님의 말씀으로는 인정하기 어렵다고 하면서, 코란이 최신판 하느님 말씀이라 한다.

넷째, 모두 정직성을 강조하고, 성性문제에 대해 보수적 입장을 취한다.

다섯째, 종교가 태어난 지역이 척박한 사막이라 투쟁적이다. 특히, 이슬람교는 이교도나 이단을 가혹하게 대하며, 이른바 성전Jihad을 불사한다.

세 종교의 태동시기가 서로 달라 다른 점도 있다.

일반적으로 후에 등장한 종교는 기성종교의 내용을 포용하려고 노력하는 경향이 있다. 후발 종교가 새로운 사회상을 반영하여, 새로운 말을 기존 것에 덧붙이는 방식이기 때문이다. 그래서 기독교는 구약의 하느님 말씀을 인정하고, 구약의 유대교 예언자들과 위대한 인물들 - 모세, 여호수아, 다윗, 솔로몬 - 을 인정하고 공경한다. 이슬람교도 구약의 영웅들과 예수를 신으로서가 아니라, 예언자로서 받아들인다.

반대로 이전에 등장한 기성종교는 이후에 등장한 신흥종교의 주장을 인정하지 않는다. 유대교는 할례를 하지 않고 세례를 하는 기독교를 이단시 하며. 예수와 무함마드도 엇나간 예언자 정도로 여길 뿐이다. 기독교도 무함마드를 인정하지 않는다.

기독교에서는 원죄를 인정하지만, 유대교와 이슬람교는 원죄 개념이 없다,

이슬람교는 코란 근본주의에 얽매여 여성들의 신체노출을 부도덕 시하고 사회활동을 반대하며, 오늘날 세계화 흐름에 맞지 않은 경제제도은행이자 금지를 갖고 있다.

문제는 이들 세 종교가 역사적으로 한 치의 양보도 없이 서로 다툼을 마다하지 않는 데 있다. 같은 하느님을 받들면서도 살상과 전쟁을 멈추지 않고 있다. 예루살렘을 둘러싸고 기독교와 이슬람교 간의 십자군 전쟁뿐 아니라, 이스라엘과 팔레스타인의 전쟁, 9.11, 알카에다, IS 등 테러의 역사는 그칠 줄 모르고 있다.

비교종교학자 오강남은 아브라함 계통의 신흥종파인 '바하이교'를 주목하고 있다. 바하이교가 미래 인류가 지향해야 할 종교의 방향이라고 말한다.

1863년, 페르시아인 미르자 알리 호세인이 기존의 가르침을 정비하여 바하이교를 창시했다. 그는 자신을 성숙기에 접어든 인류를 위한 하느님의 마지막 현시자 - '바하올라'[41]라고, 주장했다.

모든 종교의 근원은 유일신 하느님이고, 종교도 여럿이 아니라 본바탕은 하나라고 한다.

그는 모든 종교는 통합되어야 한다고 주장한다. 인류의 단일성, 융합, 양성평등, 종교와 과학의 조화, 빈부 격차의 철폐, 세계 보조언어의 채택을 주장한다.

기존의 선지자들 - 아브라함, 모세, 크리슈나, 예수, 무함마드, 바람 - 을 현시자로서 공경한다. 조로아스터, 석가모니도 현시자에 포함하는 등 기성종교에 대한 포용성이 눈에 띈다. 현재 전 세계에 700만 명의 신도가 있다.

종교가 인간의 평화를 위해 헌신해야 함에도, 인간이 간구懇求하는 평화를 안겨주지는 못하고, 오히려 전쟁과 불안을 안겨주고 있

41) '하느님의 영광'이라는 뜻

는 것이 오늘날 '아브라함 계통 종교'의 모습이다.

그 이유가 무엇일까.

인간은 태생적으로 이기적인 존재이기 때문이다.

나와 남을 구별 짓고, 남을 무시하고, 남보다 앞서려고 한다. 이와 같은 이기적인 태도가 분쟁과 불협화음의 씨앗이라고 할 수가 있다. 나, 내 민족, 내 국가, 그리고 내 종교가 우월하다고 여기는 사고思考 하에서는 분쟁을 끊을 수 없다.

같은 신을 받드는 세 종교가 한 치의 양보도 없이 대립하고 있는 예루살렘의 현재 모습을 보면, 하느님이 '다중인격'일지도 모른다는 의구심이 든다.

인류의 평온함에 헌신하는 종교가 무엇보다 절실하다.

지구상의 모든 종교가 서로를 포용하고 존중하여, 함께 신의 품에 안기는 일이 이 시대 진정한 종교가 가야 할 이정표里程標가 아닐까.

평화 없는 평화의 도시 - 예루살렘에 평화의 종소리가 울려 퍼지는 날은 언제 올까.

(2023.3.19.)

## 신의 대리인

세계에서 가장 작은 국가가 어디일까.

바티칸 시국市國이다. 로마에 위치한 면적 0.44㎢, 인구 1,400명의 초미니 나라다. 선거 군주제의 절대 신권국가다. 유엔에 가입 되어있는 국제법상 국가로서 다른 국가와 외교사절도 교환하고, 자체 여권과 우표도 발행한다. 최고 권력자는 교황이다. 비록 작은 나라지만 교황의 영향력은 무시할 수 없다. 전 세계 13억 명에 이르는 가톨릭 교인들의 정신적 지주이기 때문이다. 신도의 48%는 아메리카, 16%는 유럽에 분포되어 있다.

가톨릭은 중앙집권적 교회체계를 가지고 있다. 교황은 성직자의 최고지도자로서 주교나 추기경 등 사제를 임명하고, 교리에 대한 최종 해석을 내놓아 신도들에게 큰 영향력을 끼친다.

기독교는 대부분 교회에 성직자를 두고 있다.

가톨릭은 신부와 수녀, 개신교는 목사가 있다. 같은 하느님을 받드는 아브라함 계통 종교 중 유대교와 이슬람교도 성직자는 아니나 비슷한 역할을 하는 랍비와 이맘이란 종교 지도자를 각각 두고 있다.

성직자는 하느님과 인간을 중개하는 중개자 역할을 자임自任

하는 사람이다. 하느님의 말씀을 신도들에게 전달하고, 신도들의 고통을 하느님에게 기도해 준다. 하느님의 대리인으로서의 역할을 한다. 그런데, 성직자들은 하느님으로부터 대리인으로 정식 임명받은 적이 없다. 스스로 대리인이라고 자처한다. 마치 목장주하느님가 없는 목장에서 목동성직자이 스스로 목장주의 대리인이라 주장하고, 양떼신도들을 몰아가는 모습과 비슷하다.

깨달음의 종교인 불교에도 승려가 있다. 승려도 교단을 만들어 일반 재가신도들의 안내자 역할을 하고 있다. 기독교의 성직자들과는 다른 형태지만, 신도들의 신앙생활에 직·간접적으로 영향을 미친다. 티베트 불교의 최고지도자 달라이라마도 티베트 망명정부의 수반을 겸하면서, 영적 삶을 추구하는 전 세계 사람들에게 영향을 미치고 있다.

신과 인간 혹은 종교와 신도 사이를 매개하는 성직자는 신앙생활에 어떤 의미가 있을까. 신앙을 처음 접하는 사람들에게 길 안내자가 되어주며, 신도들이 쉽게 종교시스템에 접근하도록 도와준다.

반면, 성직자들이 사람들의 신앙생활에 끼치는 부작용도 적지 않다. 우선 영성을 깨우치는 과정에서, 신과 신도 사이를 가로막는다. 하느님과 직접 소통하는데 장벽이 될 우려가 있다. 기존의 교리나 규범에 얽매인 신앙의 틀을 고집함으로써 영적 성장을 방해한다.

그런데 더 큰 문제는 성직자 집단이 스스로 계층구조를 형성하고 교회를 관료조직화 함으로써, 신앙공동체가 국가나 사회조직과 같은 세속 집단과 별반 다르지 않다는 사실이다.

중세 암흑기에는 기독교가 절대 권력화되어 종교재판과 마녀

사냥을 서슴지 않았다.

현재도 가톨릭 성직자들은 바티칸을 중심으로, 전 세계 13억 명 신자들의 신앙생활을 규율하고 있다. 교황은 어디를 가나 국가원수의 의전을 제공받고 있다. 국경을 초월한 사제임명 권한을 행사함으로써 다른 국가와 외교적 마찰도 일으킨다. 최근 중국이 교구에 교황청이 인정하지 않는 주교를 임명한 것과 관련해, 교황청이 협정위반이라며 외교적 마찰을 일으키기도 했다.

뿐만 아니라, 종종 성직자들의 일탈행태가 종교의 이미지에 부정적 영향을 미치기도 한다.

첫째, 성직자들이 신도들의 재산을 탐한다. 교회재산이 중앙집권화된 가톨릭보다 개별 목회활동을 하는 개신교 교회에서 주로 일어난다. 목사가 치부하고, 그의 자식이 호의호식하거나 교회를 상속받는 일도 비일비재하다. 일부 절의 승려들도 자신의 이익이나 주지 자리를 두고 이전투구를 마다하지 않는다.

둘째, 천국을 안내한다며 여신도들을 농락하여 감옥에 가는 목회자들도 종종 있다.

셋째, 성직자들이 특정 정치세력과 손잡는 일도 더러 있다. 선거 직후 당선자들이 종교지도자를 예방하는 일이 관행처럼 되고 있다.

오쇼 라즈니쉬는 이 시대에 예수가 재림한다면, 예수 생존 당시에도 그랬지만, 제일 앞장서서 부인할 사람들이 성직자들이라고 꼬집었다. 그들의 기득권을 빼앗길까 우려하기 때문이다.

성직자들이 우리의 신앙생활에 꼭 필요한 신의 대리인일까.

종교계에서는 이전부터 하느님과 신도 사이에 제3자 또는 중간자로서의 성직자가 개입하는 형태의 신앙을 벗어나려는 움직임이 있었다.

개신교는 '여호와의 증인', '예수 그리스도 후기 성도 교회'가 성직자를 인정하지 않고 있다. 불교도 일본의 '창가학회'는 승려가 없다.

이처럼 일부 교파에서는 성직자를 불필요한 제3자로 여기고 있다.

신앙생활의 최종목표는 신의 대리인이 아니라 신이다. 신의 품에 안겨 신과 한 몸이 되고, 깨달음을 얻는 것이 궁극의 목표가 아닌가.

최근 서구사회를 중심으로 신과 곧바로 교감하거나, 영성을 깨우치는 것을 목표로 정진하는 신비주의가 주목받고 있어 눈길을 끈다.

(2023.3.25.)

# 종교에 의한 테러

영화 『호텔 뭄바이』에 소개된 실화다.

2008년 11월 26일부터 29일 사이, 10명의 테러리스트가 인도 뭄바이의 호텔, 레스토랑, 기차역, 상가 등에 수류탄과 총을 무차별 난사하여, 195명의 사망자와 350명의 부상자가 발생했다. 테러리스트 중 1명이 체포되고, 나머지는 모두 사살되었다.

파키스탄 정보국의 지원을 받은 이 테러조직은 조직의 목표를 남아시아 지역에 이슬람 국가를 건설하고, 인도가 통치하는 카슈미르 지역에 거주하는 이슬람교도를 해방하는 데 두고 있었다.

지구상에는 약 20억 명의 이슬람교도가 있다. 기독교도 다음으로 많다. 그런데 이슬람 하면 떠오르는 단어가 테러다. 세계 곳곳에서 테러를 자행해 왔다. 1972년 뮌헨 올림픽 선수촌 습격사건, 2001년 9.11. 미국 세계무역센터 테러사건, 2015년 이래 빈번하게 발생한 유럽 연쇄 테러를 들 수 있다. 그 배후에는 '검은 구월단', 알카에다, IS와 같은 테러단체의 이름이 떠오른다. 왜 특정 종교 관련 테러가 그치질 않을까. 그들이 믿는 종교는 남을 죽이고 불안에 떨게 하는 것을 즐기기라도 하는 것일까.

이슬람은 '복종'이라는 의미가 있다.

누구에 대한 복종인가. 바로 알라God, 하느님에 대한 복종이다. 하느님은 자신의 뜻을 명시적으로 밝힌 적이 없다. 무함마드가 천사 가브리엘을 통해 하느님의 계시를 받았다고 주장했다. 그것도 610년경부터 무려 22년간이었다. 받은 계시는 무함마드 사후 암송되어 오다가, 650년대 초 제3대 칼리파 우스만 시대에 '코란'으로 집대성되었다.

무슬림들은 코란이 성경이나 신약의 복음보다 최신판 하느님의 말씀이기 때문에 가장 신뢰할 수 있다고 한다. 구약이나 신약, 탈무드 등은 너무 오래된 하느님 말씀으로 왜곡되어 믿을 수 없다고 주장한다.

문제는 현재 시점에서 볼 때, 코란도 쓰여진 지 이미 1,400년이 지났는데도, 아직도 경전을 문자 그대로 해석하려는 사람들이 있다는 데 있다. 이들을 '이슬람 근본주의자'라고 한다.

코란은 육신오행六信五行이라 하여 이슬람교도가 믿고 지켜야 할 사항을 규정하고 있다. 육신六信은 알라, 천사, 계전, 예언자, 내세, 천명을 뜻하고, 오행五行은 신앙고백, 예배, 희사, 단식, 순례를 말한다. 하느님이 전쟁, 정치, 경제, 가족, 음식, 도박, 음주금지 등 세속적인 사항까지 지시했다고 한다.

그러나 나는 하느님이 22년간 특정인에게, 그것도 직접 말하지도 않고 제3자하느님→천사 가브리엘→무함마드를 통해 계시를 내렸다는 것이 믿어지지 않지만, 광활한 우주를 다스리느라 바쁘실 하느님이 인간사의 세세한 일까지 일일이 간섭한다는 주장은 상상이 되지 않는다. 나는 이 계시들이 무함마드의 머릿속에서 나왔거나, 후세의 사람들이 덧붙인 것으로밖에는 여겨지지 않는다.

더구나 이슬람교도들은 하느님의 말씀을 우선으로 여겨, 세속 법률도 코란의 권위를 넘어설 수 없다고 말한다. 그래서 종교법 - '샤리아'가 세속법에 우선한다. 정치나 권력도 종교법을 넘어설 수가 없다. 종교지도자가 국가의 실질적인 지도자다.

샤리아 법체계는 경전인 '코란', 행동규범인 '순나', 예언자 무함마드의 언행록인 '하디스'로 구성된다. 이슬람 근본주의자들은 사적영역과 공적영역을 구분하지 않고 샤리아를 우선으로 적용해야 한다고 주장한다.

무엇이 이슬람 근본주의자들로 하여금 세계를 상대로 무차별 테러를 감행하도록 할까. 이들이 테러를 저지르는 본질적 위험요인은 유일신 교리타우히드와 지하드聖戰에 있다.

그들은 '알라 이외의 다른 신은 없다'고 단언한다. 지구상에 이슬람 세계를 구축하는 것을 제일 목표로 삼는다. 이슬람을 방해하는 자와의 전쟁을 지하드라 하며 찬양한다. 현세보다는 내세를 영주永住할 곳이라고 믿는다. 현세의 삶과 향락은 오락에 불과하고, 내세의 집이 더 좋으며 그것이 곧 생명이라고 말한다. 알라를 위해 전쟁을 하다가 죽으면 천국에 들어갈 것이라고 전사들에게 주입한다.

그들이 '적들은 삶을 위해 전쟁을 하지만, 이슬람교도는 죽음을 위해 전쟁을 한다'고 주장하는 배경도 이러한 내세관에 따른 것이다.

이슬람 근본주의가 투쟁 일변도로 흐르는 또 다른 이유는 바로 죽음을 불사하는 비타협적 태도에 있다. 다른 신앙을 존중하지 않기 때문에, 공존을 인정하지 않고 투쟁으로 일관한다. '가미카제 특공대'와 같이 자살 폭탄테러를 서슴지 않는다.

한편, 놀라운 사실은 테러리스트가 모두 근본주의 신봉자는 아니라는 점이다. 이는 「뭄바이 테러사건」에서 생포된 1명의 심문과정에서 밝혀졌다. 그는 극빈 가정의 젊은이였는데 돈을 많이 준다는 선동에 빠져 테러리스트가 되었다고 했다. 그는 자기의 희생으로 가족이 편히 살 수 있다는 희망에 죽음을 불사했다고 했다. 근본주의 종교지도자들이 극빈층 젊은이의 궁핍한 사정을 악용해 계획한 테러였다.

이들은 점령지의 백성들을 두 부류로 나눈다.

아브라함 계통의 두 종교 - 유대교와 기독교를 믿는 백성들에게는 비교적 관대하게 대한다. 같은 하느님을 믿어 왔다 하여 이슬람으로의 개종이 허용된다. 하지만 다른 비이슬람교인은 개종이 허용되지 않고 무조건 이슬람교를 믿어야 한다.

점령지 주민들에게 세 가지 선택지를 준다.

첫째, 이슬람으로 개종한 사람은 보통시민으로 받아준다.

둘째, 개종하지 않아도 인두세를 낸 사람은 보호해 준다.

셋째, 개종도 하지 않고 인두세조차 내지 않은 자는 칼로 베어 죽인다.

그러면 이들에겐 세계의 다른 진영과의 평화공존 가능성은 있는가. 오늘날 세계는 민주, 공산, 그리고 이슬람 진영으로 삼등분 되어있다. 온건 이슬람 국가들은 평화공존을 받아들이고 있지만, 근본주의자들은 그렇지 못하다.

이들은 샤리아 법체계가 우월하다고 믿기 때문에, 민주주의 국가의 법체계를 인정하지 않는다. 예를 들면, 대부분의 민주국가에서 인정하는 은행 예금이자를 금지한다. 그러니 국제경제규범에 어울리기 어렵다.

그렇다고 공산주의 국가체제를 받아들일 것이라는 기대를 할 수도 없다. 사우디아라비아, 이란, 시리아 등을 위시한 이슬람 국가들은 아직도 왕정을 유지하거나 종교지도자들이 신정정치를 하므로, 그들이 기득권을 내려놓기를 기대하기란 불가능에 가깝다.

이들은 지구상의 모든 국가의 주권은 알라에게 귀속되어야 하며, 인간이 주권을 가지는 것은 타우히드알라이외의 신은 없다에 어긋난다고 생각한다. 그래서 지구상 모든 국가의 국민을 알라의 지배하에 두려면 지하드는 불가피하다는 주장이다.

대부분 이슬람교도가 평화를 사랑한다고 주장한다.

그러나 이슬람 근본주의자들의 과격한 행동은 온건주의자들의 주장을 무색하게 만들고 있다.

다른 한편, 오늘날 이슬람 근본주의 종교가 최근 서구 민주주의 사회에서 인정하는 '종교의 자유'를 역이용하여 민주사회에 침투하고 있다. 일단 종교의 자유를 이용해서 한 국가에 교회를 세우고 세력을 형성한 후, 이슬람의 근본가치를 내세우며 그 국가의 통치체제를 부정하고 사회를 전복하려고 기도하기도 한다. 프랑스, 영국 등에서 일어나는 이슬람교도의 잇단 테러가 그 예이다. 최근 우리나라에 이슬람 교회를 건립하려는 계획에 대해 지역주민들이 반대하는 이유를 되새겨볼 필요가 있다.

이에 대해 리처드 도킨스는 『만들어진 신』에서 '이슬람은 평화다'라는 주문은 1,400년이나 된 것으로 이 말은 이슬람뿐 아니라 기독교에도 적용된다고 한다. 진정으로 해로운 것은 신앙자체가 아니라, 논증을 거치지 않고 의문도 품지 못하게 하면서 마치 '공리公理'로써 교리를 받아들이라고 하는 종교의 태도가 문제라고 했다. 이러한 행위가 아이들을 미래의 십자군이나 지하드 전사로 만든다고 역설했다. 그는 종교에 있어서 온건한 종교적 가르침은 비록 그 자체로는 극단적이지 않아도 극단주의로 흐르는 공개 초청장이 된다고 주장했다.

테러를 신성시하고 테러리스트에게 죽음을 하찮게 여기도록 부추기는 극단적인 종교와 우리는 동시대를 살고 있다. 과연 이슬람 근본주의 종교가 인간을 구원할 수 있을까. 종교가 인간을 지배했던 원시 신정사회나 중세 암흑기로 되돌아간 느낌이다.

샘 해리스는 『종교의 종말』에서 말했다.

"종교 신앙의 위험은, 그것이 없었다면 정상적일 사람들을 광기로 내몰고, 광기를 신성시하게 만든다는 것이다. 새로운 세대의 아이들이 종교적 주장들은 다른 모든 주장이 거쳐야 하는 정당화 과정이 필요하지 않는다고 배우기 때문에, 문명은 여전히 얼토당토않은 무리로부터 시달리고 있다. 지금도 우리는 고대 문헌 때문에 자살하고 있다. 그토록 비극적으로 불합리한 일이 가능하리라고 누가 과연 생각했겠는가?"

나는 종교가 인간을 피폐하게 만드는 데 대해 근본적인 회의가 든다. 인간에게 자유와 평온을 안겨주는 데 공헌해야 할 종교가 인간을 옥죄고 지배하는 모습을 보여주고 있다. 인간이 만들어 낸 신과 그 신이 말했다고 믿는 경전에 얽매어, 인간의 목숨을 하찮게 여기는 태도는 그 어떠한 이유로도 허용되어선 안 된다.

나는 종교도 역사와 시대환경에 따라 진화한다고 믿는다.

인간의 목숨을 하찮게 여기는 종교는 이미 종교로서의 본질을 잃었다. 신을 빙자하여 만들어 낸 사악한 지배도구에 지나지 않는다.

인간이 모든 종교의 중심이어야 한다. 인간을 떠난 종교는 경계할 필요가 있다.

(2023.3.24.)

## 지구별 기이한 이야기

1988년 10월 23일 파리의 〈생 미셸극장〉에 폭탄테러가 발생했다.

폭발로 인한 화재로 영화관은 잿더미가 되었고 13명의 사람이 화상을 입었다. 테러범은 극장에서 상영하는 영화 『그리스도 최후의 유혹』의 개봉을 반대하는 극단주의 기독교인들이었다. 미국에 소재한 영화제작사 앞에서도 수천 명의 교인들이 피켓시위를 벌였다. 살해위협에 시달리던 영화감독은 경호원을 고용해야 했다.

이 영화는 그리스 작가 니토스 카잔차키스의 동명소설을 원작으로 한 것이다. 1953년 그 소설이 발표되자마자 그리스 정교회는 그를 이단으로 몰았고, 교황청은 그의 소설을 금서禁書로 지정했다. 그는 4년 후 여행 중 맞은 예방접종의 쇼크로 74세의 나이에 사망했다. 영화는 소설 출간 후 35년이 지난 뒤 만들어진 것이다.

그 무엇이 기독교인들을 분노케 했을까. 그들은 예수의 신성을 모독했다고 주장한다.

이스라엘 나사렛의 한 젊은이가 영적인 방황을 겪다가 사막으로 간다. 거기서 그는 하느님으로부터 계시를 받고 자신이 메시아가 될 운명임을 깨닫는다. 마을로 돌아온 그는 제자들을 하나둘 모으고, 포교를 하다가 십자가에 매달린다. 여기까지는 기존에 알려진 예수의 행적에서 크게 벗어나지 않는다. 다만, 사막으로 가기 전 예수의 직업을 로마군에 십자가를 납품하는 목수로 묘사한 점이 눈에 띈다. 인간의 고통을 대신 짊어져야 할 젊은 예수가 인간에게 고통을 안겨주는 형벌도구를 만들어 돈을 벌었다는 설정이다.

작가의 상상력은 작품 마지막 부분에서 예수가 십자가에 매달리고 부활하는 과정에 본격적으로 드러난다.

첫째는 예수가 십자가에 매달리는 과정이 예수와 유다의 사전계획에 따른 것이라는 설정이다. 예수는 사람들이 자신의 말을 믿지 않고 기적만 바라는데 한탄하며, 사람들에 대한 충격요법으로 십자가에 매달려 순교하는 시나리오를 짠다. 그래서 그의 12제자 중 가장 강인한 성격의 유다를 꼬드겨 로마군에 밀고하도록 한다. 사람들이 배신자로 알고 있는 유다를 강직하고 착한 제자로 둔갑시킨 것이다.

둘째는 그가 십자가에 매달리고 난 뒤 수호천사의 도움으로 형벌에서 벗어나, 창녀였던 막달라 마리아와 결혼을 하여 평범한 삶을 살았다는 설정이다. 그러나 결혼 후 곧 막달라가 죽어버리자, 수호천사는 예수를 그가 과거 무덤에서 꺼내 준 적이 있는 라자로 집으로 데려간다. 그 집에서 라자로의 두 여동생 마리아동명이인와 마르타를 아내로 맞아 가정을 꾸린다. 두 자매는 아이 낳기 경쟁을 벌여, 예수는 많은 아들딸을 두고 보통사람의 삶을 살게 된다. 예수를 평범한 인간으로 전락시켰다.

셋째는 예수가 사도 바울로와 벌인 부활논쟁이다.

예수는 자신은 죽은 적도 부활한 적도 없는데 바울로가 자신이 부활했다고 소문을 내고 다닌다고 힐난한다. 이에 당황한 바울로는 항변한다.

"세상의 부패와 불의와 가난 속에서 십자가에 못 박혔다가 부활한 예수는 정직한 인간, 핍박받던 사람들에게 소중한 위안이 되었어요. 알게 뭔가요. 세상이 구원받는다면 그만이죠. 십자가에 매달렸느냐 안 매달렸느냐 따위에는 관심도 없습니다. 나는 진리를 찾으려고 투쟁하는 것이 아니라, 그것을 만들어 냅니다. 나는 진리를 인간보다 더 크게 만들어 놓음으로써 인간이 성장하게 도와줘요."

바울로는 예수가 반드시 부활해야 메시아로서의 그의 소임을 다하게 된다고 강조한다.

소설 마지막 부분에서는 세월이 흘러 죽음을 앞둔 예수에게 '옛 제자' 12인이 그를 방문한다. 제자들은 평범한 인간의 삶을 사는 '옛 스승' 예수에게 욕설을 퍼붓는다. 제자들은 그가 십자가 위에서 죽어야 했는데 죽음 직전에 도망친 데 대해 비난한다. 그리고 그를 도망치도록 유혹한 것이 수호천사가 아니라 사탄이었음을 알려준다. 이에 예수는 눈물을 흘리며 사죄하지만, 제자들은 외면한다. 바로 그 순간 그는 꿈에서 깨어나 자신이 여전히 십자가 위에 매달려 있는 현실을 깨닫는다.

작가는 이 모든 이야기를 예수가 3일간 십자가에 못 박혀 비몽사몽간에 꾼 '일장춘몽'으로 마무리했다. 예수의 일탈을 죽음을 앞둔 예수에게 나타난 최후의 유혹 - 환영幻影으로 묘사한 것이다. 불교에서 싯다르타가 깨달음을 얻기 직전 마귀와 미녀들로부터 유혹을 받는다는 내용과 비슷하다.

카잔차키스는 그리스를 대표하는 소설가다. 불교사상과 니체의 영향을 받은 그는 문학의 구도자로 불린다. 우리에게는 『그리스인 조르바』의 작가로도 친숙하다. 그 작품에서 엿볼 수 있듯이, 그는 자유를 부르짖으며 얄팍한 지식인들을 비판하는 거친 영혼의 소유자로 알려져 있다. 노벨상 수상자인 알베르 카뮈는 여러 차례 노벨문학상 후보로 오른 바 있는 카잔차키스가 자신보다 노벨상을 받을 이유가 수백 배 더 많다고 극찬하기도 했다. 하지만 그는 말년에 발표한 소설 『최후의 유혹』으로 인해, 죽고 난 뒤 묻힐 곳을 얻지 못하고 헤매다가 고향 크레타섬에 겨우 안장되었다.

카잔차키스가 노년에 이르러 인류에게 전하려고 했던 그의 '최후의 메시지'는 무엇이었을까.

우선, 그는 예수가 태어날 때부터 신성을 가진 인물로는 보지 않았다. 그는 젊은 예수를 초인이 아니라 피와 살로 이루어진 평범한 인간으로서 조그마한 일에도 놀라고 힘들어하며 고통스러워하는 인간, 그러면서도 '모든 잘못은 내 탓'으로 돌리는 착한 심성을 지닌 인물로 묘사한다. 젊은이는 앞으로 나타날 메시아를 찬양할 준비를 하는 평범한 인간이었다. 그렇지만 양심의 목소리에 놀라며 등 떠밀려 한 발짝씩 자신에게 다가오는 운명 - 메시아의 길을 겁에 질린 채 조심스럽게 걸어간다. 그는 십자가 위에서 최후의 유혹 - '일장춘몽'에서 깨어난 뒤 죽음을 받아들임으로써 그리스도로 거듭나게 된다.

그는 '사람의 아들'인 예수가 고난을 겪으면서 '신의 아들'로 변해가는 모습을 그리고 있다. 인간은 누구나 삶을 살면서 내면의 신성을 깨쳐나가는 존재라고 본 것이다. 예수가 한 인간으로서 경험해야 할 진짜 고통은, 육체적 고통뿐 아니라, '평범한 인간의 삶'이 아니겠느냐는 지극히 기본적이고 단순한 물음을 우리에게 던지고 있다.

또한, 작가는 유다의 입을 통해 하느님에 대한 맹목적 믿음으로써 구원을 얻을 수 있다는 수동적 도피신앙에서 벗어나, 인간 스스로 투쟁하여 영성을 쟁취하는 능동적 신앙을 부르짖는다.

마지막으로 작가는 예수의 행적을 기록하는 마테오의 심리묘사를 통해 성경이라는 경전의 속성을 통찰하고 있다. 예수가 마테오가 쓰고 있는 그의 행적에 대한 기록을 들여다보고 소리쳤다.

"거짓말! 거짓말! 거짓말이에요! 메시아는 기적이 필요하지 않아요. 메시아 자신이 바로 기적이니까. 나는 베들레헴이 아니라 나사렛에서 태어났고. 베들레헴에는 가본 적도 없고 동방박사는 한 사람도 기억 못 해요. 나는 하느님의 아들이 아니고 목수 요셉과 마리아의 아들이에요. 내가 세례를 받을 때, 비둘기 하느님가 '이는 내 사랑하는 아들이니라'라는 말했다고 적었는데, 그런 얘기는 누구한테 들었나요? 나 자신도 그런 말을 확실히 듣지 못했어요. 현장에는 실제로 가보지도 않았던 당신이 어떻게 그것을 알아냈지요?"

마테오가 벌벌 떨며 대답했다.

"천사가 저한테 말해 줬어요. 내가 저녁마다 펜을 잡으면 찾아오는 천사요. 그는 내 귓전으로 몸을 수그리고는 내가 무슨 글을 써야 하는지 불러줍니다."

이 작품이 가져온 충격과 후폭풍을 보면, 인간사회의 모순을 적나라하게 보여준다.

기독교 신앙을 떠받치는 두 기둥은 예수의 탄생과 부활이다.

예수는 동정녀 마리아의 몸에서 태어났다고 한다. 남녀의 육체적 결합 없이 하느님의 성령만으로 태어났다는 이야기다. 하지만 인류의 역사 800만 년을 통틀어 그 어떤 인간도 처녀 생식으로 태어난 예가 없다. 예수가 유일하다.

그의 부활도 마찬가지다. 예수는 죽은 후 3일 만에 다시 살아났다고 한다. 죽은 인간이 다시 살아난 예는 성경 속 라자로와 예수가 유일하다.

기독 신앙은 인간의 상상력에 기반하여 전승하는 이야기에 근거한다. 현대 과학에 입각한 합리적 사고로 생각해 보면, 일종의 픽션fiction,虛構에 해당한다. 마찬가지로 카잔차키스의 소설도 작가의 상상력에서 나온 픽션이다.

예수의 탄생과 부활이 기독교인들의 가슴에 바위처럼 단단하게 자리 잡은 픽션인 반면, 카잔차키스의 소설은 갓 구워 낸 빵처럼 부드러운 픽션이라는 점에서 차이가 있다. 그렇지만 둘 다 픽션인 점에서 본질적으로 차이가 없다.

기독교인들은 대부분 예수의 출생과 부활을 진리인 것처럼 여기고 있다. 그래서 작가는 우회적인 표현을 빌려 꿈속 이야기라는 소설적 장치를 썼다.

얼핏 보면, 두 픽션의 충돌인데도 기독교인들이 분노를 참지 못한 이유가 무엇일까. 사람들은 자기의 믿음이 외부적 영향이나 다른 가설로 인해 흔들리는 것을 싫어한다. 자신의 신앙선택은 자기 나름대로 현명한 판단에 따라 이루어졌고, 자신의 신앙체계는 절대 흔들릴 리 없다는 확신에 안주安住하려고 하기 때문이다. 이 확신은 사회의 지식계층 - 교수, 변호사, 의사 등의 사고思考

도 종종 마비시킨다. 가끔 사이비 종교집단의 추종자 중에 유명한 지식인들의 이름이 오르내리는 이유가 이 때문이다.

이 영화의 경우, 기독교인들은 그들의 위기의식을 방화테러의 방식으로 표출했다.

지구상 생명체 중 인간만이 유일하게 생각하고 상상할 수 있다.

인간은 상상력 덕분에 이야기를 만들고 그것을 전승시킨다. 인간의 상상력이 만들어 낸 수많은 이야기 중 종교는 그 뿌리가 깊다. 실체가 없는 존재에 관한 이야기지만, 인간이 긴 세월 동안 견고하게 만들어 온 믿음이 서로 충돌하면 전쟁을 불사한다. 중세 십자군 전쟁과 신·구교도 간 전쟁, 근래의 회교국가와 기독교 국가 간의 충돌 등이 대표적이다. 어제도 팔레스타인의 하마스라는 이슬람 근본주의 단체가 이스라엘에 무차별 폭격과 부녀자 납치를 감행했다는 뉴스가 전 세계의 헤드라인을 장식했다. 실체도 없는 가상의 세계를 둘러싼 전쟁이다.

모든 신앙이 '이웃 사랑과 생명존중'을 최고 가치로 부르짖지만, 사람들은 자기 신앙을 지킨다는 명분으로 다른 신앙을 가진 사람의 목숨을 하찮게 여긴다. 다른 동물 집단에서는 볼 수 없는 특이한 현상이다.

외계인이 지구를 방문한다면, 이러한 우리의 사회현상을 보고 '지구별 기이한 이야기' 다큐멘터리로 제작할 만하다.

(2023.9.17.)

## 외계인의 눈에 비친 신神

지구상에는 무수히 종교가 많다.

이유는 삶의 여정에 병고와 두려움이 함께하기 때문이다. 이것이 인간에게 신의 존재를 받아들이게 한다.

그런데 이 시대 종교는 사회에 깊숙이 뿌리 잡아, 마치 인류 출현 이전부터 지구상에 존재했던 것처럼, 인간을 종교의 틀 안에 가두려고 한다. 어떤 종교는 두려움으로부터 구원해 주기보다는 인간을 지배하고 고통을 안겨주는 횡포를 부리기도 한다.[42]

최근 인도 영화 『PK』를 봤다. 이 영화는 종교에 관한 인간사회의 아이러니를 외계인의 눈을 통해 조명하고 있다.

어느 날 인도 라자스탄 지역의 황무지에 우주선이 내려왔다. 거기에서 알몸의 남자 외계인이 내렸다. 인간과 같은 외모다. 목에 파란 보석이 박힌 목걸이를 걸고 있었다. 그때 한 걸인이 목걸이가 탐이나 이를 낚아채어 달려오던 기차를 타고 도망을 가버렸다. 그 목걸이는 우주선을 부르는 신호전송용 리모컨이었다. 외계인이 이 리모컨을 찾기 위해 좌

---

42) 회교원리주의자들의 여성 인권탄압 등

충우돌하는 것이 영화의 줄거리다.

외계인이 목걸이를 찾으려고 헤매니, 사람들이 '술에 취해 헛소리하는 미친 사람'이라는 의미로 PK라 부르게 되자, 그는 스스로를 PK로 이름 지었다.

델리로 간 그는 리모컨을 수소문했다. 만나는 사람 모두가 '신만이 안다'는 말을 되풀이하자, PK는 종파를 가리지 않고, 신이란 신은 모두 찾아다녔다. 자이나교, 회교, 힌두교, 기독교, 불교 등….

그런데 정작 신은 보이지 않고, 신의 대리인이라 자처하는 성직자나 사제, 수녀들만 마주쳤다.

외계인 PK가 여러 종교 집회에 참석하거나 기도를 하면서 몇 가지 이상한 점을 발견했다.

첫째, 모든 종교는 인간의 두려움을 바탕으로 발달해 왔으며, 종교는 그 두려움을 해결해 줄 것을 장담한다는 점이었다.

PK는 종교를 패션으로 보았다. 옷으로 몸을 가리듯, 종교도 승복, 수녀복, 터번, 가운과 같은 각양각색의 옷을 입고 각자의 신을 섬기고 있었다. 하지만, 그 최종 지향점이 '인간 구제'라는 점에서는 같았다.

둘째, 그의 눈에는 지구상에 두 종류의 신이 보였다. '우리를 만든 신'과 '우리가 만든 신'이다. 진정한 신은 '우리를 만든 신'일 텐데, 대부분 사람은 '우리가 만든 신'을 믿고 있었다.

셋째, '우리가 만든 신'은 우리와 직접 대화하지 않고, 사제나 성직자 등 대리인을 중간에 끼워서 대화했다. 문제는 어느 신도 대리인을 지명한 적이 없는데, 성직자들이 스스로 대리인 행세를 하고 있었다는 점이다. 이들은 그들이 받드는 신을 거부하면 횡액을 당할 것이라거나, 재산을 바치라 협박[43]하기도 하였다. 신에게 궁궐 같은 신전을 지어 바쳐야 복을 받는다고 설교했다.

PK의 눈에는 이 모든 것이 미친 짓으로 보였다.

그는 '진정한 신은 대리인을 통해 쪽지를 보내는 일은 하지 않을 것'이라고 생각했다. '우리를 만든 신' - 전지전능한 신이라면 빵과 재산을 빈민을 돌보는 데 쓰도록 할 것이지, 무엇이 부족하여 자신을 찬양하는 데 돈을 쓰도록 할 것인가. PK는 신이 배가 고프거나 호화로운 궁전을 좋아한다고는 믿기지 않는다고 말했다.

나는 이 영화를 보고 리처드 도킨스가 쓴 『만들어진 신』이란 책이 떠올랐다.

도킨스는 모든 종교는 인간의 필요 때문에 만들어진 신을 믿는다고 주장했다. 그는 신 같은 존재는 애초에 없으며, 성직자는 절대로 신과 교감을 할 수 없는데도 교감하는 것처럼 행세하고 신도들을 속이고 있다고 했다. 인류는 이러한 '신假想-성직자-신도' 연결 시스템을 종교라는 이름으로 신성시하고, 한 종교집단이 이웃 집단과 전쟁을 불사하며 세력경쟁을 하고 있다고 주장한다.

물론 이 영화를 기획하고 각본을 짠 주체는 지구상의 인간이다. 작품에서는 가상의 외계인을 빌렸지만, 그 실질은 신의 실존에 대한 의구심과 종교의 아이러니를 제3자적 관점에서

43) 최근 아베 전 일본 총리가 통일교와 연관되어 있다는 이유로 피격 사망. 총격범은 어머니가 교회에 많은 돈을 헌납하여 유산이 줄어든 데 원한을 품었다고 함. 통일교는 '영감상법(靈感商法)'으로 원성이 높음.

조명해 본 작품이라 할 수 있다.

나는 이 작품에서 신선한 충격을 받았다.

PK가 말한 '우리를 만든 신'이란 우주 자체를 의미하며, 우주의 법칙은 '신성' 또는 '불법'과 다름없다고 본다. 우리가 종교라 일컬으며 받드는 신은 '인간에 의해 만들어진 허상'일 수도 있겠다는 의심이 든다.

종교가 인간의 두려움을 없애고 평온을 주기 위한 인류의 전승이라면, 종교집단 간 싸움보다는, 사회의 불평등과 빈곤을 없애는 데 이바지해야 마땅하다.

나는 미래에 진짜 외계인이 방문하면, 소개해 줄 진정한 신을 찾아봐야겠다.

(2022.7.10.)

## 종교의 진화

사람은 삶에서 두 가지 두려움에 직면한다.

한 가지는 삶의 고통이요, 다른 하나는 죽음의 공포다. 삶의 고통은 현실 생존을 위한 투쟁의 산물이고, 죽음은 미지의 세계이다. 인류는 이 두 가지 두려움을 극복하기 위해 종교를 생각해 냈다. 그래서 종교는 기복祈福의 속성을 지닌다.

종교는 신을 믿는 것유신론과 신을 믿지 않는 것무신론으로 크게 나눌 수 있다. 유신론도 여러 신을 믿는 다신교보다는, 하나의 신을 믿는 일신교가 더 진보했다고 여겨진다. 그런데 이븐 와라크Ibn Warraq는 일신교도 장래에는 신이 하나 더 삭제되어 무신교無神教가 될 것이라고 내다봤다. 우리나라에서는 일신교는 기독교가, 신의 존재를 부정하는 종교는 불교가 대표적이다.

종교는 신의 종류에 따라 여러 가지가 있지만, 종교를 믿는 깊이에 따라 질적 변화를 가져온다. 종교학자 오강남은 그의 저서 『생각』에서 표층종교와 심층종교로 구분했다.

표층종교에서는 믿음의 주체가 실체로서의 나다. 믿음의 대상인 신은 내 몸 밖에 존재한다. 신을 믿는 종교가 이에 해당한다.

표층종교는 신은 하늘에 있고 나는 땅에 있으며, 신과 나 사이에는 성직자가 중재한다고 여긴다. 경전에 기록된 문자를 철저히 따르려고 한다. 교리와 율법을 지킨다. 믿은 정도에 따라 내세에 천당과 지옥을 갈 수 있다고 생각한다. 열심히 기도하고 신에게 매달리면 복을 받고, 죽으면 천당에 간다고 여긴다. 신을 믿지 않거나 신의 말씀에 어긋난 행동을 하면 벌을 받는다고 여긴다. 경전의 해석에 매달려 근본주의자라고도 한다. 신앙의 지향점이 죽음 이후 - 미래에 있다.

한편 신앙이 깊어지면 신앙의 주체가 육체적인 나가 아닌, 영적인 존재로서의 깨달음을 얻는 나 - 의식의 변화를 겪은 새로운 나가 된다. 신을 믿지 않고 깨달음을 찾는 불교의 근본교리와 닮았다. 심층종교인은 내 안에서 신을 찾는다. 신을 찾는 행위가 나를 찾는 행위와 같다. 나와 이웃, 그리고 신의 구별이 없다. 이를 범재신론汎在神論, panentheism이라 한다. 경전의 문자주의를 탈피하고 문자를 넘어선 의미를 찾는다. 이웃종교를 배척하지 않는다. 모든 종교는 궁극에 이르면 심층에 이른다고 여긴다. 미래나 내세에서 축복을 찾지 않고, 현재 지금 이 순간에 행복을 찾는다. 지금 여기에서 풍요로운 삶을 추구한다. 신앙의 지향점이 지금 여기 - 현재에 있다.

표층종교가 나 밖에서 신을 찾고 신의 가르침에 따르는 타율신앙이라면, 심층종교는 내 안에서 위안과 평온을 찾는 자율신앙이라고 할 수 있다. 표층종교가 상과 벌을 강조하고 미래의 축복을 기원하는 반면, 심층종교는 현재의 깨달음과 영혼의 평온을 찾는다.

오강남은 신앙의 초기에는 표층종교에서 출발하지만, 신앙이 성숙하면 심층종교로 발전해 간다고 한다. 최근 미국과 유럽의 선진 국가에서는 심층종교의 시대로 진입하고 있다. 이는 진화론과 과학이 발달하여 인간의 지적 지평선이 확장됨에 따라 더 이상 옛 경전만으로는 설명할 수 없을 정도로 인류의 지적성장이 이루어졌기 때문이다.

인류역사에 있어 표층종교가 위세를 떨칠 때가 있었다. 중세에는 왕권 위에서 군림하면서 혹세무민하기도 했다. 그러나 인류는 전쟁, 질병, 가난의 고통에서 벗어나지 못했다. 아무리 신에게 기도해도 전쟁은 그치질 않았다. 유대교, 기독교, 이슬람교와 같이, 동일한 신 - 하느님God을 받드는 사람들끼리도 싸움이 그치질 않는다. 가난도 신앙의 유무와 관계없이 사라지지 않는다. 인류는 신이 코로나와 같은 전염병조차 막아 줄 수 없다는 사실을 최근에야 깨달았다. 인류는 이제 자연의 도도한 흐름에 몸을 맡길 수밖에 없다는 자각에 이르렀다.

어떤 종교를 믿든, 이 무한한 우주의 시공간에서 자신을 투영해 보고 참나를 깨달아 가는 길이 심층종교다. 종교학에서 신비주의Mysticism란 나를 잊어버리고 절대자와 하나 되는 것을 가리키는 말이다. 심층종교란 신비주의의 다른 표현으로 나를 신과 합일시키는 믿음의 여정이다. 신성Divinity = 인성Humanity.

지금까지 신비주의적 차원에 접근한 종교인들의 숫자는 소수에 불과하다. 거의 모든 종교인이 문자주의적, 교리 중심적, 기복주의적, 자기중심적, 배타주의적 종교에 속해 있으면서도 그것이 구경究竟의 경지가 아니라는 사실을 모르고 있다.

독일 신학자 도로테 죌레는 모든 사람이 신비주의적 체험에 다가가는 '신비주의의 민주화'를 주창했다. 신학자 칼 라너Karl Rahner는 21세기 그리스도교가 신비주의적으로 변하지 않으면 아무것도 아닌 존재가 될 것이라고 예언했다. 오강남도 모든 종교가 궁극적으로 도달해야 할 경지는 결국 신비주의적 차원, 즉 심층차원이라고 확신한다.

자연의 흐름과 숨소리 속에 나란 존재를 비추어 보는 관조의 순간에 평온이 찾아온다. 우주 속에 자신을 묻고 평온을 찾는 행위, 그것이 이 시대 인류가 지양해야 할 참 신앙이 아닐까 싶다. 이 몸이 현재 머무는 이 우주가 고향이요, 어머니의 품속이다.

(2023.2.15.)

## 나의 존재와 신

과연 신이 존재하는가?

이 질문에 대한 답은 영국의 천체물리학자 스티븐 호킹 박사가 제기한, "과연 이 광활한 우주에서 나란 존재의 의미는 무엇일까?"라는 질문과 일맥상통한다. 이 우주에서 나란 존재가 태어나고 사라지는 의미는 무엇일까? 신은 알고 있을까?

나는 이른 새벽 창공에 떠 있는 별에서 쏟아지는 태고의 적막이 위 질문에 대한 진솔한 대답이라 생각한다. 우주는 내 존재에 대해 침묵으로 일관한다.

나는 과학자도 아니고 영성을 탐구하는 신비가도 아니다.

하지만 사춘기 이후 줄곧 뇌리를 떠나지 않는 것이 나란 존재의 의미다. 과연 나는 자연의 한 입자로서 바람처럼 왔다가 연기처럼 사라지는 존재일까. 아니면 어떤 의미가 숨겨져 있을까. 인간은 존재의 본질에 대해 알 수 있을까?

먼저 과학적 측면에서 현재의 내 위치를 그려보자.

우주과학자들에 따르면, 우주의 지름은 930억 광년[44] $\times 10^{22\sim24}$

에 이른다고 한다. 이것도 학자들의 추측이고 우주가 실제 어떤 모양인지 아무도 모른다. 호킹 박사는 저서, 『위대한 설계』Grand Design에서, 138억 년 전 한 특이점이 대폭발빅뱅을 일으켜 우주공간이 생기고 별이 쏟아졌다고 한다. 우주 속에는 몇 개의 별이 있을까? 학자들은 우주에는 1천억여 개의 은하계가 있고, 1개의 은하계에는 각각 1천억여 개의 별恒星이 있다고 한다. 별의 개수를 어림잡아 보면, '1천억x1천억' 개가 된다. 게다가 별의 숫자만큼의 행성行星이 있다고 한다. 지구에 도달한 빛을 통해 우주의 크기나 별의 숫자를 짐작하는 것은 불가능하다. 왜냐하면 지금 우리 눈에 보이는 별빛은 별을 출발한 지 수억 년이나 지난 것도 있어, 별빛이 지구에 닿은 현재에는 그 별이 이미 우주에서 사라졌을 수도 있기 때문이다.

한편, 우리가 살고 있는 지구의 나이는 약 46억 년이고, 인류가 지구에 처음 출현한 시기는 800만 년 전이라고 한다. 현재 우리는 태초 인류의 진화된 모습이다.

이처럼 장대한 우주와 인류의 흐름 가운데서, 내 존재의 의미를 찾으려는 시도가 과연 가능할까. 참으로 막막하고 기막힌 의문이 아닐 수 없다. 광대무변한 우주 속에서 수명이 100년도 채 안 되는 한 인간이 자신의 존재 의미를 찾는다는 것은 망상이라고 여길 수도 있다.

하지만 인간은 스스로 존재를 궁금해하고, 의미가 없을 수 없다고 생각할 수 있는 용기와 지혜가 있다는 사실이다. 인간이 비록 우주에서 차지하는 위치는 보잘것없을지 몰라도, 자신의 존재에 대해 의미를 추구하는 패기와 열정이 있다. 어쩌

44) 진공 속에서 1광년은 10조km라고 함.

면 이것이 바로 죽음의 벌을 감수하면서까지 선악과를 먹고 얻어 낸 인간의 지혜, 인간 존재의 진정한 의미인지도 모른다.

다음은 종교적 측면에서, 인간을 창조했다고 믿는 신의 현존을 찾아본다. 신을 찾아내어 내 존재의 의미를 묻고 싶다. 아쉽게도 인간은 여태껏 신의 존재를 찾지 못해, 그 모습을 정확하게 그려내지 못하고 있다.

여러 종교적 전승을 통해 신의 여러 모습을 그려본다.

지구상 가장 큰 세력을 가진 아브라함 계통의 종교 - 기독교, 이슬람교, 유대교는 인간을 창조했다고 믿는 절대자로서 하느님을 신으로 받들고 있다. 여기에서 하느님은 "나는 매우 질투심이 많은 신이다. 나를 반대하는 자를 파괴할 것이다. 나와 함께 있지 않는 자는 나를 반대하는 것이다. 나와 함께 있는 자는 천국의 모든 기쁨을 갖게 될 것이다. 그리고 나와 함께 있지 않는 사람은 영원한 지옥불로 고통을 받을 것이다." 라고 말하는 인격신이다. 하지만 아무도 하느님이 어디에 있는지, 어떤 형상을 가졌는지 그려내지 못하고 있다.

아브라함 계통의 종교가 신을 긍정적 존재로서 묘사한 반면, 5~6세기경 신비주의자 디오니시우스는 부정적 존재로서 신을 묘사하고 있다.

"높이 올라가면서, 우리는 그가 영혼도 아니고 마음도 아니라고 말한다. 그는 지식의 대상도 아니다. 그는 의견도 없고 이유도 없으며 지성도 없다. 그는 이성도 아니며 생각도 아니고 말해질 수도 없으며 알 수도 없다. 그는 숫자, 순서, 위대함, 작음, 균등함, 불균등함, 좋아함,

싫어함도 아니다. 그는 서 있지도 않고 움직이지도 않으며 정지해 있지도 않다. 그는 힘도 없으며 힘도 아니고 빛도 아니다. 그는 살지도 않고, 삶도 아니다. 그는 존재도 아니고, 영원도 아니며, 시간도 아니다. 그의 손길은 느껴지지도 않는다. 그는 지식도 아니고 진리도 아니다. 왕도 아니고, 지혜도 아니고, 하나도 아니고 통일성도 아니고, 선도 아니다. 그는 우리가 이해할 수 있는 정신도 아니며 자식의 신분도 아니며 아버지의 신분도 아니다. 우리에게 또는 어떤 다른 피조물에 알려진 어떤 다른 것도 아니다. 그는 존재하지 않는 사물에 속하지도 않고 존재하는 사물에 속하지도 않는다. 그는 그 자신 안에 있으므로 존재하는 사물들이 그를 이해하는 것도 아니며 그 자신이 그들을 그들 안에 존재하는 것으로 이해하는 것도 아니다. 그에 대한 말도 없으며 이름도 없고 지식도 없다. 그는 어둠도 아니며 거짓도 아니고 진리도 아니다. 그에 관해서는 어떤 전적인 긍정도 부정도 없다. 그러나 다른 한편으로 우리는 그보다 적을 것으로 긍정하거나 부정한다. 그러나 그에 대해서 우리는 긍정도 부정도 하지 않는다. 그는 모든 속성을 넘어있으며 완벽하며 홀로 모인 것의 원인이다. 모든 부정을 넘어서 모든 것으로부터 완전히 자유롭고 모든 것을 완전히 넘어선 최고의 높이에 있다."

일부 전승은 신은 텅 비었다고 말한다.

유대인들은 신의 이름을 표기할 때 'GOD'라고 쓰지 않는다고 한다. 유대교의 전통에서는 신의 이름을 부르는 것은 죄라고 여긴다. 그래서 G-D라고 쓴다고 한다. 고대 유대 전통에서는 예루살렘에 있는 가장 큰 교회의 최고성직자만이 일 년에 한 번 신의 이름을 부를 수 있는데, 그것도 사원 안에 들어가 모든 문을 굳게 닫고 가장 깊은 성역에 가서 닫힌 문 뒤에서 신의 이름을 속삭였다. 아무도 그것을 들어서는 안 된다. 그 이름은 최고 성직자의 승계자에게만 전수됐는데,

그 승계자가 최고성직자에게서 듣는 것은 '신에게는 이름이 없다'는 말뿐이라고 한다. 유대인이 신을 G-D라고 표기하면서 O를 빠뜨리는 것은 의미 있는 것이다. O는 제로, 무無의 상징이기 때문이다. 이러한 전통이 신은 무無임을 상징적으로 나타내는 방법이다.

한편, 니체는 "기뻐하라! 신은 죽었다. 그리고 인간은 완전한 자유다."라고 부르짖었다. 니체의 이 선언은 신의 종으로서가 아닌 인간 자유의 회복을 뜻한다. 창조자로서 신이 실재한다면 인간은 자유로울 수 없기 때문이다. 그러나, 니체는 신만 부정했지. 자아는 부정하지 못했다.

붓다는 신뿐만 아니라. 자아도 없다고 말했다. 붓다는 자아조차 없어져야만 완전한 자유로운 인간이 될 수 있다고 한다. 따라서 신을 제거하고 난 뒤 두 번째 할 일은 자아를 제거하는 일인 것이다. 이는 신은 비어 있다는 견해와 같다. 신은 무다. 신이 비어 있음을 느끼는 방법은 자신을 비우는 것이다. 그러므로 신을 느끼고 싶다면 그대 스스로가 무가 되어야 한다. 그것을 수냐타shunyata,空라고 한다.

신비주의자들은 신을 알려고 하는 모든 생각조차도 버려야 한다고 주장한다. 모든 지식에 대한 추구를 버리고 자신을 무지 속으로 이완해 들어가야 한다. 그러면 그 아그노시아agnosia - 무지의 상태 속에서, 어떤 기적이 일어나고 우리는 느끼기 시작한다. 느끼는 것은 신이 아니다. 삶이 아니다. 언어의 틀을 벗어난 대자유 - 모크샤moksa 를 말한다. 붓다는 이것을 열반, 해탈, 에고의 멈춤이라고 불렀다.

오쇼 라즈니쉬는 신이 없다고 하지는 않는다. 그는 삶이 신이라고 주장했다. 그는 신이라는 말 대신 신성神性을 말한다. 존재는 신성으로 가득하다고 주장한다. 그는 인간의 존재 자체에서 신성을 찾아야 한다고 주장한다.

비슷한 견지에서, 벵골의 바울 찬디다스는 "인간의 진리는 최상의 진리다. 이보다 더 높은 다른 진리는 없다."라고 말했다. 그는 니체와 같은 말을 하고 있지만 긍정적인 방법을 쓴다. 인간이 신적인 존재 - 그대가 바로 신이라고 선언한다. 삶이 살아있기 때문이다. 꽃들이 피고 새가 지저귄다. 실존이 펼쳐진다. 어떻게 신이 죽을 수 있겠는가?

나는 늦가을 이른 아침, 정원의 풀잎에 젖은 이슬을 바라보거나, 늦은 밤 퇴근길 저 하늘 자락에 빛나는 별을 물끄러미 쳐다보며, 내 존재에 대한 의미를 묻곤 한다. 하지만 늘 그랬듯이 적막만 감돈다. 주변은 그냥 조용하니 명징하다.

순간 나는 얼핏 깨닫는다. 신의 실존여부는 접어두더라도, 나의 현존 자체가 우주의 경이로움이지 않은가. 내가 지금 여기 이 순간 한 생명으로서, 숨 쉬고, 태양을 보고, 새들이 지저귀는 소리를 듣고, 사랑과 기도와 감사를 한다는 사실 자체가 기적이고 신의 현현이 아닐까 하는 생각이 든다.

누군가 형체도 없는 전기가 집집의 형광등을 밝히듯, 신이 우리 인간의 영혼을 밝히고 있다고 말했다. 마찬가지로. 이슬방울 하나하나가 모여 큰 바다를 이루듯, 한 방울의 이슬과 바닷물은 똑같은 우주의식 - 신성을 머금고 있지 않을까.

그러고 보면, 나의 숨소리, 열정, 탄식조차 신의 현존이 아니고 무엇이랴.

결론적으로, 절대자로서 '만들어진 신'을 상정할 수 있겠지만, 내 눈에 보이지도 않고, 존재의 확신도 없는 현실에서, 나는 '절대적 존재로서의 인격신은 없다'고 생각한다.

하지만 신을 우주 창조의 주체로서의 생명력이나 신성을 의미한다고 정의한다면, 신은 이미 그의 모습을 개개의 생명체를 통해 드러내고 있다고 여겨진다. 이 경우 나의 실존은 신과 연결되어 있고, 내가 바로 신의 또 다른 모습이며, 신은 나와 함께 숨 쉰다는 생각이 든다.

사람은 깨닫고 보면 모두가 부처라는 불가의 가르침이 새삼스럽게 떠오른다.

이것이 존재의 의미를 찾아 헤매는 내 사념이 현재 머물고 있는 간이역이다.

(2010.12.23.)

# 제7장 죽 음

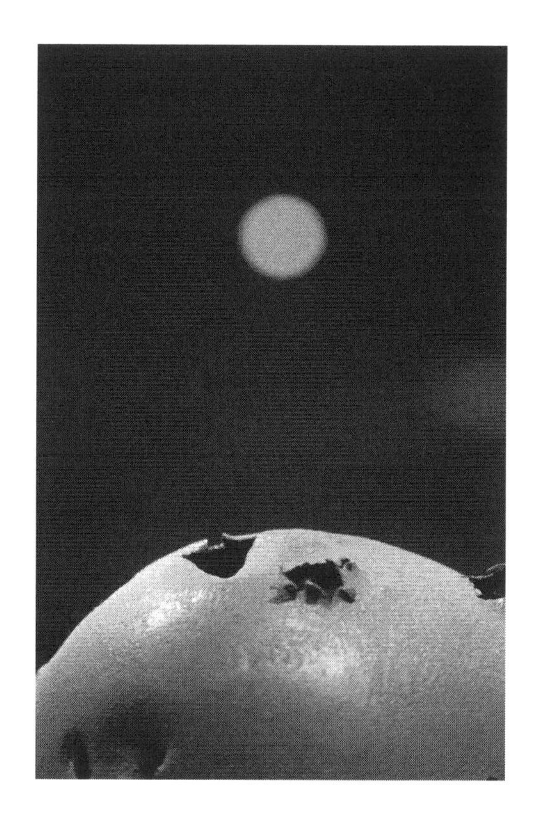

# 늙음, 영혼의 시간

아일랜드 켈트족 사이에 전해 내려오는 이야기다.

피닉스라는 수도승이 있었다. 어느 날 그는 수도원 근처 숲에서 기도서를 읽고 있었다. 문득 아름다운 새의 노랫소리를 듣다 보니 다른 것은 귀에 들어오지 않았다. 한참 후 새소리가 그치자, 그는 정신을 차리고 수도원으로 발길을 돌렸다. 그런데 그곳에는 그가 아는 사람이 한 사람도 없었다. 수도승들도 또한 그를 알아보지 못했다. 그는 불과 30분 전까지 그와 함께했던 수도승들의 이름을 불렀다. 하지만 아무도 대답하지 않았다. 새로운 수도승들이 수도원의 연보年譜를 들춰보니, 수십 년 전에 피닉스라는 이름의 수도승이 이상하게 사라진 적이 있다는 기록을 발견할 수 있었다.

이것은 피닉스가 경험한 '영원의 시간'과 수도원 사람들이 느끼는 '인간의 시간'이 서로 다른 사이클로 흘러갔기 때문에 일어난 사건이라고 해석된다.

아인슈타인은 시간은 절대적인 것이 아니라 상대적인 것이라고 말했다.

예를 들어, 여러 사람이 손을 잡고 한 줄로 나란히 섰다고 상상해 보자. 한쪽 끝에 선 사람을 중심으로 나머지 사람들이 둥그렇게 원을 그리며 돈다고 할 때, 중심에서 멀리 떨어진 맨 끝 사람은 빨리 돌아야 할 것이다. 사람이 움직이는 거리를 시간의 속도라고 가정할 때, 원의 중심에 선 사람과 원주圓周 위를 달리는 사람이 느끼는 시간의 속도는 크게 차이가 난다. 이처럼 각자가 처한 위치에 따라 시간은 다르게 느껴질 수가 있다. 실제로도 어린아이가 느끼는 하루와 어른이 느끼는 하루의 길이는 많은 차이가 난다. 흔히 사람은 나이에 비례하여 시간의 속도를 느낀다고 말하는데, 이것이 시간의 상대속도를 간접적으로 반증하는 말이다.

우리는 나이가 들어감에 따라 육체가 늙어간다.

그런데 정신은 그렇지 않다. 노인들이 종종 '마음은 청춘'이라고 하고, 죽음을 앞둔 사람도 정신은 초롱초롱하다고 말한다. 육체와 영혼이 느끼는 시간의 차원이 다르기 때문이다. 왜 그럴까.

나는 상대적 시간 개념을 빌려, 한 가지 가설을 세워 본다.

'육체의 시간'은 우리가 통상적으로 느끼는 시간이다. '직선'의 흐름 - 과거, 현재, 미래로 흐른다. 반면에, '영혼의 시간'은 '원'의 시간이다. 하루는 낮과 밤의 싸이클을, 한 해는 봄, 여름, 가을, 겨울의 싸이클을 반복한다. 다람쥐 쳇바퀴처럼 제자리를 맴돈다. 이때 직선의 시간 위에 있는 육체가, 원의 시간을 맴도는 영혼을 바라보면 항상 현재에 머문 듯 느껴진다. 육체는 직선의 시간을 따라 죽음을 향해 달리는 반면, 영혼은 원의 시간에 따라 현재를 맴돈다. 육체는 태어나고 죽지만, 영혼은 결코 태어나거나 죽지 않고 영원하다는 추론이 나온다.

노년에 들어서면 육체는 병이 들고. 흙으로 돌아갈 채비를 한다. 하지만 영혼은 늙지 않는 대신 온갖 번뇌에 시달린다. 과거를 후회하고 곧 닥칠 육체와의 이별에 불안해한다.

나는 직장을 은퇴하고 갑자기 늘어난 여유시간에 당황했다. 시간은 많은데 마음은 여전히 불안했다. 사회활동에 대한 미련과 아쉬움, 미래에 다가올 죽음에 대한 두려움이 그 원인이었다.

이제 와 생각하니, 노년의 여유로움은 어릴 적 아무런 걱정 없이 뛰어놀던 때에 버금가는 귀한 시간이다. 직장과 사회의 의무에서 벗어나 혼자만 가지는 소중한 시간이다. 그런데 나는 그 시간을 오롯이 나만의 시간으로 만들지 못했다. 이미 성인이 된 자식들과 손주들, 자질구레한 집안일, 건강 등에 대한 걱정으로 소중한 시간을 흘려보내고 있었다.

내 육체의 시간이 가을로 접어든 지금, 나는 무엇을 해야 할 것인가. 육체는 머지않아 흙으로 돌아갈 것이다. 한평생 영혼의 보금자리가 되어준 육신에 고맙다는 말과 따뜻한 위로를 건네고 싶다. 한편, 새봄을 맞아 또 다른 싸이클윤회을 계속할 내 영혼을 위해서는 무엇을 해야 할까.

종교학자 존 오도나휴는 저서, 『영혼의 동반자』에서 말했다.

"촛불이 꺼질 때 빛은 어디로 가는 것일까. 우리의 사라진 날들이 비밀스럽게 모이는 곳이 있다. 그곳의 이름은 기억이다. 늙음의 시기는 기억의 신전을 방문하고 삶을 하나로 모으는 시기다. 나이를 먹는 것은 자기 자신과 만나는 훌륭한 성장의 시간이 될 수 있다. 어쩌면 생애 최초로….”

그렇다. 우선 내가 할 일은 흘러간 삶에서 축적된 기억을 하나로 모으는 일이다. 내 기억의 저장창고에 기록된 사진첩들을 하나둘 정리해야겠다. 과연 이생에서 무엇을 이루었고, 무엇이 아쉬웠는지 생각에 젖어볼 일이다. 자식들에게 일깨워 주고 싶은 것은 기록으로 남기고 싶다. 나의 소중한 경험을 모으고 골라내서 하나로 묶어야겠다. 글, 그림, 사진 무엇이든 좋다.

다음은 마음속 깊숙이 숨겨진 크고 작은 영혼의 상처를 보듬어야겠다. 삶을 살면서 알게 모르게 입은 내 영혼의 상처를 하나둘 꿰매고 치유해야겠다. 그 원인이 내 잘못이면 반성과 용서를, 다른 이의 잘못이면 이해와 자비심을 내야겠다.

마지막으로 내 영혼을 깨끗이 단장하고 새봄을 맞을 수 있게 순수의 시간을 가져야겠다. 내 영혼의 거소居所에 대청소가 필요하다. 늙음은 영혼의 집 - 깊은 본성으로 들어가 새봄을 맞을 준비를 해야 할 시간이다.

유럽의 인디언이라는 켈트족의 한 조각 이야기에서 늙음의 시간에 대한 일깨움을 얻고 있다.

(2023.7.29.)

## 죽음의 정화력淨化力

그제 아내가 점심식사를 차리면서 말했다.

"K가 죽었다네."

의외의 소식에 나는 놀랐다.

망자亡者는 아내의 친척인데 나와 동갑이다. 같은 초·중·고등학교를 나왔다. 오랫동안 소식이 없었는데 벌써 세상과 이별이라니 너무 이르다는 생각이 들었다. 그의 부친은 한때 국회의원 후보로 나서기도 했는데 일찍 돌아가시고 난 뒤, 그는 어머니, 누나, 동생 등과 함께 살았다.

어느 날 그의 집에 벼락이 쳐, 세 든 사람이 감전사하는 불상사가 일어났다고 한다. 그런데 세 든 사람을 배려하지 않고 내쫓았다. 그 뒤 집안에 어두운 그림자가 드리우기 시작했다. 둘째 아들이 40세가 되기 전에 바다낚시를 갔다가 벼락을 맞아 죽었다. 큰딸도 암으로 고생을 하다가 몇 년 전 70세가 못 된 나이에 세상을 등졌다. 90을 넘긴 어머니가 아직 요양원에 계신다. 과보라는 것이 있을지도 모른다는 생각이 언뜻 스쳐 지나간다.

오쇼 라즈니쉬는 '모든 인간은 태어나면서 이미 죽음을 향한 행진을 시작한다'고 말했다.

우리는 일상에서 부고訃告를 자주 접한다. 밤낮, 공휴일, 시와 때를 가리지 않고 응급차가 달려오듯 문자가 날아든다. 인간사 가운데 저승을 향하는 것이 가장 번거롭고 거추장스럽다. 생을 마무리하는 일이 녹록지 않다.

한 인간의 죽음은 그와 연관된 주변 사람 - 가족, 친구, 지인들과의 단절을 의미한다. 한 인간의 죽음을 통고받은 주변 사람들은 잠시 머리가 정지한 듯 엄숙해진다.

망자 본인은 더 이상 세상은 물론, 주변 사람들과 소통할 방법이 없어진다. 한번 떠난 사람이 되돌아왔다거나 연락을 해왔다는 말을 듣지 못했다. 하지만 그가 삶의 여정에서 남긴 족적은 남은 사람들에게 무언의 메시지를 남긴다. '죽음'이라 일컫는 마지막 길을 고스란히 실연實演해 보여줌으로써, 남은 사람들을 웅변으로 설득한다.

산 사람도 누군가의 죽음을 직시하면, 그 죽음이 내게 뭔가 의미를 전달하고 있다고 느껴진다. 그와의 과거가 거품처럼 사라지고, 얽히었던 시끄러움이 뚝 그쳐 버리는 느낌이 든다. 망자와 산자 사이에 적막이 감돈다. 인간은 죽음을 의식함으로써만 삶의 소중함을 깨달을 수 있는 아둔한 존재다.

장례식장에 모인 사람들은 영정사진을 들여다보고 침묵한다. 서늘한 정적 속에서 망자를 둘러싼 공기가 무엇인가 정화되는 것을 느끼게 된다. 그 사람과의 우정, 증오, 서운함이 사라진다. 철학자 민병산은 이를 '죽음의 정화력淨化力'이라고 불렀다. 아무리 사악한 짓을 저지른 사람이라도 망자의 영정을 보면 측은지심惻隱之心이 든다. 그렇게 황망히 떠나갈 것이면서 왜 그렇게 아등바등 살려고 했는지 묻고 싶어진다.

그래서 '죽음은 인간의 마지막 성장의 기회'라는 말이 있다. 망자 본인뿐 아니라 주변의 가족이나 지인들에게도 성장의 기회를 준다.

나는 매년 한 해를 마무리하면서 핸드폰 연락처를 정리하는데, 제일 먼저 하는 일이 지난해 세상을 등진 사람의 전화번호를 삭제하는 일이다. 삭제하다 보면, 새삼스레 그와는 영원한 이별이라는 생각을 하게 된다.

소설가 이윤기는 "죽음은 죽는 순간에 이루어지는 것이 아니라 잊혀지는 순간에 이루어지는 것이다."라고 했다.

라틴어로 메멘토 모리Memento mori는 '죽음을 잊지 말라'로 번역된다. 이 말은 전쟁에서 돌아온 개선장군에게 오만에 빠지지 말도록 일깨우는 경구였다. 한 인간의 죽음은 남은 사람들에게 만고불변의 진리를 되새기게 한다. 공수래空手來 공수거空手去 - 명예도, 권력도, 재물도 가져갈 수가 없다. 실오라기 하나 걸치지 못하고 맨몸만 허락된다.

마음속 깊은 곳 어디선가 들려온다.

지금 이 순간, 진실만을 부여잡으라고. 네가 숨 쉬고 있을 때, 이웃에게 우정과 사랑을 아낌없이 나누어 주라고.

(2022.12.28.)

## 죽음과 사랑

하느님은 아담과 이브가 에덴동산에서 선악과善惡果를 따먹은 죄로, 인간에게 죽음의 고통을 안겨주었다고 한다.
그런데 인간이 영원히 죽지 않는다고 가정해 보자.
인간은 아무런 성찰 없이 방탕한 생활을 하지 않을까. 죽음은 인간에게 삶을 돌아보게 하는 반성의 계기가 된다.

2003년 잡지 『샘터』 400호를 기념하여, 소설가 최인호와 법정스님이 대담했다.
"스님, 죽음이 정말 무섭지 않습니까?"
"실제로 닥치면 어떨지 모르지만 지금 생각으로는 무섭지 않을 것 같습니다. 죽음을 인생의 끝으로 생각하면 안 됩니다."라며 죽음을 새로운 삶의 시작으로 생각해야 하고, 인간이 죽음을 받아들이게 되면 삶의 폭이 훨씬 커진다고 말했다.

이 시대의 지성인들은 죽음을 앞둔 시점에서 무엇을 소중하게 생각할까. 바로 '사랑'이다. 인생을 살면서 사랑에 인색했음을 후회하며, 인간이 마지막까지 의지해야 할 것은 사랑이라고 말했다.

김수환 추기경도, "이 세상에서 가장 어렵고 가장 긴 여행이 뭔지 아세요? 바로 머리에서 가슴으로 가는 여행이지요."라며, 불과 세 뼘도 되지 않는 짧은 거리이지만 세상에서 가장 먼 거리의 여행이라고 했다. 100세를 넘긴 철학자 김형석도 이웃에 대한 사랑을 키워드로 내세웠으며, 이어령도 21세기에는 생명이 존중되어야 한다고 강조했다. 이 또한 사랑이다.

당나라 때 항엄선사도 위산영우에게 불법이 무엇인지 물었다. 그러자 위산이 말했다.

"그대가 어머니의 배 안에서 태어나기 전의 본래 면목[45]에 대해서 한 마디 일러보아라."

내가 태어난 부모님의 뱃속을 거슬러 올라가다 보면, 종국에는 태초의 인간 - 아담과 이브를 만나게 된다. 태초의 인류는 평화롭고 순진하여 마치 갓 태어난 아기와 같을 수도 있다. 경쟁도 없고, 남을 속일 일도 없으며, 병으로 고통받는 일도 없을 것이다. 그의 영혼은 마치, 갓 출고된 컴퓨터의 뇌CPU와 같이, 버그가 끼지 않는 순백의 상태이다. 내가 태어나기 전 본래 모습은 투명한 영혼의 소유자였음이 틀림없다.

하느님이 인간에게 죽음의 벌을 내렸으나, 그 죽음은 인간에게 완전한 무無의 나락으로 떨어지는 벌이 아니라고 생각한다. 하느님은 사랑의 중심이다.

죽음은 우리가 생을 살면서 더럽혀진 영혼의 먼지를 씻어내

45) 선가(禪家)의 공안(公案) '부모미생전 본래면목(父母未生前 本來面目)'

고, 새 육신으로 갈아타기 위한 세탁과정이라 여겨진다. 영혼을 순백으로 포맷format하기 위한 변곡점이라 할 수 있다. 우리가 죽으면 영혼의 모든 기억은 지워지고 새롭게 포맷되어, 태초의 인간과 같이 순백의 상태가 된다. 이렇게 거듭나는 것이 생명의 윤회라고 생각된다.

시대의 지성인들이 '죽음'이라는 삶의 변곡점에서 하나같이 우리에게 가장 많이 호소하는 것이 바로 '사랑'이다. 사랑이야말로 우리의 영혼을 갓 태어난 아기의 영혼으로 되돌릴 수가 있다고 생각한다.

남은 인생 아낌없이 사랑하고, 죽음을 긍정적으로 받아들이고 싶다.

(2022.9.18.)

## 인식표

군 훈련소에서 기본훈련을 마치면 인식표認識票를 지급받는다. 이때부터 정식군인으로 대우를 받게 된다. 인식표에는 이름, 군번, 혈액형이 기재되어 있다.

인식표는 전시에 본인의 신원을 파악하고 응급처치에 필요한 혈액을 알 수 있는 표식으로 항상 목에 걸고 생활한다. 시신이 알아볼 수 없을 정도로 훼손되어도 신분확인이 가능하다. 죽은 사람을 쉽게 인식하려는 산 사람을 위한 표식이다.

유튜브의 『합스부르크 가문 전통장례의식』이라는 영상에는 저승 입구에 들어서는 한 인간의 신원 확인절차를 보여준다.

2011년 7월 4일 오스트리아 빈에 있는 카푸친 성당 앞이다. 성당문은 굳게 닫혀 있다. 문 앞에 향년 89세로 생을 마감한 오스트리아·헝가리 제국의 마지막 황태자 오토 폰 합스부르크 대공의 운구를 든 사람들이 줄지어 서 있다. 장례행렬의 맨 앞에 선 사람이 지팡이로 똑똑똑 세 번 문을 두드린다.

안에서 한 성직자가 묻는다.

"누가 들어오려고 하는가?"

문밖에서 문을 두드린 사람이 답한다.

"오토 폰 외스터리이히, 오스트리아·헝가리 제국의 황태자이시며, 왕세자이시며, 대공이시며, 공작이시며, 대후작이시며, 변경백이시며, 후백이시며, 후작이시며, 백작이시며, 영주이시며, 보호령의 보호자이시다."

"우리는 그런 사람을 모른다."

다시 문을 세 번 두드린다.

또 안에서 묻는다.

"누가 들어오려고 하는가?"

"오토 폰 합스부르크 박사, 회장이자 의원이자 최고의장이며, 명예박사이자 명예시민이며, 학술원과 협회들의 회원이며, 교회 명예장과 훈장들의 소유자이다."

"우리는 그런 사람을 모른다."

또다시 문을 세 번 두드린다.

"누가 들어오려고 하는가?"

"오토, 한낱 죄 많은 인간입니다."

"그렇다면 들어오라."

합스부르크 왕가는, 13세기부터 20세기 초까지 신성로마제국의 제위를 세습하면서 오스트리아를 거점으로 중부유럽의 패권을 휘어잡았던 황제가문이다. 1918년 제1차 세계대전에 동맹국으로 참전했다가 패전함으로 제국이 해체되었다. 황실의 제위와 왕위를 상실하고 특권이 소멸되었지만, 유럽인의 향수를 자극하는 선망의 명문가였다.

마지막 황태자의 운구는 교회 지하에 있는 황실 묘에 안장되기로 계획되어 있었다. 그 안에 들어가려면 두 번 거절을 당해야 했다. 첫 번째는, 황태자로서 공식직함, 두 번째는, 학위나 훈장 같은 공적을 거절당해야 했다. 세 번째에, 단지 그의 이름과 죄 많은 인간임을 밝히자, 그제야 문을 열어주었다.

아내는 절에서 천도재, 생전예수재, 지장재, 관음재 등 여러 재齋에 참여하여, 조상을 위한 불공을 드리곤 한다. 나는 부처님이나 지장보살 혹은 관세음보살께서 어떻게 나의 조상을 저승에서 찾아내어 위로를 해주고 복을 주는지 궁금하다. 통상적으로는 스님이 발원하는 제주祭主의 주소와 이름을 대고 망자亡者의 이름을 불러 서로 연결을 짓는 의식을 거치지만, 그것은 이승에 살아 있는 사람들의 편의에 지나지 않는다. 저승의 영혼이나 저승사자들은 기도하는 자손의 이름도 주소도 기억하지 못할지도 모르고, 요즈음과 같이 자주 이사를 하면 더욱 주소를 모를 것이 아닌가.

제사 때 조상이 어떻게 찾아오느냐는 질문에 법륜스님은 웃으며 답했다.

"귀신같이 찾아옵니다."

영혼은 불멸한다는 가정을 할 때, 저승사자들은 죽어서 저승을 찾아오는 영혼들을 어떻게 구별하고 관리할까 궁금하다. 누가 누구인지 어떻게 식별하고 찾아낼까.[46]

이승에서 가졌던 모든 직위, 권력, 명예는 아무런 소용이 없다. 이승에서 행하고 말하고 생각한 기억만 무의식의 형태로 영혼에 담아 갈 뿐이다. 그런 의미에서 합스부르크가의

---

46) 이와 관련하여, 죽음학자 최준식 교수는 사람에게 각자 고유한 지문이 있듯이, 영혼에도 자기만의 고유한 파동을 일컫는 '영문(靈紋)'이 있어 이를 통해 식별할 수 있다는 주장을 소개한다.

장례식은 현세를 살아가는 우리에게 깨우침을 준다. 삶에 있어 겸손의 미덕을 일깨워 준다.

하지만 나는 합스부르크가 장례의 세 번째 답변도 고쳐져야 한다고 생각한다.

'한 인간이다'로 족하다.

저승에서는 이름조차 쓸모없다. 저승의 누가 이승의 이름을 기억할 것인가. 우리가 이 세상에 나올 때 이름을 달고 나오지 않았기에 저승 입구에서는 이승의 명찰까지도 떼 버려야 한다.

게다가 '한낱 죄 많은'이란 수식어도 필요 없다. 죄란 인간 스스로 만든 분별심의 소산이기 때문이다. 그야말로 공수래 공수거空手來 空手去다.

(2023.5.8.)

## 죽음의 부정

사람들은 행복하기 위해 열심히 삶을 살아간다.

과연 어떻게 살면 행복할까. 행복을 가져오는 것으로 건강, 재산, 명예, 권력 등을 들 수 있겠다. 하지만 그게 모두는 아닌 듯하다. 그 뒤에 뭔가 숨어있다. 누구나 알지만 입 밖에 내지 않는 그 무엇이 도사리고 있다. 인간은 유한한 존재라는 자각 - 죽음이다. 궁극의 행복은 죽음까지 극복해야 가능하다.

가상의 영화 『올드 가드』는 '총을 맞아도 죽지 않는 사람들'을 주제로 한다.

이들은 수백 년 동안 늙지 않고 전쟁터를 돌아다니며 인명구조 활동을 해왔다. 그 정보를 입수한 제약회사 회장이 그들을 실험실로 잡아와 그들의 유전인자를 추출하여 영생을 꿈꾸는 사람들에게 대량으로 판매하려고 시도한다. 영화 속에서 그 시도는 무산되지만 죽음을 넘어서기 위한 인간의 치열한 노력에 대해 생각하게 된다.

만일 인간에게 죽음이 없고 영원히 살 수 있다면 어떠한 일이 일어날 것인가. 죽음의 두려움이 사라질 것이니 모든 종교는 필요 없을지도 모른다. 종족보존의 수단으로서 2세 생산의 필요성도 없어질 것이다. 결혼의 필요성이나 섹스의 번거로움도 없어지고, 어쩌면 생식기관이 퇴화할지도 모른다. 손자나 손녀와 함께 연인을 두고 삼각관계에 빠질 수도 있겠다. 세상이 카오스혼돈에 직면할지도 모르겠다. 이처럼 죽음이 사라지면 부작용이 엄청날 듯하다.

그럼에도 불구하고 인간은 죽음을 극복하기 위하여 끊임없이 노력하고 있다.

어니스트 베커는 저서, 『악에서 벗어나기』에서, 인간의 죽음을 벗어나고자 하는 욕구를 '불멸성의 추구immortality striving'라고 했다. 그는 '불멸을 추구하는 인간의 욕망이 모든 악의 근원'이라고 한다. 모든 악은 인간이 다양한 방법으로 불멸을 추구하는 데서 기인한다고 단언했다.

첫 번째 방법은 영웅을 찾는 것이었다. 인류역사를 관통하여, 인간은 끊임없이 죽음을 넘을 영웅을 모색해 왔다. 제사장, 왕, 정치지도자 등 형태를 바꿔가며 죽음과 맞설 영웅을 찾았다. 그런데 영웅을 추종한 대가는 폭정과 전쟁이었으며, 이는 필연적으로 인간의 생명을 희생시키고 자연에도 해악을 끼쳤다.

두 번째로 추구한 것은 종교다. 종교는 죽음을 적극적으로 부정한다. 모든 종교는 영혼의 영속성과 불멸을 캐치프레이즈catchphrase로 내세우고 있다. 하지만 종교도 권력과 결탁함으로써 폭력으로 전락했다.

세 번째는, 세속적인 수단이다. 대표적인 것이 돈이다. 돈을 버는 목적은 편히 살기 위한 것이지만, 더 나아가면 번 돈을 과시하고 물건을 쌓아놓고, 그것이 나의 죽음 뒤에도 영원할 거라는 생각 때문이다. 기업가는 자기 기업이 영속할 것이라고 믿는다.

명예나 권력도 남을 뛰어넘으려는 욕망을 드러내는 것이지만, 더 나아가 후세 사람들이 자신을 위대한 사람으로 기억해 주기를 바라는 열망이 밑바탕에 깔려있다.

베커는 심지어 전쟁도 죽음을 극복하려는 노력의 일환이라고 주장했다. 적을 죽임으로써 죽음에 대한 공포를 떨치고, 죽어가는 적을 보면서 '너는 이렇게 죽지만, 나는 이렇게 살아 있으니 불멸의 존재다'라고 외칠 수 있기 때문이라고 했다. 인간은 내면의 생리화학적인 유기체의 구석에 틀어박힌 채 자신이 불멸이라고 느낀다고 지적한다.

그러고 보면, 묘지의 비석이나 석물도 영원한 존재이길 꿈꾸는 염원의 표식이다.

인류문명의 발달과 전승도 불멸을 꿈꾸는 이러한 인간 노력의 종합적 산물이다.

생을 살면서 느끼고, 보고, 축적한 지식이나 작품을 후세에 오래도록 사라지지 않고 남기고자 하는 욕망이 오늘날 문명을 잉태했다. 책, 예술작품, 건축물, 음악과 같은 모든 유·무형의 문화유산이 이에 해당된다.

내가 글을 쓰는 이유 중 하나가, 글이 후세에 남아 나의 삶의 흔적으로 기억되기를 바라는 의도가 있음을 부인할 수 없다.

이같이 삶의 밑바탕에는 불멸을 꿈꾸는 인간의 열망이 깊숙이 자리 잡고 있다.

하지만 베커는 인간의 이러한 불멸을 위한 모든 몸부림은 결국 아무런 성과도 없이 실패할 뿐이라고 단언한다. 그는 인간이 부인하든 하지 않든, 인간은 유기체로서의 동물에 지나지 않고, 우주는 인간에 대해 아무런 약속도 한 바 없다고 한다. 단지 장엄한 자연의 흐름만 있을 뿐이다.

그는 인간이 영생을 찾기 위해 온갖 의미를 부여하고 몸부림을 치지만, 그 모든 노력이 무의미하게 끝난다고 냉정하게 잘라 말한다. 인간의 영웅 추구 놀음은 끝내 허무하게 막을 내린다고 보았다.

한마디로, 그는 '죽음의 부정'이란 인간의 불멸을 위한 몸부림의 또 다른 표현에 지나지 않으며, 그 몸부림이 만악萬惡의 근원이라고 역설한다. 프로이트 정신분석학에 바탕을 둔 한 문화인류학자의 극단적 사고의 일면이다.

과연 그의 견해가 진리일까.

나는 인간의 죽음을 극복하기 위한 몸부림은 인정하지만, 죽음으로써 삶의 모든 것이 무無로 돌아간다는 주장은 쉽게 동의하기 어렵다. 과학적 확증은 없지만 영혼의 존재를 짐작게 하는 사후체험, 전생기억 등이 엄연히 있기 때문이다.

이러한 내 생각도 불멸을 꿈꾸는 심리작용일까?

(2023.5.15.)

## 자살에 대한 소고小考

올해 내 나이 59세, 그렇게 많이 살지 않았지만 내가 잘 아는 주위 사람들로 인해 당혹감을 느낀 경우가 있다. 신문지상에 가십gossip으로 오르내릴 만한 사건이 내 주변에서 실제로 일어날 때이다. 대표적인 경우가 자살自殺이다.

나와 삶의 대오隊伍를 형성하고 함께 삶의 파고를 넘다가, 한마디 귀띔도 하지 않고 스스로의 목숨을 끊는 사람이 있다.
이런 일을 겪고 나면 내가 초라해지는 것을 느낀다. 과연 나란 존재는 그에게 무엇이었던가. 나는 왜 그동안 그에게 아무런 도움도 되지 못했던가. 당혹감과 더불어 안타까운 생각이 들면서도 자신이 무능함을 느낀다.

가장 최근에 겪은 일은 A기사의 죽음이었다. 그는 지난 2012년 6월 내가 회사에 첫 출근을 하면서부터 내 차를 몰았다. 그는 미혼이었고 나이는 40세 가까이 되었다. 양로원에 계시는 홀아버지와 그의 자취방 근처에 사는 결혼한 누이가 있었다. 그는 1년여 동안 비교적 착하고 성실히 내 차를 운전했다.

아침 6시에 내 집에 와서 나를 태우고 사무실에 와서 점심 외출, 저녁약속, 주말운동 등 일정을 지켜주기 위해 열심히 일했다. 다만 저녁에 나를 귀가시켜 준 후 술을 많이 마셔 간혹 늦잠을 자는 바람에, 아침 출근시간이나 주말 운동시간을 놓치는 경우가 몇 번 있었다. 속이 상한 적도 몇 번 있었지만, 마음이 착한 듯하여 눈을 감아줬다.

그런데 작년 11월 어느 날 정말로 더 이상 같이 일하지 못할 사건이 발생했다. 아침 출근시간까지 그가 나타나지 않았다. 나도 화가 나서 전화도 하지 않고 곧바로 택시를 타고 사무실로 출근했다. 그런데 평소 같았으면 전화라도 할 텐데 아무 소식이 없었다. 총무팀에 확인해 보라고 지시했다. 10시 조금 지나자, 총무팀에서 보고 하기를, 그는 자취방에서 죽은 채로 발견되었으며 사인은 동맥을 스스로 잘라 죽은 듯하다는 것이었다.

순간 나는 멍한 기분을 느꼈다. 지난 주말 골프를 치고 돌아오는 길에 경기도 동탄 근처를 지나면서, 그가 장가를 들기 위해 근처에 아파트를 마련했다고 했다. 결혼할 생각을 한 총각이 자살이라니. 내가 그에게 못 할 짓을 했던가? 그는 당시 내가 출근하고 퇴근할 때까지 자동차란 좁은 공간에서 같이 호흡해 온 사람이지 않은가? 그런 나에게 한마디 말도 없이 사라진 것이었다. 전날 그는 나를 오후 6시경 귀가시켜준 후, 총무팀 직원과 밤늦게까지 술을 같이 마시고 9시가 지나서 헤어졌다고 했다. 누구와 다투거나 실랑이한 적 없이 귀가했는데, 아침에 총무팀에서 다른 기사를 보내 문을 두들겼으나 응답이 없어, 인근에 사는 여동생에게 연락하여 문을 열게 하여 방으로 들어가 보니 이미 그렇게 되어있었다는 얘기였다. 회사는 사인규명을 경찰에 맡기고 장례를 조용히 치르도록 도와줬다. 경찰은 단순 자살로 결론지었다고 한다. 나는 그가 무슨 말 못 할 사정이 있었는지 아직도 짐작이 가질 않는다.

두 번째 사건은 금년 4월경에 발생한 B××위원의 아파트 투신 보도였다.

그는 나와 같이 근무한 적이 있었다. 그는 일류대학을 졸업하고 행정고시 합격 후 유학을 다녀온 엘리트 공무원이었다. 나보다 몇 살 어린 그는 1980년대 후반에 ○○처에서 전입해 와 나와 같은 부서에서 근무할 때 결혼했다. 그와 나는 2009년도 국장과 과장으로 다시 만나 1년간 같이 근무한 적이 있었다. 그는 비교적 소심한 편으로 성격이 급한 완벽주의자였다. 2012년 퇴직하면서 그의 방에서 차 한잔할 때, 그가 내게 "국장님이 가시는 자리가 마음에 차시지 않겠지만 나중에 시간이 지나면 잘 갔다는 생각이 들 겁니다."라는 위로의 말을 건넨 것으로 기억한다.

그가 ××위원이 되고 일 년쯤 지나, 자기 아파트에서 투신했다는 보도가 나왔다. 들리는 얘기로는, 그의 병증이 내가 그와 함께 일할 때 내가 겪었던 증상과 비슷했다는 것을 알고는 놀랬다. 그는 결혼 후 슬하에 두 남매를 두고 있었는데, 남들이 부러워하는 학교를 졸업하고 좋은 직장에 다니고 있었다. 재산도 꽤 가지고 있었다. 그런 그가 우울증을 앓다가 스스로 목숨을 끊었다니 나에게는 충격이었다.

그가 내게 자신의 병증을 내게 귀띔만 했어도 그에게 일말의 조언을 해줄 기회가 있었을 텐데 싶었다. 그가 생을 포기하고 허무하게 사라진 지금, 나는 왜 그에게 도움을 주지 못했었나 하는 자책감이 가시질 않는다.

마지막은 막내 처제 얘기다.

그녀는 7남매 중 여섯째였다. 내가 대학교를 입학한 후 맏이인 아내를 처음 만났을 무렵, 그녀는 초등학교 3학년 재학 중이었다. 나와 나이 차이가 나 말을 섞을 일이 그리 많지 않았다.

내가 1977년 결혼하여 1982년 서울로 이사 올 무렵 그녀는 대학에 입학했다. 아내는 그녀가 노래를 잘했다고 말했다.

내가 과천 살 때 서울에서 개최되는 대학가요제에 출전한다고 우리 집에 하루 머물고 간 적이 있었다. 당시 우리 집에 머물 동안 그녀는 얼굴에 웃음이 별로 없었던 것으로 기억에 남는다.

그런데 그녀가 대학가요제 예선에서 탈락하고 대구로 내려간 뒤 별일이 없는 줄 알았다. 그러나 몇 달 후 아내가 내게 귀띔하길, 얼마 전 그녀가 친구 집에서 음독자살했으며 그 뒷수습을 맏처남이 했다는 전언이었다. 참으로 기가 막힐 노릇이었다. 아내의 얘기로는 그녀가 사귀던 남자친구와 헤어져 낙담하여 그랬다고 말했다.

그 이야길 듣고 나는 왜 그녀가 형부인 내게 한마디도 상의하지 않고 친구의 방에서 쓸쓸히 죽어가야만 했을까 하는 생각이 들었다. 노래 때문에? 남자친구와의 이별 때문에? 그녀가 더 이상 삶의 무게를 견뎌내지 못하게 한 이유가 무엇인지 궁금했다. 내가 그녀에게 전혀 도움이 되지 못한 사실이 안타깝게 여겨졌다. 요즈음도 나는 매주 일요일 절에 가면 그녀의 위패 앞에서 극락왕생을 빈다.

나는 주위의 자살 소식을 접하는 순간, 충격에 휩싸이면서 왜 그들은 극단을 선택할 수밖엔 없었을까 싶다. 그들에게 내가 아무런 의미가 없었을까 생각하게 된다.

자살예찬론자는 신이 사람의 생명을 창조했다면 스스로 목숨을 끊는 것은 스스로 신과 동격이 되는 것이라고 말하기도 한다. 하지만 나는 자살은 스스로 인생을 너무 서둘러 조기 졸업하는 것이 아닌가 싶다.

내가 2000년대 말 갱년기 증상으로 고생한 적이 있었다. 밤에 베갯잇이 흠뻑 젖도록 땀을 흘리고, 잠을 두세 시간도 잘 수 없었다. 밤에 잠을 못 자니 근무 시간에 피곤하고 만사 짜증이 났다. 이런저런 검사를 받았지만, 병명은 나타나지 않았다. 단지 한방에서는 수승화강水昇火降이 안되고 열기가 머리 쪽으로 올라가 잠을 못 잔다고 설명했다. 양약과 한약을 이것저것 먹다가 나중에는 수면제를 먹기 시작했다. 수면제도 4시간 정도 수면을 보장해 주지 더는 안 되고, 그것도 깨고 나면 머리가 무거웠다. 봄에 꽃을 봐도 아무런 감흥을 느끼지 못하겠고, 슬픈 드라마를 봐도 슬프지 않았으며, 코미디 프로를 봐도 웃음이 나오지를 않았다.

몸부림치던 끝에 ×월드에 가서 기체조도 하고, 경락 마사지와 벌침을 맞았다. 그러기를 6개월 정도, 차츰 잠이 오기 시작하고 생활이 정상으로 서서히 돌아왔다. 잠을 제대로 자니 살 것 같았다.

이 일을 겪고 난 뒤 나는 스스로 목숨을 끊는 사람의 심정을 조금은 이해할 수 있었다. 세상이 회색빛으로도 보일 때가 있었기 때문이다. 아내나 아이들이나 모두가 타인으로 느껴졌다. 아무도 나의 무기력을 대신해 줄 수 없었고 가족들도 차츰 귀찮은지 짜증만 내는 내 근처에 오기를 꺼리는 눈치였다.

지금 생각해 보니 어려운 시기를 무사히 넘겼다. 가족이 가장 가까운 줄 알았는데 그것도 아니었다. 이 세상에 나를 진정으로 걱정해 줄 사람은 아무도 없었다. 내가 죽더라도 남은 가족은 일시적으로 슬픔을 겪겠지만 각자의 인생을 살아갈 수밖에 없다는 엄연한 현실을 깨달았다. 나의 죽음은 그들에게 순간의 슬픔과 당혹감을 주는 것 외에 더 이상의 의미가 없다는 자각이었다.

자살 충동은 일시적 허상이란 생각이 든다. 생각해 보라. 내 한목숨 끊는다고 세상이 눈썹 하나 까딱이겠는가.

그래서 나는 자살을 하는 사람들의 자존심이랄까 에고가 지나치게 강한데 문제의 원인이 있다고 생각한다. 애초에 우리는 태어나면서 에고가 없었는데 커가면서 에고를 만들어 그것을 부둥켜안고 있다. 마치 자신이 온 세상의 전부이거나 중심인 것처럼 여긴다. 하지만 한발 물러나 보면, 세상은 내 의지와는 무관하게 돌아간다. 지구는 내가 없더라도 돌고, 바람이 불고 세월은 무심하게 흘러간다. 아내와 아들딸들은 내가 없더라도 각자의 삶을 영위할 것이다. 그러니 내 것이라고 내세울 게 뭐가 있겠는가. 그렇게 생각하면 나의 에고나 자존심도 없고 지켜야 할 나도 없는 게 아닌가.

그저 주어진 한 세상 실컷 경험하고 구경이나 하고, 천수가 다하면 자연으로 돌아가는 게 현명한 선택이 아닌가 싶다. 구경거리를 놔두고 굳이 조기에 먼저 인생을 졸업하려고 애

쓸 필요가 있나 싶다.

우리가 삶을 살다 보면 알게 모르게 힘든 고비나 장애물이 있지만 그래도 나를 지탱하게 해주는 것은 삶의 긍정적 측면이 있기 때문이다. 그것이 사랑, 자긍심, 인내심 혹은 그 무엇이 되었든 말이다. 그런데 사람들은 스스로 장벽을 만들고 세상을 자기가 원하는 방향으로만 바라보고 살아가려니 힘들고 우울증에 걸리는 듯하다. 그냥 세상에 태어났으면 살아지는 대로 살아가는 자세가 필요하다.

죽음은 우리의 모든 현실을 물거품으로 만들고 앗아간다. 자아의 깨달음을 실현할 기회를 앗아간다. 인간이 태어났다가 죽기를 반복하는 윤회설을 받아들인다고 할 때 살아 있으면서 삶의 긍정적 에너지를 길러 그 윤회의 굴레를 벗어날 기회를 살려야 하지 않을까 싶다.

(2014.11.12.)

## 죽음, 그 이후

고등학교 졸업을 앞둔 마지막 수업시간이었다.

담임선생님이 학생들에게 무슨 질문이든지 좋으니 해보라고 하셨다. 정적이 감돌았다. 내가 어렵사리 손을 들었다.

"선생님, 사람들은 죽음을 앞두면 두렵지 않을까요?"

선생님은 뜻밖이란 듯, 창문을 한참 바라다보시더니 말씀하셨다.

"글쎄, 방천 다리 밑에 노인들이 한가로이 장기를 두는 것을 보면, 죽음이 그렇게 두렵지 않은가 보지요."

투병 중인 어머니가 아들 최인호에게 말했다.

"왜 이렇게 죽는 게 힘이 드냐. 무섭고 무섭다. 난 가끔 내가 관속에 묻혀 있는 걸 생각하면 겁이 난다. 얼마나 답답하겠니. 그 속은…"

그러던 어머니가 진작 죽음이 임박하자 아들에게 말했다.

"요즈음엔 어머니가 밤마다 내 곁에 와서 주무신다. 아비야, 혼자 자는 것이 아니란다. 그래서 무섭지 않아."

그렇다. 죽음이 처음 노크를 하면, 사람들은 이를 인정하려 하지 않고 저항한다. 차츰 죽음이 임박하면 체념하고, 두려움을 극복하려고 노력한다. 그는 먼저 간 어머니를 떠올린다.

그를 낳아준 부모도 그 길을 먼저 가지 않았던가. 이웃들도 앞서거니 뒤서거니 그곳을 향하지 않았던가. 그들이 간 길을 나라고 못 갈 것이 없지 않은가. 먼저 간 사람들이 나를 반길 거라고 하는 생각에 죽음을 담담히 받아들이게 된다고 여겨진다.

그러면 사람이 죽으면 육신은 먼지로 사라지고, 그것으로 끝일까. 영혼은 어떻게 될까.

모세의 율법에는 형이 자식이 없이 죽으면, 동생이 형수를 취하여 자식을 낳게 하여 형의 대를 잇게 했다. 유대인들이 예수를 곤경에 빠뜨리기 위해, 이 율법을 들어 질문을 던졌다.

"어느 집안에 칠 형제가 있는데, 큰형이 아이를 낳지 못하고 죽었습니다. 그 뒤 둘째가 형수와 살다 죽고, 그다음 셋째, 넷째 순으로 형수와 살았으나 모두 아이를 낳지 못하고 죽었습니다. 칠 형제 모두와 살다 죽은 그 여인은 누구의 아내가 되어야 하겠습니까?"

예수는 하늘을 한참 응시하고 난 뒤, 천천히 대답했다.

"이 세상 사람들은 장가도 들고 시집을 가지만, 죽었다가 다시 살아나 천국에서 살 자격을 얻은 사람들은 장가를 들 일도 없고 시집가는 일도 없다. 하느님의 자녀가 되는 것이다. 천국에서는 그 여인이 누구의 아내가 되는 일이 없다."

나는 사람이 죽으면 육신은 흙으로 돌아가지만, 영혼은 새로운 여정을 이어갈 것으로 믿는다. 죽음은 모든 것을 영零으로 돌리는 무無로의 소멸이 아니라, 새로운 배역을 위한 숨 돌리기 - 중간휴식시간intermission이라 본다.

최인호는 어머니가 돌아가시고 난 뒤 꿈속에서 두 번 보았는데, 두 번째는 돌아가시고 49일째 되던 날이었다고 한다. 불교에서는 죽은 후 49일을 새로운 육신을 받기 전 상태인 중음신中陰身으로 머무는 기간이라 한다. 나는 이 49일간이 중간휴식시간 - 환생을 위한 준비기간으로 보인다.

그러면 윤회를 거듭하는 주체는 누구인가.

기원전 2세기경 그리스의 밀린다 왕이 고승 나가세나에게 물었다.

"어떤 사람이 환생하면 그는 이전에 죽었던 그 사람입니까. 아니면 그와는 다른 사람입니까?"

나가세나가 답했다.

"그는 같은 사람도 아니고 다른 사람도 아닙니다. 만일 어떤 사람이 매일 밤 등잔에 불을 붙였다가 새벽에 끕니다. 오늘 밤의 불꽃은 전날 밤의 불꽃과 같은 것일까요. 다른 것일까요? 환생이란 그와 같습니다. 새로운 존재에게 타오르는 첫 번째 의식은 그 이전의 존재에서 일어났던 마지막 의식과 같지 않습니다. 그렇다고 서로 다르다고 할 수도 없습니다."

나가세나의 답변은 꽃 한 송이의 비밀이 꽃씨에 숨겨져 거듭 세상에 피어나는 것과 같이 우리의 영혼도 육체를 바꾸어 가며 새롭게 태어나는 이치와 다르지 않다.

사람이 죽으면 먼저 간 사람들이 저승에서 반겨주고, 죽음 이후에도 환생하여 새로운 배역을 받을 것이라는 생각이 작위적인 생각일 수 있지만, 나는 그렇게 믿고 싶다.

그래야 사람들이 죽음의 두려움을 떨치고, 새로운 여정을 맞이할 희망과 용기가 생기지 않겠는가.

(2022.9.27.)

# 제8장 윤 회

## 불 새

코로나로 폐쇄되었던 연주공간이 봄이 되자 활짝 열렸다.

음악계에서도 각종 연주회 준비로 들떠 있다. 그중에 눈길을 끄는 것이 10월 말로 예정된 클라우스 메켈레의 오슬로 필하모닉 공연이다. 코로나로 두 차례나 공연이 취소된 바 있었다. 메켈레는 최근 세계가 주목하는 27세의 떠오르는 젊은 지휘자다.

그가 지휘할 곡 중 하나가 스트라빈스키의 발레음악 '불새 firebird'다. 불새는 슬라브족 민간설화에 나오는 붉고 황금색을 띤 상상의 새라고 한다.

대강의 이야기는 왕자가 마왕의 성에 있는 황금사과를 따 먹기 위해 나타난 불새를 잡았다가 풀어주자, 불새는 보은의 표시로 새를 언제든지 불러낼 수 있는 깃털을 선물로 주었다. 그 뒤 마왕의 등장으로 위기에 처한 왕자가 깃털로 불새를 불러내어 마왕을 제압하고, 성에 갇혀있던 공주를 구출하여 결혼한다는 해피엔딩 스토리다.

불새라는 이름은 불사조不死鳥, phoenix와 혼용되어 쓰여지고 있다. 불사조는 슬라브족 설화의 불새와는 약간 다르다. 죽어도 부활한다는 전설 속의 새다. 500년 주기로 자기 몸을 불로 태워 '재'가 된 다음, 그 재에서 새로운 불사조가 태어난다. 만화에서는 불을 내 뿜기도 한다. 보통 사람들은 불새라 하면 불사조를 뜻하는 것으로 여긴다.

음악뿐 아니라, 대중문화에는 불새를 모티브로 한 작품이 여럿 있다. 최인호의 동명 소설, 드라마, 만화, 로젤리아Roselia의 싱글 타이틀곡, 그 밖에도 많은 작품의 주제나 부제로 등장한다.

환상의 새인 불새가 대중문화에 깊이 뿌리 내리고 있는 이유가 무엇일까. 상상 속 불새는 온몸에 불이 타고 있어 숨을 쉬고 살 수 없지 않을까. 현실적으로 불을 내뿜으며 날 수 있는 생명체가 존재할 수 있을까. 그런데도 사람들은 불새를 상상하고 동경하는 이유가 바로 불새가 연상시키는 캐릭터에서 유래한다고 본다. 불새, 즉 불사조는 부활, 생명, 재생을 상징한다.

나는 상상 속 불새의 생명력은 불멸을 열망하는 인간의 욕망에서 비롯된다고 생각한다. 모든 인간은 죽더라도 다시 태어나는 불멸을 꿈꾸고 있다.

인간은 세상의 고통이나 고난이 아무리 험하고 어렵더라도, 희망의 끈을 놓치지 않으려 한다. 그 마지막 보루가 사후의 부활이다. 불새는 또한 하늘을 훨훨 날아 현실의 고통을 단숨에 벗어나는 비상飛上능력을 가지고 있다. 이러한 점이 불새가 생명력을 가지고 인간의 가슴에 살아있는 이유다. 불멸을 향한 인간의 열망 - 불새의 마력魔力이다.

(2023.3.28.)

## 자의식自意識

나는 이따금 스스로 반문한다.

"이 바보야, 멍청한 짓을 했어!"

내 자신의 내부에서 분리된 그 무엇 - '눈에 보이지 않는 나'가 '보이는 나'를 나무란다. 마치 제3의 인물이 나를 감시하는 듯하다. '눈에 보이는 나'와 '눈에 보이지 않는 나'를 구별하는 작용을 심리학에서는 '자의식自意識'이라고 한다. 내가 나를 둘로 나누어 대상화하는 이원적 구조다. 이처럼 자의식은 나의 존재를 주체와 객체로 나누어 인식하게 한다.

고대 인도의 경전 『베다』에 따르면, 우리가 몸을 타고 태어날 때, 육체gross body, 미세체subtle body, 원인체casual body가 생겨난다고 한다. 원인체는 영원한 나의 의식을 말하며, 미세체는 육체라는 거울에 비친 원인체의 아바타분신라고 해석된다. 사람의 육체에는 미세체가 깃들여 있다가 육체거울가 사라지면 미세체도 사라진다. 오직 원인체만 남아 윤회를 계속한다. 나는 '원인체가 미세체마음를 의식하는 작용'이 자의식이 아닌가 생각한다. 우리가 종종 영혼의 유체이탈을 경험한 사람이 자신의 죽은 모습을 본다는 말은 원인체가 육체를 보는 것이 아닐까. 유럽의 인디언이라 불리는 켈트족들도 육체를 영혼을 비추는 거울로 이해한다.

사람에게 자의식은 언제부터 생겨날까.

정신분석학자 융은 사람이 태어나면서부터 곧바로 자의식을 가지지는 않는다고 했다. 아이가 태어날 때는 다른 동물과 마찬가지로 자의식이 없다. 그래서 나와 남을 구별할 수가 없다. 그러다가, 두 살 전후가 되면 서서히 자신이 다른 사람과 구별되는 개체라는 의식이 싹트게 된다. 자의식이 생기면 아이는 자기의 의사표현을 한다. 아이가 말을 시작할 때 처음 배우는 말이 'NO아니오'라는 말이다. 자의식은 나와 남을 구별함으로써 객관적인 내가 주관적인 나를 대상화하는 것이다.

그런데, 생각은 언어와 불가분의 관계에 있다. 언어가 없으면 체계적으로 생각할 수가 없다. 그래서 자의식이 생긴 아이들은 언어를 배우기 시작한다.

인도에서 있었던 일이다.

정글에 버려진 한 어린아이가 늑대의 젖을 먹고 자랐다. 소년이 된 아이는 마을 사람들의 눈에 띄어 숲에서 잡혀 왔다. 과학자들이 소년에게 말을 가르치려고 노력했으나 실패했다. 자의식이 생겨나지 못한 이 소년은 말을 배우지 못한 채 늑대처럼 살다가 죽었다.

어린아이가 자의식을 가지면 일어나는 변화는 무엇일까.

시간의 흐름을 인식한다. 시간의 흐름을 인식한다는 것은 생명의 유한함을 인식하고 죽음을 알게 된다는 말이다. 그때부터 죽음에 대한 두려움을 가지게 된다.

기독교에서는 창세기에 아담과 하와가 선악과를 먹음으로써 지혜를 얻었으나, 그 벌로써 죽음의 벌을 받았다고 한다. 하지만 죽음학자 최준식은 선악과를 먹음으로써 죽음을 인식할 수 있는 자의식 - 지혜를 얻었다고 해석한다.[47] 그는 자의식을 가짐으로 인해 인간이 죽음을 예지하는 능력과 지능을 가진 동물이 되어, 다른 동물에 비해 한 단계 도약하게 되었다고 해석한다.

죽음을 알게 된 인간에게는 그다음 어떤 변화가 일어날까.

존재와 비존재를 알게 되고, 죽음의 두려움을 이겨내려고 몸부림을 친다.

그 대표적인 것이 종교다. 신을 통한 영원과 불멸의 추구다.

그다음이 물질을 통한 영원의 추구다. 물질은 사라지지 않고 영원할 것처럼 보이기 때문이다. 그런데 물질적 욕망은 짠물을 들이켜듯 갈증을 더 심하게 만든다. 또한, 연인과의 섹스를 통해 신성에 이르고 종족보존으로 자신의 그림자를 영원히 남기려고 한다. 인간의 모든 예술행위, 전쟁 등도 넓게는 죽음을 두려워하고 자기의 발자취를 영원히 남기려는 몸부림으로 이해된다.

반면에, 자의식이 없는 동물들은 두려움을 느끼지 못한다. 초원에서 풀을 뜯는 얼룩말은 사자와 같이 있어도 대부분은 위협을 느끼지 못한다. 사자는 배고픔을 해결할 목적이 아니면 얼룩말을 위협하지 않기 때문이다.

---

47) 여기서 자의식은 후술하는 개별의식과 구별된다. 자의식은 나를 주체와 객체로 구분하는 작용, 즉 지혜나 지능을 뜻하는 반면, 개별의식은 우주의식에서 떨어져 나온 인간의 의식, 즉 영혼을 의미한다.

그러면 자의식 → 생각 → 언어 → 시간 인식 → 죽음의 두려움 → 종교와 물질을 통한 불멸 추구 → 고통에 이르는 악순환의 고리를 어떻게 하면 끊을 수 있을까. 부처는 이러한 삶과 고통의 순환 고리를 벗어나기 위한 해결책으로 고집멸도苦集滅道를 제시했다.

그런데, 논리적으로 보면 고통의 원인은 자의식에 있다.

자의식을 없애는 것이 고통에서 벗어나는 지름길일 수도 있겠다. 그래서 많은 종교가 깨달음을 얻기 위해서는 어린아이가 되라는 가르침을 제시한다. 어린아이란 '자의식이 생기기 전의 상태'로 돌아가는 것이다. 하지만 켄 윌버는 그의 저서, 『아트만 프로젝트』에서 자의식을 가진 단계를 '의식적 지옥'으로, 자의식이 생겨나기 전의 단계를 '무의식적 지옥'의 상태라고 정의했다.

"아이가 평화롭게 보이는 이유는 천당에 살고 있기 때문이 아니라, 지옥불을 인지하지 못하기 때문이다. 아이도 역시 삼사라윤회의 세계에 있다. 깨달음은 이런 상태로 돌아가는 것이 아니다."

그는 깨닫기 전 어린아이의 천진무구함과 깨달음을 얻은 후의 선지식의 천진무구함은 질적으로 다르다고 주장한다.

인간은 자의식과 지능을 가지고 있어 문명을 일으켰지만, 자의식 때문에 삶의 번뇌와 죽음의 두려움에서 벗어나지 못하고 있다. 깨달음을 통한 자의식의 극복만이 죽음의 두려움에서 벗어나는 유일한 방법으로 여겨진다.

(2023.6.18.)

## 또 다른 여인이 나를

죽음은 모든 사람에게 어김없이 찾아온다.

그 길은 아무도 동행하지 않는 혼자만의 길이다. 죽음은 확실성과 개별성을 지녔다. 한 번 이승을 떠난 사람은 소식이 없다. 이후 무슨 일이 일어나는지 아무도 모른다. 이것이 인간을 두렵게 만든다.

종교는 이러한 두려움을 덜기 위해 생겨났다.

모든 종교는 영혼의 불멸을 전제로 한다. 만일 인간이 물질적 존재로서 육신이 없어짐에 따라 영혼도 영원히 사라진다고 하면, 종교는 필요 없을지도 모른다.

미지의 세계 - 죽음에 대하여 현대의 지성인들은 어떻게 생각할까.

종교학자며 죽음학의 선구자인 최준식은 그의 저서 『죽음 가이드북』에서, 죽음에 관한 학자들과 전문가들의 연구내용을 소개한다.

우리나라 사람들은 현세를 중시하는 유교의 영향을 받아, 죽음에 대해 말하는 것을 꺼리지만, 죽음을 직시하면 두려워

할 필요가 없다고 역설한다. 시인 천상병이 「귀천歸天」에서 죽음을 '아름다운 이 세상 소풍 끝나는 날'이라고 노래했지만, 최준식은 삶이 소풍이라면, 죽음 또한 소풍이라고 한다.

여러 학자가 인간은 육신과 별개의 의식 - 영혼을 가지고 있다고 한다. 육신이 사라져도 영혼은 죽지 않는다는 의미이다. 육신은 영혼이 잠시 머물고 체화體化된 우주복과 같기 때문이다. 우주복을 벗으면 상쾌한 공기를 쐬며 자유로움을 느끼듯, 죽음을 맞으면 영혼은 자유롭다고 한다.

이 견해에 따르면, 죽음은 태어남과 같이 생명윤회의 한 과정이다.

학자들은 임사체험 사례, 최면을 통한 전생 경험담, 죽음 관련 연구보고서에 기초하여, 죽음은 고통스러운 것이 아니라 영적 성장을 위한 필수 학습과정이라고 보고 있다.

임사체험 혹은 근사체험자들은 저승의 문턱에서 돌아온 사람을 일컫는다.

이들은 저승입구까지의 경험담을 다음과 같이 증언하고 있다.

영혼의 체외이탈 → 터널체험(어두움) → 저승도착(밝고 영롱함) → 빛과의 만남(고급령, 조상) → 지난 생의 반성(교훈과 지혜) → 저승경계 도착(강, 사막, 바다) → 영혼의 체내회귀 순이다.

그들은 저승 문턱에서 돌아왔기에 저승의 세부적인 상황은 알지 못했다.

최준식에 의하면, 인간이 삶을 사는 동안 영혼에 먼지가 쌓인다고 한다.

이 먼지를 카르마karma라고 부르는데, 누구나 삶을 살면서 카르마가 쌓인다. 카르마는 불교에서는 업業 또는 업장業障이라고 부른다.

삶을 살면서 지은 집착을 말한다. 그 집착덩어리가 영혼을 무겁게 만든다. 카르마가 끼면 영혼이 무거워 위로 더 오를 수가 없다. 인간은 영혼을 가볍게 만들기 위해 이것을 정화하는 노력을 끊임없이 한다. 이것이 인간이 윤회를 거듭하는 이유다. 물속의 생물이 진화하여 육상동물이 되었듯이, 의식도 가볍게 정화되어 상승하면 이승에 태어날 필요가 없게 된다. 다시 태어날 필요가 없게 될 때까지 윤회는 거듭된다.

전생을 기억하는 캐서린이라는 여성은 자신이 86번째 지구를 방문했다고 한다. 그녀는 수많은 환생과정에서 성별이 바뀌기도 하였고, 여러 나라에서 태어났다고 했다.

한 어린아이는, 자신이 전생에 지금 어머니의 할아버지였다고 주장하기도 했다. 그렇다고 인간이 마음대로 윤회를 그만둘 수 있는 것도 아니다. 삶이 힘들어 자살하더라도 상황은 나아지지 않는다. 오히려 저승에서의 반성기간이 길어지므로, 그만큼 정화가 더뎌진다.

환생이론에 의하면, 이승은 영혼을 단련하는 학교와 같다.[48] 카르마는 물질계인 육신을 통해서만 정화할 수 있다.[49] 카르마를 해소하고 영혼이 가벼워져야만 환생을 멈춘다.

저승에는 다시 태어나지 않아도 되는 마스터上位靈가 있어 사람들의 영적 지도와 환생을 돕는다고 한다. 그들은 저승에서 새로운 영靈을 어린아이를 대하듯 친절하게 지도하고 인도해 준다. 이승의 삶을 어떻게 살 것인가 하는 학습계획을 짜주기도 한다.

48) 페드 로데가스트, 주디스 스텐턴 편집, 『행복한 지구생활 안내서』

49) 저승에서 영혼은 비슷한 주파수를 가진 존재끼리만 만나기 때문에 상호 배움을 통한 영적 성장이 정체된 반면, 이승에는 육신 속에 영혼을 가두고 있어 여러 수준의 영혼을 만나는 것이 가능하다. 그래서 이승에서 여러 단계의 영혼을 만나면서 배움을 얻고 카르마를 해소할 수 있다.

그 계획이 우리가 현세에서 운명運命이라고 부르는 것이 아닐까.

세상에 태어나자마자 이유 없이 곧바로 죽음을 맞는 신생아나 사산死産이 된 태아도 카르마의 정화를 위한 사전 특별계획에 따른 환생이었다고 추론할 수 있다.

영혼은 자각의 계단을 하나둘 올라간다. 영혼의 지적 수준도 여러 단계가 있는데 유유상종類類相從 - 비슷한 수준의 존재들끼리 어울린다. 각 수준마다 그에 맞는 진리가 있어 모든 진리가 완전한 자각에 이르는 데 기여한다.

한편, 저승에 먼저 간 조상으로부터 그곳 사정을 들으면 좋으련만 그게 어렵다. 이유는 저승의 영혼은 공기같이 가벼워 매우 빠른 주파수를 가진 파동 에너지를 내보내지만, 물질로 된 우리 몸은 훨씬 느린 주파수로 진동하기 때문이다. 생각의 주파수가 달라 조상령祖上靈과 교신이 어렵다. 그래서 조상들이 자손들의 꿈속에서 암시를 주기도 한다.

이같이 학자들의 주장은 고대 이집트나 티베트의 『사자의 서』의 내용과 비슷한 면이 있지만, 좀 더 논리적이고 심층적이다.

죽음학자들의 윤회관과 기성종교의 내세관을 비교해 본다.

첫째, 영혼불멸은 기성종교와 비슷하다. 그러나 기독교나 이슬람교 등에서는 천국과 지옥이 있다고 주장하는 반면, 학자들은 이를 부인한다.

둘째, 신의 존재에 관한 견해에서 차이가 난다. 하느님, 예수, 알라와 같은 인격신人格神의 존재를 부인한다. 오직 우주의식만 존재하며 이를 신 또는 신성이라 부른다.

셋째, 윤회나 환생을 인정하는 점에서 불교와 비슷하다. 윤회의 목적을 카르마 해소라고 분명히 밝힌다. 다만, 학자들은 인생을 카르마 해소를 위한 불가피한 학습과정이라고 보지만, 불교에서는 인생을 고해苦海로 인식하는 점이 다르다. 이 점은 인도의 카스트제도를 숙명론에 빠지게 한다. 하지만 카스트제도는 카르마 소멸을 강조하지만, 이 이론은 카르마를 더 이상 짓지 말자는 도덕론이다.

넷째, 카르마 해소의 이유를 밝힌 점에서 기존 종교보다 진일보한 듯하다. 영적으로 진화하려 하며, 빛과 같은 밝음을 지향하기 때문이라고 본다. 이 견해는 '모든 존재는 빛을 지향하는 속성이 있다'는 나의 평소 생각과 비슷하다.

다섯째, 신의 본질에 대한 이해가 신비주의, 불교, 힌두교와 유사하다. 인간의 가슴에 신의 속성을 품고 있다는 견해는 신비주의자들의 '인간성 = 신성'이라는 주장과 일치한다. 불교의 누구나 부처가 될 수 있다는 주장이나, 힌두교의 '아트만 = 브라만'이라는 가르침과도 궤를 같이한다.

힌두교에서는 우주에 브라만이라는 우주의식전체이 있고, 우주의식이 개별화된 것이 아트만개인이라고 본다. 아트만이 브라만과 합일하려는 것이 인간의 목표라고 한다.

한마디로 이 우주는 영적 성장을 이끄는 방향으로 진화한다.

한 가지 놀라운 점은 우주의식神性도 고정된 개념이 아니라, 한곳에 머물지 않고 배우고 성장한다는 견해다. 이 우주에는 같은 상태에 영원히 머무는 것은 아무것도 없다는 주장이다. 제행무상諸行無常이다.

인간은 육신을 통해서만 모험하고 배우고 깨우쳐 영혼의 고향인 우주의식에 합류할 수 있다. 그런 의미에서 인간은 우주의식으로 향해 가는 나그네다. 한 방울의 이슬이 바다를 향해 내닫듯이, 자아自我가 우주의식의 품에 안기는 순간까지 윤회여행은 계속될 것임을 깨우치게 해준다.

일찍이 레바논 출신의 시인 칼릴 지브란은 『예언자』[50]의 마지막 장에서 이렇게 노래했다.

> "잘 있으라, 오르펠리스 사람들이여, 오늘은 끝났다. (중략)
> 내 너희에게 다시 돌아올 것을 잊지 말라.
> 머지않아 내 갈망이 먼지와 거품을 거두어 다른 몸으로 태어나리라.
> 잠시 바람 위로 한순간의 휴식이 오면, 또 다른 여인이 나를 낳으리라."

시인의 감성이 신성神性에 맞닿아 있다.

(2023.5.17.)

50) 1923년 발표된 시적 산문

## 영혼의 고향

수구초심首丘初心. 사람들은 나이 들면 고향을 그리워한다.

어릴 적 자연을 벗 삼아 친구들과 뛰어놀던 추억을 떠올린다. 나도 여덟 살까지 농촌에서 자랐다.

어른들의 근심 걱정은 아이들 몫이 아니었다.

또래 친구들과 아침부터 저녁 해거름까지 매일 보는 산야가 신기하여 정신없이 쫓아다녔다. 더우면 더운 대로 추우면 추운 대로 좋았다. 땀을 뻘뻘 흘리는 것도 괘념치 않았다. 겨울에는 옷소매에 콧물이 덕지덕지 붙어 있었다. 개울가에서 송사리 잡던 일, 매미를 잡다가 팔이 부러진 일, 소 풀 먹이러 뒷산에 올라가 석양을 바라보던 일, 태풍이 불어와 낙동강 물에 소 돼지가 떠내려가는 것도 신기했다. 여름날 저녁이면 어머니는 마당의 평상 곁에 모깃불을 피워놓고 애호박 칼국수를 끓여 내놓았다. 사촌들과 모여 오순도순 얘기하며 하늘의 별을 세다가 잠이 들기도 했다. 어릴 적 고향 풍경은 지금도 눈앞에 아른거린다.

우리는 이승의 삶에 대해서는 기억이 생생하지만, 죽음 이후의 세계는 알 수 없다.

대부분 종교는 사람이 죽으면 육체는 자연으로 돌아가고 영혼은 저승여행을 계속한다고 한다. 죽으면 영혼은 과연 어디로 갈까.

죽은 후 영혼이 머무는 곳을 모르고서는 나의 진정한 고향은 모른다고 할 수 있다. 죽음학자 최준식은 그의 저서, 『한국 사자의 서』에서 죽은 이후를 설명하고 있다.

그는 학자들의 연구보고서, 최면분석 보고서, 근사체험자들의 증언 등을 토대로 죽은 이후 영혼이 머무는 저승의 모습을 그렸다.

사람이 죽어 저승에 도착하면 그리 편할 수가 없다고 한다.

대부분 영혼은 오랫동안 비워뒀던 고향 집을 찾은 기분을 느끼며, 찬란한 빛을 따라 꽃동산에서 노닐기도 한다. 이승이 육신의 고향이라면, 저승은 '영혼의 고향'이다. 저자는 영혼의 고향에 이르면 지복을 느낀다고 한다.

그런데 영혼의 고향에서 느끼는 행복의 실질은 그 누가 만들어 주는 것이 아니다. 파동형태의 영혼이 스스로 이미지를 상상해 만든 결과라는 것이다. 스스로가 천당을 그리면 천당이 생기고, 지옥을 연상하면 불지옥이 생긴다. 그래서 죽음을 앞두고 선한 생각과 긍정적인 마인드를 가지라고 강조한다. 당연한 결론으로 염라대왕과 같은 심판자는 존재하지 않는다.

그런데 저승에는 유유상종類類相從의 법칙이 있다.

같은 수준의 영혼은 같은 수준의 영혼끼리 모인다. 그래서 이승에서 부부라 할지라도 저승에서는 서로 몰라볼 수 있다.

영혼의 교신수단인 주파수가 서로 다르기 때문이다. 이승에서 일면식도 없는 사람이 저승에서 반갑게 맞을 수도 있다. 저승에서 착한 사람들끼리 만나면 서로가 서로의 마음을 알기 때문에 스트레스를 받지 않는다.

반대로 남을 의심하고 해코지에 익숙한 사람은 그런 종류의 사람들과 이웃이 되어 끊임없이 싸운다. 그야말로 생지옥이 된다.

문제는 비슷한 수준의 영혼들만 모여 서로에게 영적 자극을 줄 수 없어, 더 이상의 영적 발전을 기대할 수 없다는 데 있다. 저승에서는 영적 상승이 어려운 이유다.

카르마를 해소하고 영적으로 향상되어 깨달음을 얻기 위해서는 자기보다 뛰어난 수준의 영혼을 가진 사람을 만나야 한다. 그러기 위해서는 인간의 육체를 가지고 태어날 필요가 있다. 인간의 육체에 감춰진 영혼은 그야말로 천차만별이다. 똑같은 인간의 모습을 하고 있지만 영적 수준에는 차이가 크다. 영혼이 겉으로 드러나지 않아 수준을 알 수가 없다. 예술가, 기업인, 교육자, 기술자, 상인 사이의 영적 수준의 차이는 엄청나다. 그중 예술가는 작품을 통해 신성에 맞닿으려고 끊임없이 노력하는 사람이므로 다른 직역 종사자보다 영적 수준이 비교적 높지 않을까 하고 나는 생각해 본다.

여하튼 인간은 다양한 사람들 사이에서 좌충우돌하면서 카르마를 하나둘 해소할 기회를 얻는다. 그래서 세상을 '영혼의 학교'라고 한다.

영혼은 저승에서 이승에 나올 때 세상에서의 학습계획을 미리 짜서 나온다. 저승에는 이승에 나오지 않아도 되는 고급령이 있는데 이들이 이승에서의 학습계획을 짜는 데 도움을 준다. 이것이 우리가 일컫는 '운명'이라는 것이 아닐까.

나는 늘 이 세상에서 악행을 일삼는 사람들이 저세상에 가면 벌을 받을까 생각해 왔는데, 이 이론에 따르면, 그 누구도 벌을 받거나 주는 존재가 없다. 다만 스스로 카르마를 쌓고 정화할 뿐이다. 히틀러, 스탈린과 같은 인류에게 극악한 해악을 끼친 사람도 스스로의 카르마업장를 쌓을 뿐이다. 한 가지 주목할 일은 카르마란 꼭 남을 해코지하는 것만 말하지 않는다. 사랑도 조건 없는 순수한 사랑이 아니면 집착이 되고 카르마를 형성하여 영혼을 흐리게 한다.

영혼의 고향이 편안하고 좋겠지만 계속 거기에 머물 수는 없다. 세상 만물은 순환하여야 생명력을 유지한다. 나는 이 자연의 순환이 신이자 신성이라 믿는다.

인간은 이 순환법칙에 따라 윤회를 거듭하고 있다고 여겨진다.

(2023.6.27.)

## 카르마

무시무종無始無終. 시작도 끝도 없다.

우주의 신비神祕속에 우리는 살고 있다. 소크라테스가 '나는 모른다'고 했다지만, 우주에 대해 아는 게 없다. 현재 내가 왜 여기 있는지, 앞으로 어디로 향할지. 다만, 한 가지 확실한 것은 죽음이 다가오고 있다.

몇몇 학자들이 인류가 쌓은 지식과 연구결과를 모자이크식으로 조합하여 인간이 어떻게 여기까지 왔는지 이론을 구성했다. 윤회輪迴와 카르마karma이론이다. 종교학자이자 죽음학자인 최준식의 저서, 『카르마 강의』에서 이 문제를 얘기하고 있다.

카르마와 윤회는 고대 인도에서 전해 내려오는 전승이었는데, 불교와 함께 우리에게도 전파되었다. 하지만 워낙 오래된 고리타분한 옛 얘기라 별 관심을 끌지 못하고, 단지 착하게 살라는 교훈 정도로 인식되었다.

그러다가 20세기 초부터 정신분석학자들이 최면술催眠術을 이용하여 치료하다 보니, 현생뿐 아니라 전생을 기억하는 사람이 나타나게 됨에 따라 본격적인 연구가 시작되었다.

전생의 존재를 어느 정도 확인하게 되면서, 더 이상 전생을 부인할 수 없게 되었다. 전생 → 현생 → 내생으로 이어지는 인생여정이 궁금하다.

이 이론은 '육신과 영혼은 별개라는 전제'하에 성립된다. 육신은 사멸死滅하므로 영혼만이 윤회의 주체가 될 수 있기 때문이다. 영혼이 윤회한다면 그 이유가 무엇일까. 그 중심에 '카르마'가 있다.

결론적으로, '인간은 카르마를 없애기 위해 윤회한다'고 한다.

카르마가 무엇이며 왜 생길까.

개개인이 가지고 있는 의식체는 본래 우주전체 의식체와 하나였다. 그런데도 우리는 자신들이 전체 의식체와 분리되었다고 여긴다. 힌두교에서는 전체 의식체를 브라만이라 하는데 이것은 '우주의식'을 말한다. 개개인은 탐욕을 가짐으로써 우주의식에서 멀어진다. 개별의식영혼이 우주의식에서 멀어질수록 우주의식에서 끌어당기는 힘중력작용과 유사이 작용한다. 우주의식과 하나가 되려는 속성 때문이다. 이때 우주의식과 멀어지게 하는 원인이 카르마집착다. 카르마란 우리말로 업業 또는 업장業障이라고도 불린다.

삶을 살면서 인간의 욕망과 탐욕이 쌓여 카르마를 형성한다. 업이 쌓이면 의식 - 영혼이 무거워진다. 무거워진 영혼은 더 이상 상승할 수 없게 된다. 카르마를 소멸시키기 위해 인간의 몸으로 다시 태어나는 삶을 반복한다. 이것이 윤회다.

고대 인도의 『베다』에 따르면, 우리 몸은 육체gross body, 미세체subtle body, 원인체casual body로 구분된다고 한다. 원인체는 죽지 않는 영혼개별의식을 말하며, 미세체는 육체라는 거울에 비친 원인체의 아바타분신,화신를 의미한다. 쉽게 말하면 미세체가 육체에 비쳐 있다가 육체거울가 사라지면 미세체도 사라진다. 오직 원인체만 남아 윤회를 계속한다. 육체와 미세체가 사라지더라도 원인체에 기록된 카르마는 지워지지 않는다.

퀴블러 로스, 스티븐슨 같은 의사들은 뇌란 'TV수상기'와 같다고 한다. 뇌는 거울같이 내 모습을 비추는데 그것이 앞의 미세체와 비슷한 개념으로 이해된다. 뇌가 나의 의식을 만드는 것이 아니라 원인체와 육체를 연결하는 역할을 한다. 영혼의 유체이탈을 경험한 사람이 '자신이 죽은 모습을 본다'는 말은 원인체가 육체를 내려다본다는 것이 아닐까.

이때 원인체가 불교에서 일컫는 '참나眞我'나 힌두교의 '아트만'을 가리키는 것은 아니다. 원인체는 여전히 에고에 갇혀 있는 영혼일 뿐이다. 참나는 카르마가 걷히고 우주와 합일을 이룬 맑은 상태의 영혼을 말한다. 참나는 깨달음에 이른 개별의식이라고 정의할 수 있다.

저승에 간 원인체는 이승여행을 다시 계획한다. 저승에서는 카르마를 해소할 수 없을까. 저승에서는 주파수가 같은 영혼들끼리만 어울리기 때문에 수준차이가 없어 서로 자극반성이 되지 않아 카르마를 해소하기가 어렵다. 반면에, 이승에서는 육체가 영혼을 묶고 있으므로 수준이 천차만별인 영혼들끼리 서로 부딪치며 고통을 느껴 카르마를 해소하기 쉽다. 그래서 학자들은 이승을 '영혼의 학교'라 부른다. 저승에는 이승을 졸업한 상급령上級靈이 있는데 이들이 하급령의 환생을 도와준다.

인간은 영혼이 어디까지 진화하여야 윤회를 멈출까.

피에르 드 샤르댕 신부는 우주는 인간을 '오메가 포인트 Omega Point'에 이르게 하기 위함이라고 말했다. 오메가 포인트란 인류 진화의 종착점으로서 인간이 도덕적 완성을 이루고 최고로 성숙한 인간이 되는 지점을 말한다. 인간은 우주가 설계해 놓은 정점을 향해 진화하도록 설계되어 있다. 정점에 이르기 위해 지구라는 '영혼의 학교'에 가도록 강제하는 힘이 바로 카르마다.

보통의 인간이 윤회에서 벗어나려면 얼마나 걸릴까.

명상가인 맨리 홀은 그의 저서 『환생, 카르마 그리고 죽음 이후의 삶』에서 인간이 지구학교를 졸업하려면 평균적으로 800생을 살아야 한다고 했다. 인간의 일생이 70세라고 할 때, 5만 6천 년이 소요된다는 계산이 나온다. 앞길이 막막하다.

카르마의 실체가 궁금하다.

카르마는 인간의 오욕칠정五慾七情[51]에 의해 일어날 수 있다. 통상의 도덕적 기준에 의한 악惡만을 뜻하지는 아니한다. 특정 대상에 대한 집착이나 사랑도 카르마로 남을 수 있다. 부처는 '남을 미워하지도 말고, 사랑하지도 말라'고 했다. 사랑도 집착하면 카르마가 쌓인다는 뜻이다. 남에게 원한을 안겨주는 행위는 물론, 집착하는 모든 마음이 카르마다.

문제는 한 가지 카르마를 해소하면서 또 다른 카르마를 짓게 되는 악순환을 거듭한다는 점이다. 환생이 무조건 영혼을 가볍게 해주지는 않는다. 환생하여 업을 더 지으면 영혼이 더 무거워질 수도 있다. 삶이 힘들어 자살하더라도 카르마는

---

51) 오욕 (五慾) : 수면욕(睡眠慾), 식욕(食慾), 색욕(色慾), 명예욕(名譽慾), 재물욕(財物慾),
칠정 (七情) : 기쁨(喜), 화냄(怒), 슬픔(哀), 즐거움(樂), 미움(惡), 욕망(欲), 사랑(愛).

남아 있으므로 환생을 멈출 수가 없다. 오히려 업을 더 지어 반성기간만 길어질 뿐이다.

불교는 깨달음의 종교다. 나와 우주가 하나가 되는 무아의 경지를 최고의 깨달음으로 여긴다. 불교에서도 카르마가 생을 거듭하며 전이轉移하는 과정을 설명한다.

대승불교 유식론에서는 인간의 의식단계를 나누는데 제8식이 가장 깊은 심연에 있다. 그곳을 저장한다는 의미의 '아뢰야식'이라고 부른다. 이 아뢰야식에 사람이 모든 생에서 행한 신구의身口意 3업이 저장되어 있다. 전생의 기억을 다음 생으로 운반하는 '운송체'라고 이해하면 되겠다. 프로이트가 말하는 '무의식의 세계'다. 정자와 난자가 만날 때 아뢰야식이 결합하여 아이의 자아를 형성한다. 성철스님도 영혼이 인간의 신체에 깃드는 과정에 대해 같은 견해를 밝힌 바 있다.

인간은 자기 자신의 전생과 카르마를 알 수 있을까.

학자들은 영혼의 기억을 확인하기 위해서는 30일 정도 집중하여 명상해야 한다는 것이다. 보통 사람의 경우 단 5분도 마음을 집중하기 어려운데, 30일을 명상한다는 것이 가능할지 모르겠다. 그러나 고도의 집중훈련을 통해 가능하다고 한다.

동물들도 카르마가 있을까.

학자들은 동물은 자의식 – 자신을 객관화할 수 있는 능력이 없기 때문에[52] 카르마를 쌓지 않는다고 한다. 동물은 자신이 존재

---

52) 정신분석학자이며 신학자인 키에르케고르는 인간은 영과 육의 복합체이기 때문에 영이 없는 동물과는 달리 죽음에 대한 불안을 느낀다고 했다. 동물은 죽음에 대한 불안이 없다고 한다. 이는 선악과와 교환한 자의식의 산물이다. 이것이 에덴동산 신화의 의미이자, 죽음이 인간만 가지는 불안이라는 현대 심리학의 재발견이다.

한다는 것도 모르고, 죽는다는 것도 모른다. 그래서 자의식이 있는 인간은 죽어서 다른 동물로 태어나는 일은 없다. 더 낮은 의식의 단계로는 떨어지지 않는다는 얘기다. 이 이론은 인간도 축생, 아귀, 지옥에 떨어질 수 있다는 불교의 육도윤회설六道輪迴說과는 살짝 다른 견해다.

이 이론은 전래의 윤회론을 답습한 듯 보이지만, 사후의 전개과정을 논리적으로 정치精緻하게 구성한 노력이 돋보인다. 죽음은 '모든 것을 무로 돌아가게 한다'는 문화인류학자 어니스트 베커의 절망적 견해보다는 위안을 준다.

'업을 짓지 말라'는 말이, 과거에는 착하게 살라는 슬로건 정도로 인식되었으나, 지금은 윤회를 벗어나는 유일한 길로 자리매김함으로써 내게 삶의 새로운 화두話頭가 되었다.

하지만 이 이론도 여전히 의문점이 남는다.

우리의 영혼이 태초에 어디서 왔을까. 개별의식이 최고 정점인 우주의식에 합류한 다음에는 어디로 갈까. 무시무종의 경계 밖의 소식이 궁금하다.

(2023.5.25.)

## 공과 윤회

불교의 근본 가르침은 '모든 인간은 깨달음을 얻어 부처가 될 수 있다'는 것이다.

이때 깨달음이란 다름 아닌 만물이 텅 비었다는 공의 이치를 터득하는 것이다. 그것을 깨닫지 못한 인간은 생과 사를 윤회한다. 도대체 인간이 텅 빈 우주에서 윤회한다는 것이 무슨 뜻일까. 공과 윤회는 양립할 수 있는가.

대승불교의 양대 산맥은 용수의 중관론中觀論과 세친의 유식학唯識學이다. 중관론은 세상에는 극단이 없다는 말로 요약된다. 이를 팔불중도八不中道라 한다.[53] 우주에는 양극兩極이 없고 만물이 항상 변하여 영원한 실체實體가 없다는 의미에서 공空이라고 말한다. 우주가 텅 빈 절대공간이라는 뜻은 아니다. 만물이 변하므로 '나'라고 내세울 만한 것 - 자성自性이 없다는 의미에서 공이라고 이름한 것이다.

반야경에 색즉시공色卽是空 공즉시색空卽是色이라는 말이 나온다.

---

53) 不滅, 不生, 不斷, 不常, 不一, 不異, 不來, 不去

물질이 텅 비었고, 텅 빈 것이 물질이라는 뜻이다. 논리적으로 말이 되지 않는다. 그런데 최근 물리학의 연구 결과를 보면 수긍이 간다. 양자물리학에 따르면, 원자를 쪼개면 입자는 보이지 않고 파동만 존재한다고 한다. 어떤 물질이라도 잘게 분해해 들어가 보면 파동에너지로 구성되어 있다는 것이다. 인간의 몸도 텅 빈 공간이라고 할 수도 있다. 우주도 텅 비었다. 역설적이게도 텅 빈 공간이 물질을 구성하고, 물질도 잘게 쪼개면 텅 빈 공간이다.

하지만 육안으로 보는 현실은 다르다. 우리는 주변의 사물과 물체를 인식한다. 이것은 부정할 수 없는 실존이다. 세친은 이를 두고, 인간에게는 의식만이 존재하며 눈에 보이는 세상은 의식이 만들어 낸 허상虛像이라고 주장했다. 오직 의식만 존재한다는 의미에서 '유식학파'라고 한다.

중관론에서 현상세계를 자성自性이 없다는 의미에서 공이라고 본 것에 반해, 유식학파는 인간의 인식작용이 삼라만상森羅萬象을 만든다고 보았다. 일체유심조一切唯心造라는 뜻이다.

중관론에서는 인간을 무자아無自我로 보기 때문에 윤회를 인정할 여지가 없다. 반면에, 유식론은 인간을 의식의 존재로 보기 때문에 윤회[54]를 인정한다.

유식론에서는 인간에게는 감각기관인 전前 5식眼耳鼻舌身, 정신작용인 제6식意識, 자의식인 제7식말나식, 무의식인 제8식아뢰야식이 있다고 한다. 삶의 일상적인 인식작용은 전 5식과 제6식에서 일어난다. 나와 남을 구별하고 온갖 카르마를 쌓는 주체는 제7식이다. 신

54) 불교의 윤회론은 사람이 동물로도 태어날 수 있다고 한다. 하지만 카르마 이론을 주장하는 학자들은 동물은 자의식이 없어 카르마가 무엇인지 모르기 때문에 사람이 동물로 태어나는 일은 없다고 한다.

구의身口意로 지은 삼업三業이 기록으로 저장되어 잠재의식화 되는 장소가 제8식 - 기억을 씨앗 형태로 저장하는 곳이다.

이 제8식은 프로이트 정신분석학에서 말하는 무의식을 말하는데 영혼의 씨앗이다. 호숫물이 얼었다가 녹으면 호수가 세상 만물을 있는 그대로 비추듯이, 유식학에서는 무의식에 저장된 카르마가 녹으면, 사물을 편견 없이 자각할 수 있는 상태 - 대원경지大圓鏡智에 이르게 된다고 한다.55)

문제는 우리의 의식이 정확하게 사물을 인식하고 저장하느냐에 있다. 우리 의식이 인식하는 것이 모두 진실일까. 꼭 그렇지만은 않은 것 같다.

여기 '원효대사 해골물'과 유사한 이야기가 전해진다.

어느 스님이 수행하다가 밤늦게 해우소를 다녀오는 도중에 신발에 뭔가 밟혔다. 물컹거린 것이 두꺼비를 밟은 듯했다. 캄캄한 밤이라 확인이 불가했다. 방으로 돌아온 스님은 양심의 가책을 느끼며 잠자리에 들었다. 꿈에 스님이 염라대왕 앞에 소환되었다. 옆에 두꺼비가 한 마리 있었는데, 그 두꺼비가 스님을 가리키며 염라대왕에게 그의 억울한 죽음을 호소하고 있었다. 스님은 깜짝 놀라 잠에서 깨어났다. 스님은 아침에 일찍 일어나 어젯밤 두꺼비를 밟아 죽인 곳으로 달려갔다. 고이 묻어주려는 생각에서였다. 한데, 거기에서 그는 망연자실했다. 죽은 두꺼비는 보이지 않고 뭉개진 오이 한 개가 나뒹굴어 있었다.

꿈속에서 염라대왕에 불려 가게 만든 스님 의식의 실체는 무엇인가. 그 두꺼비는 어디에 있는가. 그의 의식에 살생의 카

55) 세찬 이후에 제8식 중 선한 종자만 따로 떼어내어 더 깊숙이 저장한 제9식을 아마라식이라고 하였다. 이를 백정식이라고도 부른다. 부처님의 경지라고 하겠다.

르마가 끼일 것인가. 이처럼 우리가 통상 옳다고 믿는 의식이 그 실질은 진실이 아닌 경우가 많다.

장미꽃이 예쁘게 단장하고 향기를 뿜고, 꿀을 가슴 깊숙이 감춘 채 웃고 있다. 그 꽃들의 유혹대상은 벌과 나비일 것이다. 그런데도 인간들은 장미꽃이 인간들을 위해 단장을 하고 있다고 착각하고 마구잡이로 꺾지 않는가.

반려견의 경우를 보자. 강아지는 생존을 위해 주인에게 온갖 아양을 떨겠지만, 그의 진정한 관심은 먹이와 일신의 평안함일 것이다. 그런데 주인들은 자기 편의만 생각하여 강아지의 성대를 못 쓰게 하고, 불임시술을 시킨다. 더운 날씨에도 옷이나 조끼를 입히고 기저귀를 채운다. 나는 강아지들이 주인들의 일방적인 행위에 동의했을 것이라고 믿지 않는다. 견주에게 어떤 카르마가 끼일까.

이같이 인간의 의식은 착오로 받아들이거나 잘못된 정보를 저장시키는 등 오류투성이다. 이는 마치 푸른 하늘에 떠 있는 구름처럼 실체도 없는 것이 햇빛을 가리고 있다. 그래서 믿을 수가 없다. 참진실이 아닌 기억을 축적하여 카르마를 형성하고 이를 해소하기 위해 윤회를 거듭하는 것이 우리의 현실이다.

불교에서는 한마디로 인간의 본성은 공하여 자성自性이 없지만, 깨달음을 얻어 의식을 밝히기 전까지는 윤회가 불가피하다. 의식이 주관하는 허상은 윤회하지만, 그 실질은 공이라는 의미이다. 공과 윤회는 양립한다.

(2023.6.30.)

## 인간의 딜레마

인간은 온 곳을 모른다. 갈 곳도 모른다. 거미줄에 걸린 나방 신세다. 한데 인간은 다른 동물과 달리 생각할 줄 안다. 이 능력이 생과 사에 대한 추론을 가능하게 한다.

종교학자 최준식은 그의 저서, 『철학 파스타』를 통해 인간이 직면한 삶의 딜레마와 이를 헤쳐 나갈 방향을 어슴푸레 비춰주고 있다.

인간이 어머니 배 속에서 태어날 때는 나와 남을 구별하지 못한다.

두어 살쯤 되면 주객主客을 구별하는 '자의식'이 생겨난다. 자의식은 자신과 타인을 각각 다른 인격체로 인식할 뿐 아니라, 주관적인 주체로서의 '자아自我'와 객관적 대상자로서의 '생각하는 자신'으로 분리한다. 우리가 무심결에 자신을 향해 '나는 이러는 나 자신이 싫어'라고 내뱉는 말에는, 스스로를 객관적으로 바라보고 있음을 뜻한다.

자의식은 또한 생각하는 능력을 부여한다.

나와 남을 구별하기 때문에 생각이 가능하다. 그런데 생각하려면 언어가 필요하다. 언어가 없으면 생각을 할 수 없고,

기록도 할 수 없으며 문명도 전승될 수 없다. 어린아이가 엄마에게 처음으로 '아니오No'라는 말을 하는 것은 아이에게 자의식이 생겼다는 신호다. 이때부터 아이는 말을 배우기 시작한다. 자의식을 바탕으로 생겨난 분별심, 생각, 언어가 한 묶음을 이루어 지능知能이라는 인간의 정신세계를 형성한다.

문제는 자의식으로 인해 인간은 지능을 가지는 반면, 다른 한편으로는 삶의 고뇌를 인지하게 된다는 사실이다. 그래서 자의식을 가지는 것이 꼭 반가운 일만은 아니다. 심리적으로 인간은 안락하던 에덴동산에서 쫓겨나서 불안의 수렁에 빠지게 된다. 지능이 생기면서 시간의 흐름을 인지하기 때문이다.

인간에게 시간의 인식은 생명의 유한성과 죽음의 공포를 안겨준다. 자의식이 없는 동물은 죽음에 대한 걱정이 없다.

시인 라이너 마리아 릴케는 〈두이노의 제8 비가〉에서 노래했다.

"어린아이 때부터 우리는 이미 아이의 등을 돌려놓고 형상의 세계를 뒤쪽으로 보도록 강요한다. 동물의 얼굴에 깊이 깃들어 있는 열린 세계를 보지 못하게 한다. 죽음으로부터 자유로운 그 세계를. 죽음을 보는 것은 우리뿐이다."

기독교에서는 아담과 이브가 선악과를 먹음으로써 에덴동산에서 쫓겨나 죽음을 맞게 되는 벌을 받았다고 하지만, 최준식은 선악과를 먹음으로써 자의식을 가지게 되었고, 그로 인해 죽음을 알게 되었다고 주장한다. 그는 인간이 자의식을 가짐으로써 오히려 영적 도약을 이루었다고 본다.

그 결과 죽음의 두려움에 직면한 인간이 이에 맞설 신을 만들어 냈다.

절대적 존재인 신이 우주와 인간을 창조했다고 여겼다.

그런데 현대과학이 발달하고 인간의 사고가 깊어지자, 우리가 살고 있는 상대세계에서는 절대적인 신이 존재하지 않을 수도 있다는 것을 깨닫게 되었다.

그 '어떤 것'이 진정한 절대絶對가 되려면 비교할 상대가 없어야 한다. 이것을 장자는 '진정한 전체는 자신이 자신을 감출 수 있다'라고 했다. 이때 '진정한 전체'를 '지대무외至大無外'라고 한다. 가장 큰 것은 밖에 무엇이 있으면 안 된다는 의미다.

이 같은 견지에서, 시공간 속에서 절대자의 존재를 생각해 본다.

우선 우주공간을 보자.

우주를 만들었다고 여기는 신은 이 우주보다 더 커야 하는데, 우주보다 더 큰 존재는 있을 수가 없다. 더 큰 존재가 있다면 그것은 상대개념으로 떨어지기 때문이다. 그래서 무한한 우주공간을 능가하는 절대공간은 있을 수가 없다.

시간도 마찬가지다.

LSD라는 환각물질을 투여한 사람이 느끼는 시간은 보통사람의 시간보다 훨씬 느리다고 한다. 환각물질을 투여받은 사람들은 윗눈썹에 맺힌 빗물이 아랫눈썹에 닿는데 한참을 기다려야 한다. 슬로우 비디오를 보는 것과 같다. 이처럼 시간도 상대개념이다. 선각자들은 '지금 이 순간' 이외에는 존재하지 않는다고 한다. 과거도 미래도 현재의 연장일 뿐이다. 절대시간은 없다.

결론적으로 유신론자들이 말하는 '인격을 가진 절대적 존재'로서 우주를 만든 '그런 신은 없다'는 추론이다.

현대의 많은 종교학자는, '신은 지금 현재 우리가 숨 쉬고 있는 이 우주와 다름이 아니다'라고 말한다. 힌두교에서도 오래전부터 같은 생각을 하고 있었다. 특수한 존재로 여긴 신이 보편적 존재인 우주와 다름없다는 뜻이다. 이를 전위轉位라고 한다.

이들은 나를 우주의 중심에 두고 나를 둘러싼 '모든 것'들을 우주로 인식한다. 우주는 주관적 나를 구심점으로 한 무한한 구球라고 정의된다. 이 정의에 의하면, 내가 바로 우주이자 신이라는 결론이다. 이 경우 신은 인격신이 아니라 '우주의식 또는 신성'을 뜻한다. 신이 따로 어디에 있는 것이 아니라 이 '우주 자체가 신'이다.

현대 종교학자들은 '내 속에 신성이 깃들어 있다'는 것을 깨닫는 것에 관심을 기울이고 있다. 내가 우주의식 그 자체이다. 내가 바로 신이요 신성이다. 우파니샤드에서 말하는 '아트만 = 브라만' - 'I am That'이다.

종교학에서는 이같이 자신 속에 있는 신성을 찾는 사람들을 '신비주의자'라 부른다.

핵심은 내 마음속 신성을 어떻게 깨닫고 체험하는가에 있다.

해결방법은 문제를 일으킨 자의식을 없애면 된다. 자의식이 생기기 전 어린아이의 마음으로 돌아가 우주와 한 몸이 되면 된다. 나와 남을 구별하지 않고 한 몸임을 체험으로 느껴야 한다. 물리적으로 어린아이로 되돌아갈 수 없으니 영혼을 깨우쳐 어린아이의 영혼상태로 돌아가야 한다.

최준식은 세 가지 방법을 제시하고 있다.

우선 지혜머리의 길이다.

명상을 통해 이것이 가능하다. 힌두교, 불교, 도교, 이슬람

수피들이 그 가능성을 보여주고 있다. 신성을 얻은 자 - 깨달음을 얻은 자들은 카르마를 해소하고 윤회의 굴레에서 벗어난다. 그렇지 못한 사람들은 윤회를 계속한다.

다음은 헌신가슴의 길이다.

기독교나 이슬람교와 같은 유신론을 믿는 종교에서 걷는 길이다. 신[56]에게 모든 것을 맡긴다. 자신을 내 던진다. 이때 중요한 것은 자신의 에고를 버리고 완전히 내던져야 한다는 것이다. '내가 이것을 희생하는 대가로 저것을 이루게 해주세요'라는 식으로 신에게 흥정을 요구해서는 안 된다. 조건 없는 헌신이어야 한다.

마지막으로 행위다리의 길이다.

남에게 하는 기부나 봉사활동을 하는 것을 말한다. 이때도 '주는 사람도 없고 받는 사람도 없고 단지 주는 행위만 있을 뿐'이라는 경지까지 올라야 한다. 금강경에 나오는 응무소주이생기심應無所住而生基心의 경지이다.

이 세 가지의 길은 하나같이 이루기 어렵다.

한 가지 중요한 점은, 많은 선지식이 깨달음은 내가 찾는다고 찾아지는 것이 아니라 저쪽에서 아무 예고 없이 다가온다고 말한다. 이 말은 아무것도 하지 말고 기다리라는 의미가 아니라 깨닫겠다는 마음욕심조차 내려놓으라는 '방하착放下着'을 의미한다.

이것이 인간이 생사를 초월하여 우주와 한 몸이 되려는 여정에 마주한 인간의 딜레마다.

(2023.6.21.)

56) 이때의 신은 인격신이 아니라 우주의식과 같은 의미다.

# 영혼의 방랑자

우주는 쉬지 않고 흘러간다. 그 장대한 흐름 한가운데 인간이 있다. 과연 우주에도 의식이 있을까.

어떤 종교는 인격을 가진 절대신이 우주를 만들었다고 하나, 신비주의자들은 우주 흐름의 주체를 '우주의식'이라고 한다. 그들은 우주의식이 다름 아닌 신神 내지 신성神性이라고 여기고 있다. 만물이 변하듯이 우주의식도 한곳에 머물지 않고 변한다. 우주의식이 인간에게 투영되어 참나眞我를 형성한다. 사람의 영혼에 우주의식이 투영되어 있다.[57] 밤하늘의 달이 온누리의 강에 떠 있듯이 우주의식도 우리 정신을 비추고 있다. 힌두교에서는 이를 두고 '브라만우주의식 = 아트만진아'이라고 한다.

그런데 인간은 태어날 때부터 자신에게 비친 맑은 우주의식을 간직하지 못하고 있다. 삶을 살면서 희로애락의 먼지에

57) 우주의식은 청정무구하다. 우주의식(브라만)이 개별의식(개인의 영혼)에 투영된 상태를 진아(眞我)=아트만이라 부른다. 즉, 우주의식이 바닷물이라면 개별의식은 한 개 물방울이다. 개별의식은 태어날 때는 투명하였으나, 삶을 살면서 카르마에 의해 흐려져, 청정심을 잃고 오탁악세(五濁惡世)를 떠돈다. 개별의식에서 카르마를 제거된 상태가 진아라고 할 수 있다.

찌들어 순수성을 잃었기 때문이다. 이 먼지를 카르마업라 일컫는다. 카르마가 참나를 흐리게 만들고 우주의식과 멀어지게 한다. 우주의식과 멀어진 인간은 어머니 품에서 떨어진 아이같이 불안에 떨고 우주의식을 그리워한다. 그래서 인간은, 모든 물체가 중력의 법칙에 따라 지구 중심을 향하듯이, 끊임없이 우주의식과의 합일을 시도한다. 이것이 암흑을 벗어나 빛을 지향하는 인간의 본성이다.

한편, 인간은 금방 태어날 때는 나와 남을 구별하는 자의식이 없다. 두어 살 정도 지나야 자의식이 생긴다.

이때부터 주체적 자아subject-I와 객체적 자아object-I가 분리된다. 주객을 구별하고부터, 시간 개념이 생기고 죽음을 인식한다. 이 때문에 죽음의 두려움을 극복하려고 불멸을 꿈꾼다. 이 불멸을 꿈꾸는 인간의 도전과 노력이 또다시 카르마를 짓고 우주의식과는 멀어지게 한다. 카르마를 해소하기 위하여 이승과 저승을 오가기를 반복한다. 인간의 궁극적 목표는 주체적 자아와 객체적 자아를 뛰어넘는 자아초월trans-personal의 단계 – 우주의식으로 가는 데 있다.

한마디로, 인간이 자의식지능을 가짐으로써 시간과 죽음을 넘어서는 불멸을 시도하게 되나, 그 과정에서 카르마를 짓고, 또다시 그것을 없애려고 환생과 윤회를 거듭한다는 이론이다. 윤회의 궁극목표는 카르마를 소멸시키고 우주의식에 도달하려는 데 있다. 이상이 인간이 암흑 속에서 어렴풋이 찾아낸 한 줄기 가느다란 빛이다.

그런데 이 카르마와 윤회 이론은 아직까지 많은 의문점이 있다.

카르마가 최초에 어디에서 생겨났는가에 대해서는 아무것

도 모른다. 동물에게는 해당하지 않고, 인간에게만 카르마가 적용되는지도 확실치 않다. 게다가 늘어나는 인구에 따른 새로운 개별의식은 어디서 나타나는 것일까.

그리고 인간의 집단적인 카르마 - 공업共業에 대한 의문이다. 비행기 추락사고, 세월호 사건, 이태원 집단 사망사고와 같이 수백 명의 사람들이 한꺼번에 죽음으로 내몰리는 현상을 어떻게 이해할 것인가.

이에 대한 종교적 전승을 살펴보자.

유일신을 믿는 기독교와 이슬람교에서는 영혼의 사후세계로의 이동은 인정하지만, 윤회나 환생은 동의하지 않는다. 단지 저승에서의 천당과 지옥만 존재한다고 얘기한다. 일단 천당이나 지옥에 떨어지면, 거기서 영원히 지내야 한다. 지옥에서 천당으로의 층간 이동은 없다. 반면에 불교에서는 지옥에서 천당으로 층간 이동이 가능하다는 견해다.

카르마와 윤회를 부정하는 사람들도 있다.58)

첫째, 과학자들과 의사들은 객관적 증거 부족으로 이 이론을 받아들이지 않고 있다.

둘째, 인도의 선각자인 유지 크리슈나무르티도 인간의 의식 같은 것은 존재하지 않으며, 그 당연한 결과로 환생 같은 것은 없다고 한다. 그는 카르마나 환생 같은 개념은 인간의 생각 속에서만 존재한다고 말한다.

셋째, 불교는 접근방식 - 진체眞際, 속체俗諦에 따라 견해가 다르다. 대승불교 철학의 기초를 만든 용수龍樹는 그의 저서 『중론송』에서

---

58) 최준식, 『인간은 분명 환생한다』 81쪽

팔불중도八不中道를59) 주장하여 윤회와 같은 인과론을 부정했다. 한 마디로, 어떤 사물이나 사건은 서로 의존하고 있어 어떤 것도 절대적일 수 없다는 의미에서 절대 공空이다. 깨달음은 진체의 영역에서 바라볼 때, 세상은 모든 것이 텅 비어 있다. 그 안에 아무 대상이 없는 순수한 의식만 존재하기에, 환생이니 윤회는 들어갈 틈이 없다.

이에 반해 속체俗諦의 영역에서는, 생각의 영역이기 때문에 의식이 지배한다. 이 입장에서 보면, 어떤 행동을 하면 카르마가 생기고 이를 없애기 위해서는 자아초월trans-personal로 가야 한다. 카르마와 환생은 자아초월眞我의 단계 - 우주의식으로 가는 것을 도와주는 중간단계다. 선불교에 돈오돈수頓悟頓修와 돈오점수頓悟漸修가 있듯이, 우주의식의 존재에 대한 견해도 진체의 입장에서는 거짓이 되지만 속체의 입장에서는 참이 된다.

그런데 그동안 많은 연구가 밝혀낸 환생과 사후세계의 경험을 비춰보면, 어느 입장이 진리라고 단정을 짓기도 어렵다. 왜냐하면 절대 공의 세계를 받아들인다고 할지라도 현실적으로 인간의 의식세계는 실존하기 때문이다. 아무리 세상이 공이라지만 눈앞 삼라만상의 세상은 엄연히 펼쳐져 있지 않은가.

이 이론은 아직 미개척 분야로 미지의 세계다.

우주가 생긴 것이 138억 년 전이고. 지구가 생긴 것이 46억 년 전이라고 한다. 지구가 생겨난 후 지구상에는 물질 → 생명 → 인간의 의식 순으로 발달해 왔다.

---

59) 不滅 : 어떤 것도 소멸하지 않고, 不生 : 어떤 것도 생겨나지 않고, 不斷 : 어떤 것도 단멸하지 않고, 不常 : 어떤 것도 상주하지 않고, 不一 : 어떤 것도 그 자체와 같지 않고, 不異 : 어떤 것도 그 자체와 다른 것이지 않고, 不來 : 어떤 것도 오지 않고, 不去 : 어떤 것도 가지 않는다는 것을 뜻함.

첫 번째 신묘한 사건은 35억 년 전 무기물질이 생명을 잉태한 사건이다. 생물학자들은 단백질이 어떤 우연한 상황에서 단세포생물로 변환되었다고 하지만 참으로 기이한 기적이다.

두 번째는 인간의 뇌에서 자의식을 발견한 사건이다. 이 또한 희유한 사건이다. 생물학자들의 연구에 의하면, 동물들은 의식을 가지지 못했다. 인간만이 의식을 가지는데, 최초의 인간이 태어난 것은 800만 년 전쯤이라고 한다. 인간이 이 지구상에 존재한 것은 생물이 지구상에 출현 후 99.8%의 세월이 지난 극히 최근의 일이다.

그렇다면 그동안 우주의식이 개개인의 영혼 속에 스며들기 전에는 어디에 존재하다가 나타났을까. 짐작이 가지 않는다. 그리고 인간의 개별의식이 왜 무엇 때문에 생겨났는지 근본적인 의문이 남는다. 과연 우주라는 거대한 공간에 우주의식이라는 것이 실존하는지도 베일에 가려져 있다.

하기야 지극히 자그마한 한 특이점이 폭발하여 거대한 우주를 형성했다는 '빅뱅이론'을 생각해 보면, 어떻게 우주의식이 없다고 단정할 수가 있겠는가.

우주의식으로부터 떨어져 나온 우리 인간의 영혼이 다시금 우주의식과 합일하기 위한 여정은 멀고도 힘든 암흑의 여정이다. 일찍이 깨달은 선각자들은 우리의 영혼이 우주의식과 떨어진 적이 없다고도 하지만, 아직까지 대부분 인간은 무슨 말인지조차 깨닫지 못한다. 하지만, 인간이 우주의식을 찾아 헤매는 여정은 그치지 않을 것이다.

인간은 우주를 떠도는 영혼의 방랑자이기에.

(2023.6.28.)

# 제9장 내 삶의 실루엣

## 차 시동侍童

"저 아이는 부처님 옆에서 차 시중들던 아이로군."

어느 탁발승이 흘린 말이 어린 나의 가슴에 화살처럼 꽂혔다.

나는 9살이 접어들어 대구로 전학을 오기 전까지 경북 칠곡군 석적면 개내미라는 마을에서 자랐다. 당시 마을의 산과 들은 어린 나에게는 포근한 기억이 배어있는 환상의 놀이터였다. 국민학교에서 공부를 파하고 집에 돌아오면 온 산과 들을 헤집고 다니며 뒹굴고, 이것저것 바라보고 만지고 가지고 놀았다. 그러다가 간혹 마을을 방문하거나 지나치는 이방인을 볼라치면, 그 사람이 마을을 벗어날 때까지 호기심에 가득 찬 눈으로 꽁무니를 졸졸 따라다니기도 했다. 이방인 중에는 종종 탁발승이 있었다. 탁발승은 목탁을 두드리며 집집을 돌아다녔는데, 그가 집 대문 앞에 오면 어머니는 쌀이나 잡곡을 한 됫박 퍼서 어깨에 걸머진 자루에 부어주었다.

그런데 어느 봄날 한 스님이 우리 집 삽작 앞에서 목탁을 두드리고 있었다. 어머니가 떠 준 물을 한 모금 들이켜고는 뜨락에 잠시 앉아 쉬다가 나를 보고 한마디 했다. "저 아이는 부처님 옆에서 차 시중들던 아이네요."

그렇지 않아도 나는 마을 개구쟁이 친구들에게 가끔 "중중 까까중"이라고 놀림을 받는 일이 잦았는데 스님에게 그 말을 들으니, 기분이 묘했다. 어렸을 적 나는 머리를 빡빡 깎는 경우가 많았다. 당시 남자아이들은 머리를 자주 씻질 않아 머리에 부스럼이 생기는 경우가 많아, 이발기로 머리털을 아예 밀어 버리는 게 위생적이었다. 그런데 사실은 내 머리를 빡빡 깎아서 까까중이라고 놀림을 받은 것이 아니라, 나의 어릴 적 이름인 아명兒名이 "중이"[60]였는데, 아명이 스님을 속되게 일컫는 '중'과 발음이 비슷해 아이들이 나를 '중중 까까중'이라 놀려대고는 했다.

한편 어머님은 초창기에는 불교에 큰 관심이 없었을 뿐 아니라 집 가까운 데에 절이 없어 불공을 그리 열심히 드리지 못했고, 민간 토속신앙을 믿는 편이었다. 아이들을 잘 낳고 명이 길게 해 달라며 삼신할머니와 용왕님에 자주 빌었다. 내 기억으로는 대구에 이사 오고 한참 후, 내가 고등학교 다닐 무렵까지도 용왕님께 기원하기 위해 시루떡을 해서 새벽녘에 신천이나 동촌강가로 다니신 것으로 기억된다. 어머님은 간혹 이웃 가까운 절에도 다니시며 복을 빌기도 하셨다.

하지만 회갑이 되기도 전에 암을 앓으시면서 고통에 시달리게 되자 기독교에 잠시 귀의한 적이 있다. 이것이 어머니와 우리 가정에 얽힌 간단한 신앙사다.

---

60) 아버지가 잉어 세 마리를 잡는 태몽을 꾸어서, 둘째인 나를 중이(中鯉, 중간 잉어)라고 이름 지었다 함.

그런데 내 나이 사십이 지나면서 아내가 불교대학에 다니게 되고 그 영향으로 나도 불교의 가르침에 관심을 가지게 되었다. 아내가 N선원에 다니면서 93년도에 막내를 가지게 된 점도 인연이었다.

그 뒤 2002년 말 캐나다 밴쿠버로 직무연수를 가게 되어 1년 6개월간 주말이면 그곳 서광사통도사 분원에 가족끼리 다니게 되었는데, 그곳 도서관에서 오쇼 라즈니쉬라는 인도 신비주의자의 강의록을 접하고부터 부쩍 영성에 관심을 가지게 되었다. 오쇼는 특정 종교인은 아니나 불교나 도교에 가까운 사상을 가지고 있다.

솔직히 누가 내게 '너의 종교가 무엇이냐?'고 물으면 나는 어느 종교를 콕 집어 말하고 싶은 생각은 없다. 불교가 나의 평소 신앙관과 근접하지만 꼭 불교라고 말하기는 뭐하다. 오히려 나는 '삶과 죽음의 진리를 깨닫고자 노력한다.'라고 말하고 싶다.

이러한 의미에서 이천오백 년 전 부처님 곁에서 차 시중을 들면서 느꼈을지도 모르는 차 향기처럼 부처님의 향기를 조금이라도 맡을 수 있었으면 여한이 없겠다. 어린 시절 그 탁발승이 던진 '차 시중들던 아이'란 말 한마디가, 내게 평생 지워지지 않는 한마디가 된 것을 그 스님은 알까?

(2014.1.6.)

## 책가방

내게는 출가한 두 딸에게서 얻은 4명의 외손주가 있다. 그중 막내 손녀가 3월에 초등학교에 입학했다. 나는 그동안 초등학교에 입학하는 손주들에게 책가방을 꼭 사줬다. 그래서 올해에도 관례대로 막내에게 책가방을 사주기로 했다.

내가 손주들에게 책가방을 사주는 데는 별다른 의미가 없다. 그동안 잘 자라 이제 바야흐로 배움의 장에 첫발을 내딛는 손주에 대한 할아버지로서 고마움의 징표랄까.

책가방 얘기를 꺼내니 생각나는 옛 추억이 있다.

내가 고향 시골에서 국민학교 1학년에 다닐 때 이야기다. 하루는 학교에 가려고 하니 어머니가 책보자기가 없단다. 그 당시 학생들은 광목 재질의 천으로 된 책보자기에 책을 돌돌 말아 등에 비스듬히 동여매고 다니는 경우가 많았다. 그런데 그날따라 어머니는 책보자기를 찾지 못해 대신 오래되고 누렇게 빛바랜 백팩backpack을 내주셨다. 나는 모양새가 없는 가방을 메고는 학교에 가기 싫다고 울고불고 떼를 썼다. 하지만 갑자기 없는 보자기가 나올 리 만무한데도 계속 떼를 쓰느라 시간을 지체하여 등교시간을 놓치게 되었다. 마을이 약간 고지대라 먼발치로 아래쪽 신작로에 있는 학교가 보였는데, 벌써 학생들이 조회하려고 운동장에 모이고 있었다.

당시 아버지는 자식들에게 매우 엄격하신 분이어서 학교수업을 빼먹는 것은 상상도 못 했다. 어머니는 칭얼대는 나를 달래서 겨우 집을 나서게 했다. 당시 4학년이던 형도 그때까지 의리를 지키느라(?) 날 기다려 주어서 나와 함께 늦게 집에서 출발했다.

형과 나는 학교로 향했으나 발걸음이 천근만근 무거웠다. 벌써 학교는 조회가 끝나고 학생들이 교실에 들어갔는지 운동장에는 개미 새끼 하나 보이지 않았다. 차츰 학교가 가까워지자, 지각했다고 꾸짖는 담임선생님의 모습이 눈에 아른거리고, 못생긴 천가방을 멘 나를 친구들이 놀리면 얼마나 부끄러울까 하는 생각으로 가득 찼다.

학교 앞 약 100미터 떨어진 지점을 막 지나려는데 길가에 빈집이 하나 눈에 띄었다. 형은 내게 "우리 오늘 학교 가지 말고 이 집에 숨어있는 게 어때?" 하는 게 아닌가. 나도 귀가 솔깃했다. 그래서 우리는 그날 학교에 가지 않고 빈집 뒤에 숨어서 학교 파할 시간만 기다렸다. 학교가 파하면 집으로 돌아가 마치 학교 다녀온 것처럼 태연히 행동하려고 마음을 먹고 있었다.

우리가 얼마간 그렇게 시간을 보내고 있는데 사달이 났다. 어머니가 학교 옆 신작로에 있는 술도가에 일꾼들에게 점심에 먹일 새참용 막걸리를 사러 가는 도중에 빈집을 지나다가 수군대는 소리를 듣고 우리를 발견한 것이었다. 우리는 꼼짝없이 어머니에게 붙잡혀 집으로 끌려왔다. 속으로 '나는 이제 죽었구나'하고 엄청나게 긴장하며 단단히 언어맞을 각오를 했다.

그날 저녁 아버지는 어머니로부터 우리의 비행非行에 대해 자초지종을 들으시고도 의외로 별말씀이 없으셨다. 다음 날 아침 어머니는 내게 걱정하지 말라고 했다. "아버지가 담임 선생님께 어제 결석에 대해 잘 말해 주기로 했어."

면사무소에 근무하셨던 아버지는 담임선생님과는 술친구 정도로 가까웠다.

지금 생각해 보면 왜 보자기보다 그 천가방이 그토록 싫었을까 하는 생각이 들고, 그게 어린 나의 자존심을 크게 상하게 할 정도였는지 잘 이해가 안 된다. 어린아이의 생떼라고 치부해야 할 듯하다. 아마도 등교 시간을 지체함에 따라 못생긴 천가방보다 지각하여 선생님께 꾸중 듣는 것이 더욱 마음에 걸렸던 중에, 나보다 인생 경험이 많고(?) 꾀가 많은 형의 제안에 등교 포기라는 더 큰 사고를 친 것이다.

이 초등학교 수업 땡땡이 사건이 어린 내게는 큰 실수로 기억되어 그 뒤로는 학교 수업 출석은 내게 절대 규범으로 여겨졌다. 그 후 나는 대학교에 이르기까지 특별한 이유 없이 결석한 적이 거의 없다. 이 습관은 직장생활로도 이어져 40년 가까운 직장생활에서도 정해진 휴가 이외에는 특별히 쉰 적이 별로 없었다.

내게 이 일은 또 다른 삶의 교훈을 주었는데, 그것은 책보자기 실랑이 같은 사소한 일도 종국에는 등교 포기와 무단결석이라는 큰

일로 이어질 수 있다는 것을 깨우치게 해주었다는 점이다.

옷의 첫 단추를 잘못 끼우면 마지막 단추도 어긋나게 되는 결과를 초래하듯이, 나는 아무리 사소한 일이라도 한번 잘못 생각하면 연이어 일들이 계속 꼬이게 되어 결국 돌이킬 수 없는 파국으로 흐를 수도 있다는 이치를 깨달았다.

(2020.3.10.)

※ 이 글은 『감우정담』 20호에 게재

## 한가해지기

어릴 적 뒷동산에 오르던 시절이 그립다.

초가을 오후 나는 학교를 파하고 집에 오자마자, 아침에 풀어 놓았던 소를 찾으러 뒷산에 올랐다. 언덕에서 뒹굴다가 해거름에, 풀밭에 드러누워 하늘을 바라봤다. 흰 구름 사이로 떠가는 파란 하늘이 깊고도 투명했다. 온갖 모양을 만들었다 흩어지기도 했다. 내 몸도 그 위를 떠다니곤 했다.

나는 아무런 근심이 없었다. 어른들의 걱정은 나와 상관없었다. 물고기, 가재, 메뚜기, 잠자리를 잡으려고 동무들과 산과 들을 헤매었다. 온몸으로 자연을 느끼며 숨 쉬었고 세상이 신기하기만 하였다.

그 뒤 도시로 나와 학창시절을 보내고 직장을 얻고 결혼했다. 직장생활 40여 년 동안에는 마음의 여유가 없었다.

나는 두 가지 강박관념에 시달려야 했다.

한 가지는 '무엇이 되어야 한다'$_{to\ be}$는 목표의식이고, 다른 한 가지는 '무엇을 해야 한다'$_{to\ do}$는 조바심이다. 이 두 가지가 나의 인생목표요, 생활신조라고 규정지으며 스스로 채찍질했다.

이제 은퇴한 지 몇 년이 지나 스스로를 채찍질할 이유가 없어졌다. 한가롭게 여유를 즐겨도 될 성싶다. 다시금 그 옛날 뒷동산에 오를 때처럼, 떠다니는 구름을 벗 삼아 한가롭게 세월과 노닐고 싶다. 그런데 그게 잘되지 않는다. 이것이 현재 내가 부딪힌 문제다. 여유시간이 많지만, 마음이 평온을 찾지 못하고 있다.

이유를 생각해 본다.

이웃이 새집을 짓고 있다. 우리도 재건축해야 할지 고민이다. 막내아들도 결혼시켜야 할 나이가 되니 걱정이 앞선다. 이미 시집간 큰딸도 요즘 들어 집 가격이 올라간다며 불안해한다. 작은 사위도 직장생활이 위태롭다고 바람결에 들려온다. 큰 외손녀는 학교생활을 잘하더니만 사춘기인지 생채기를 시작한다.

뿐만 아니라, 옆 지기인 아내의 건강도 신경이 쓰인다. 병원을 가끔 찾아야 하고, 영양제도 매일 챙겨야 할 시점이다.

이런저런 번뇌에 내 마음은 잠시도 쉬지 못하고 널뛰기 하고 있다.

'나이 들면 저절로 신선이 될 줄 알았는데, 신선은커녕 약만 한 주먹씩 털어먹고 있다'던 옛 직장 선배의 넋두리가 귓가에 맴돈다. 나는 젊었을 때 열심히 일을 하면, 노년에 행복한 삶이 저절로 보장되는 줄 알았다. 막상 닥쳐보니 그게 아니다. 여유시간이 많아도, 여전히 마음이 불안하다. 나는 스스로를 돌아보고 싶은데, 성찰은커녕 마음이 어지럽고 몸도 쇠잔해 간다.

어제 윤오영의 수필 「비원의 가을」을 읽다가, '백 년 인생 한가한 날은 많지 않다.百年閒日不多時'라는 글귀에 정신이 번쩍

들었다. 인생 백 년이 짧다고 하지만, 짧은 인생마저도 한가한 날이 며칠 되지 않는다.

윤오영은 "깊은 산 고요한 절에 숨어 살아도 우수와 번뇌를 벗어나지 못하면 한가한 것이 아니요, 밝은 창 고요한 책상머리에 단정히 앉았어도 명리와 욕망을 버리지 못하면 한가한 것이 아니다."라고 했다.

그러고 보니 요즈음 내 마음속은 'to be'와 'to do'로 가득하다. 겉보기에 한가해도 실상은 번잡하다.

이러다 '인생 종 치면 어쩌지'하는 절박한 생각이 든다. 하루속히 한가한 날을 되찾아야겠다. 어릴 적 소 풀 먹이던 시절로 돌아가야겠다. 자식들, 손주들 일은 그들 몫으로 남겨두고, 오롯이 내 마음을 살펴야겠다.

하지만 한가함을 찾으려는 노력이 한가함을 누리는데 방해가 되지 않을까 모르겠다. 선가에서는 성불을 이루려는 노력 자체가 성불을 가로막는 장애물이라고 말하지 않던가.

거두절미하고, 그냥 마음을 터~억 내려놓는 비법이 없을까.

(2022.10.2.)

## 사진 배우기

2018년 7월에 카메라를 한 대 샀다. 은퇴를 앞두고 취미 삼아 자연풍광이나 손주들의 커가는 일상을 기록으로 남기고 싶은 소박한 바람에서였다. 핸드폰으로도 쉽게 찍을 수 있지만, 좀 더 깨끗하고 선명한 사진을 찍고 싶었다. 최신형 렌즈 교환식 미러리스 카메라를 구입하고, 렌즈도 욕심을 내어 화각별로 몇 개 샀다.

처음에는 카메라 매뉴얼대로 따라 하면 되려니 하고, 제조회사 홈페이지에 들어가 7, 8권 되는 방대한 매뉴얼을 인쇄했다. 그런데 매뉴얼만으로는 뭐가 뭔지 이해가 되지 않았다. 제조사에서 개설한 카메라 입문 강좌도 들어봤지만, 여전히 카메라를 다루기는 서툴렀다.

이번에는 사진 관련 책을 몇 권 구입하거나 도서관에서 빌려 읽어보았다. 그래도 쉽게 익혀지지를 않고 자동모드, 조리개 모드에만 손이 갔다.

한편으로는 사진 동호회라도 가입해 볼까 싶어 인터넷을 뒤져보아도 마땅치 않았다.

맑고 깨끗한 사진을 찍고 싶은데 여전히 제자리걸음이라, 애써 장만한 카메라가 아깝다는 생각이 들었다.

이리저리 고민하던 중 2019년 7월 서초문화원 감성사진교실의 문을 두드려 봤다. 사진반 강의를 들어 보니 내가 아직 초점과 노출의 개념조차 정확히 모르고 있음을 깨달았다.

그런데 그나마 얼마 안 되어 2020년 2월 초 코로나로 사진 강좌가 중단되었다. 그로부터 1년 6개월간 긴 휴지기를 거쳐 지난 5월에서야 강좌가 재개되어 다시 참여하고 있다.

강사는 사진은 기록이 아니라 표현이라고 늘 말한다. 나 같은 초심자에게는 기지도 못하는데 날기를 바라는 주문이었다. 아직 기록사진조차 쨍하게 못 찍는데 예술성을 표현한다는 것은 너무 많은 것을 요구하는 것이 아닌가 하는 생각이 들기도 하여, 한때 사진교실을 그만둘까도 생각한 적이 있었다. 그래도 마땅히 다른 방법을 찾을 수 없어 계속 다니고 있다.

그동안 출사와 과제 제출 횟수가 늘고, 차츰 카메라가 어느 정도 손에 익게 되자 요즈음은 수동 모드를 주로 사용한다. 기록보다는 표현을 강조하는 강사의 말이 이해된다.

디지털 사진은 피사체를 얼마나 정확하게 이미지 센서에 담아내느냐가 중요하다고 할 수 있다. 그러나 센서에 맺힌 영상은 셔터를 누르는 순간의 겉모습이고, 겉으로 드러나지 않는 내적 실체를 담는 데는 한계가 있다. 그래서 피사체를 단순화시키거나 특정 부분을 강조 또는 왜곡시켜 그 피사체의 또 다른 측면의 본질을 끄집어내거나 새로운 면을 찾아내는 것이, 남다른 사진을 추구하는 감성사진의 목적이라고 여겨진다.

'사진이 기술이냐? 예술이냐?'를 두고 논쟁할 때가 있다. 나는 사진을 '기술에 바탕을 둔 예술'이라고 말하는 것이 정확한 표현이지 않나 여겨진다. 창조적 표현을 하려 해도 기술에 기초하지 않으면 사상누각이기 때문이다.

한 가지 분명한 점은, 사진은 보는 사람에게 즉시 흥미를 유발시키고 감정의 변화를 이끌어 낼 수 있어야 좋은 사진이 아닌가 생각한다. 사진을 보는 즉시 시선을 끌지 못하면 별 흥미 없는 사진으로 내팽개쳐지기 십상이다. 이는 언제든지 복제가 가능한 디지털 사진의 특성상 더욱 그러하다. 이러한 사진의 즉흥성을 강조하는 의미에서 사진을 '인스턴트 예술'이라고 불러도 좋지 않나 싶다.

아직까지도 쨍한 사진을 찍을 정도의 수준에는 이르지 못해 간혹 손주들을 모델로 카메라를 들어 보지만, 결과물이 썩 내 마음에 들지 않을 때가 많다. 사진 배우기가 호락호락하지 않다는 것을 새삼 느낀다.

그런데 오늘 서초문화원에서 전화가 왔다. 보름 전 '양재천 디카시[61] 공모전'에 별 욕심 없이 출품한 작품이 대상을 받게 되었단다. 얼떨떨한 기분이다. 소 뒷걸음에 쥐를 잡은 셈이다. 이거 사진을 계속 해야 하나?

---

61) '디지털카메라+시'의 합성어로 사진과 이를 설명한 시

나를 찾아서 / 조규호

봄부터 무더운 여름을 지나
소슬바람 부는 가을날 여기까지
자아를 찾겠다고 온 들판을 헤매었다.

내안의 나는 내 곁에서 동행하지만
나는 여전히 그를 눈치 채지 못하네.

〈양재천 디카시 공모전 출품작-대상, 나를 찾아서〉

(2021.11.25.)

## 2등 예찬禮讚

지난 일요일 결혼한 두 딸네 식구를 집으로 불러 점심을 같이했다. 중학교 2학년인 큰 외손녀 얼굴이 야윈 듯하여 내가 물었다.

"얘, 연우야, 너 왜 얼굴이 핼쑥해?"

"시험 치느라 신경을 써서 그래요. 3킬로 빠졌어요."

"시험은 잘 쳤니?"

"국·영·수 세 과목을 쳤는데 1개씩 틀렸어요, 속상해요!"

남한테 지기 싫어하는 외손녀의 성격에, 제 어미인 큰딸의 닦달이 아이의 체중감량에 한몫한 것 같다고 짐작했다.

안쓰러운 마음이 들었다. 무한 경쟁의 입구에서 시달리기 시작하는 외손녀에게 뭔가 한마디 해주고 싶어졌다.

"1등 하지 말고, 2등만 해, 2등이 좋아!"

나는 고등학교 시절 장학금을 받지 못하면 학업을 계속할 수 없는 가정형편이었다. 당시 한 학년에 학급당 60명 정도로 9학급이 있었는데, 등록금 전액을 장학금으로 면제받으려면 학년에서 1등을 차지해야 했다. 나는 장학금을 받기 위해

3년 동안 치열하게 공부에 매달렸다. 그 결과 장학금은 받았으나 내게 학창시절의 낭만과 여유는 언감생심이었다.

직장생활에서도 남보다 앞서야 한다는 1등 구호는 내 곁을 떠나지 않았다. ○○원에 32년간 재직하면서 귀가 아프도록 듣는 말이 최고사정기관이라는 말이다. 최고사정기관 직원들은 모든 공무원 중에서도 모범이 되어야 하므로, 최고로 청렴해야 한다고 귀에 못이 박히게 듣는다. 청렴도 1등을 유지하려면 몸과 마음이 피곤해지는 것을 체감했다.

공직을 그만둔 후 7년간 몸담았던 S그룹은 국내시장이든 세계시장이든 1등은 당연하고, 거기에 덧붙여 초일류, 초격차를 이루어 2등이 감히 추월할 엄두를 못 내게 해야 한다고 직원들을 채근했다. 그로 인해 직원들이 받는 스트레스는 상상 이상이었다.

물론 어느 분야든 1등을 하면 명예와 금전적 보상을 받는다. 1등에게 바쳐지는 세간의 찬사와 영광을 부인하지는 않는다. 그래서 세상은 1등이 아니면 패배자라고 쉽게 생각하는 경향이 있다. 그러나 그 모든 것을 내려놓고 퇴직한 지금, 내 인생살이를 새삼 돌이켜보니 1등만을 추구하는 인생이 바람직한가 하는 생각이 든다.

1등을 달성할 때까지 스트레스와 1등이 된 후의 허전함과 외로움, 언제든 1등을 추월당할지 모른다는 불안감과 경쟁자를 따돌려야 한다는 강박감을 잘 안다. 1등은 1등이 못 된 나머지 사람들을 배려하지 못한다. 혼자 살아남으려니 뒤처진 이에게 냉정하다. 1등을 지키기 위해 모두를 적으로 간주하니 외롭고 고립된다. 마음의 여유가 없어 인간적이지 않다.
반면에, 2등은 마음의 여유가 있다. 거만하지도 않고 겸손하다. 항상 1등이 될 가능성을 두고 꾸준히 노력한다. 3, 4등을 경멸하지 않고 자기 일에만 매진한다. 자리를 넘보는 사람들로부터 불안해할 필요도 없다. 당연히 2등은 스트레스도 적게 받아 몸과 마음의 건강을 유지하기 쉽다. 남의 고충도 이해하고 인간적이다.

영화 『황금연못』에 황혼의 주인공이, 중년이 된 외동딸이 그가 그토록 기대했지만, 한 번도 성공한 적이 없던 백플립다이빙을 드디어 성공시키자, 그가 젊은 시절 수영대회에서 2등을 하고 받은 메달을 딸의 목에 걸어주는 장면이 나온다. 영화를 감상할 때는 왜 하필 2등일까 의아했지만, 지금 생각해 보니 딸이 더 노력하여 발전할 것을 암시한 대사였다.

아이들이 세상을 여유롭고 겸손하게 살게 하려면, 경쟁에서 2등의 미덕을 깨우치도록 해야 한다. 조금 뒤처지더라도 남을 존중하고 배려하는 마음을 키우는 것이 더 소중하다.
아이들에게 2등의 소중함을 일깨우고, 이웃과 더불어 사는 인간성을 깨우치게 해야겠다.

(2021.10.28.)

# 까치소리

단독주택인 우리 집에는 각종 새가 아침에 찾아온다.

제일 흔한 것이 참새이고 다음이 비둘기와 까치다. 그런데 언제부터인가 내게는 까치소리를 은근히 기다리는 버릇이 생겼다. 까치소리가 희소식을 전해준다는 옛사람들의 말 때문이다.

내 나이 마흔이 다 되어 얻은 막내아들이 이번 가을학기를 마치면 대학교를 졸업한다. 순리대로 했다면 지난여름에 이미 졸업해야 했으나, 취업을 못 한 상태에서 덜렁 졸업하고 나면, 기업에서 채용을 꺼릴 우려가 있다고 하여 졸업을 한 학기 미룬 채, 추가학점을 신청하여 재학생 신분을 유지하고 있다.

그런데 대기업 입사가 녹록지 않다고 얘기는 들었어도 막상 우리 아이가 그 당사자가 되고 보니 실로 막막한 점이 한둘이 아니었다.

언론에서는 소위 일류대학 출신 학생들의 경우, 한 사람당 50개 정도의 회사에 원서를 제출하여 그 중 서류심사, 필기시험을 거쳐 면접시험에 이르는 경우가 3개 사 정도 되고, 최종합격은 그중 한 개사의 합격을 목표로 한다고 보도했다.

막내는 지난 봄 학기에도 모某 기업에 응시했으나 떨어져 가을학기에 재도전하기로 했다. 이번 가을학기에는 6개 사에 원서를 제출했는데, 1차 서류통과조차 쉽지 않아 그중 2개 사만 겨우 통과했다.

2개 사에 대한 필기시험은 10월 말경에 있었는데, 그중 1개 사만 통과하여 1차 실무면접을 거쳐, 2차 임원면접을 봤다. 막내는 1차 면접 경쟁률이 2대1, 2차 면접 경쟁률이 3대1이라고 했다.

각 단계를 거칠 때마다 취업준비생이 겪는 압박감과 스트레스는 이루 말할 수 없이 심하다는 것을 느꼈다. 이번에 떨어지면 또다시 다음 기회를 잡기 위해 6개월 내지 1년을 어떻게 보낼지 걱정이 되어 아이가 잠을 설치기 일쑤였다.

곁에서 자식이 이처럼 애쓰는 것을 지켜보는 부모입장에서 나는 막내가 오직 잘 헤쳐 나가기를 열심히 기도하는 일밖에는 없었다.

나는 법륜스님이 "사람들은 열심히 기도하는데도 소원이 이루어지지 않는다고 불평을 하나, 소원은 기도로 이루어지는 것이 아니라 본인의 노력 여하에 따른 것이다. 기도는 기도자에게 심리적 위로를 줄 뿐이다."라고 설법하는 것을 들은 적이 있다. 이성적으로는 동감하는 말이다.

하지만 막내가 9월부터 12월까지 계속되는 4단계의 취업관문을 하나하나 통과할 때마다 온 가족이 애타게 바라는 것은 바로 합격소식이다. 그래서인지 아침에 잠에서 일어나 까치소리라도 들으면 은연중 그날따라 희소식이 있을 것 같은 기대를 하게 됐다. 어릴 적 시골에 살 때, 어머니가 이른 아침 동구

밖에서 까치소리가 나면 그날따라 먼 데서 반가운 손님이 오거나 희소식이 날아들 것이라고 말씀하시던 일이 기억났다.

이때 어렴풋이 깨달았다. 기도가 기도하는 사람에게 마음의 위로를 주는 것 이상의 그 무엇이 있음을. 기도는 기도하는 사람의 주변에 맑고 청아한 기운을 일으키고, 안개 속 어둠을 헤쳐 나가는 촛불이 된다는 느낌을 받았다.

우리가 일상을 살면서 무심코 흘려듣는 까치소리라 할지라도, 그 소리에 깃든 긍정의 메시지에 목말라하면, 까치가 그 염원에 감응感應하여 반가운 소식을 안겨준다는 나만의 믿음이 생겼다.

그러니 막내가 취직을 한 요즈음에도 나도 모르게 아침마다 까치소리에 절로 귀가 쫑긋해진다.

(2019.12.11.)

## 수거미의 부성애父性愛

모든 생물은 개체보존이 우선이고 종족보존은 그다음이라고 한다.

그런데 일부 동물에게는 그것이 진리인지 의심스럽다. 거미, 사마귀와 같은 무척추동물이 그러하다. 이들은 짝짓기를 위해 목숨을 내놓기를 마다하지 않는다. 과연 그들 세계에서는 종족보존이 자기 목숨보다 소중할까.

거미들은 짝짓기를 위해 목숨을 담보로 한다. 암컷이 수컷보다 덩치가 크고 힘이 세다. 황금무당거미는 암컷이 수컷보다 125배나 더 크고 강력한 독을 뿜는 이빨을 가지고 있다. 수컷은 암컷의 주위를 서성이면서 호시탐탐 기회를 엿본다. 암컷이 공복이거나 짝짓기 의사가 없는데 달려들었다가는 곧바로 죽음이다. 그래서 암컷이 먹이를 먹는 틈을 타서 짝짓기를 시도하는데 식사가 끝나기 전에 빨리 끝내야 한다. 수컷이 눈치 없이 덤벼들면, 암컷은 커다란 두 앞다리로 수컷을 짓누르고 몸에 독니를 꽂고 독을 투입한다. 독이 몸을 액체로 만들면, 암컷은 주스를 빨듯이 먹어 치운다. 쪼그라든 채 죽은 수컷은 먼저 간 다른 구혼자들의 시체 위로 던져진다. 놀라운 사실은 수컷이 죽어가는 짧은 순간에도 암컷의 몸에 정액을 쏟아붓는데 있다. 며칠 후 암컷의 몸에서 300개 정도의 알이 나온다. 한 생명의 희생으로 수많은 자손을 얻게 된다.

생물학자들은 수컷들이 무참히 죽는 모습이 불쌍하여 귀뚜라미를 잡아 암컷을 배부르게 먹이고 난 뒤, 짝짓기하도록 실험해 보았다. 그런데 그 실험에서 태어난 새끼들의 체격이 수컷을 잡아먹은 암컷의 몸에서 나온 새끼들보다 열등했다. 수컷의 몸이 다른 먹이들 보다 새끼의 개체 형성에 좋은 영양소를 제공했다는 결론이다.

나는 수거미가 자기 목숨을 희생하면서까지 번식에 매달리는 행태에서 동물의 부성애父性愛의 원형原形을 느낀다. 사람들은 동물의 수컷은 짝짓기만 즐기지, 새끼의 생육에는 별 관심이 없다고 알고 있다.

하지만 수거미의 경우, 죽음까지 불사하며 짝짓기에 매달리는 모습이 겉으로는 어리석고 무모한 짓으로 보이지만, 온 몸을 던져 자식의 장래까지 도모하려는 희생정신을 엿볼 수 있다. 육신을 내던져서라도 튼튼한 후손이 태어나게 하려는 강한 부성애를 느낄 수 있다. 수거미는 생식이라는 사명을 다하고 나면 어차피 죽음밖에 남지 않는다는 사실을 직시하는 것 같다. 이왕 죽을 바에는 아버지로서 새끼를 위해 온몸을 바치겠다는 희생정신이 깔려있다. 그래서인지 황금무당거미 수컷10년의 수명은 암컷30년의 삼분의 일도 채 되지 않는다고 한다.

수거미의 최후를 생각해 보면서, 한 가정의 가장으로서의 내 지난날을 돌이켜보게 된다.

나는 대학 재학시절 결혼했다. 나름 홀어머니를 봉양한다는 의미 부여도 있었으나, 지금 생각하면 무모한 짓이었다.

얼음 위에서나 사막 한가운데서도 사랑만 하면 행복할 것이라고 여겼다. 내 청혼을 받아들인 아내도 철이 없었던 건 마찬가지였던 것 같다.

그러니 결혼 후 생활은 궁핍의 연속이었다.

돌이켜보니 아내에게 미안한 일이 한둘이 아니다. 신혼 때 형님 결혼비용을 보탠다며 결혼반지를 팔게 한 일, 5년 넘게 처가에 아이들의 양육을 맡긴 일, 전셋집을 전전할 때 지하방에 빗물이 가득 찼던 일, 미국 유학시절 보험료를 아낀다며 건강보험 가입을 포기하고는 아이들이 아플까 봐 전전긍긍했던 일, 미국 식당에서 아르바이트하게 한 일 등 헤아릴 수 없이 많다. 무엇보다, 둘째 며느리인 아내에게 수십 년간 제사를 모시게 한 일과 생활비를 넉넉히 주지 못한 것이 마음에 걸린다.

아이들에게도 미안한 구석이 많다. 과외비를 제대로 주지 못했을 뿐 아니라, 용돈도 변변하게 주지 못했다. 골프를 배우던 큰딸에게는 레슨비조차 주지 못했다. 둘째 딸은 원거리 통학을 하게 했다. 늦둥이 막내아들에게는 고등학교 졸업 후 노래를 하고 싶어 하는 것을 막은 것이 마음에 걸린다.

또한, 식구들에게 말을 가려서 하지 않은 데 대한 미안한 생각이 든다. 거두절미하고 요점만 툭툭 내뱉다 보니 따뜻한 말을 건넨 적이 별로 없다. 이러한 점은 요즈음 아이들이 가정을 꾸리고 사는 모습을 보면서 내가 오히려 배우고 있다.

앞으로 남은 생은 어떻게 살아야 할까.

무엇보다 가족들에게 내 건강문제로 부담을 주는 일이 없어야겠다. '여자가 남자보다 평균적으로 오 년 정도 더 산다'고 하니 그나마 다행이다. 아내보다 내가 먼저 세상을 등질 확률이 높기 때문이다. 아내가 먼저 가고 내가 뒤에 남아 아이들에게 추한 모습을 보이는 게 싫다. 병원이나 요양시설을 들락거리면서 아이들을 고생시키는 것을 원치 않는다. 얼마 전 언론에서 죽음을 앞둔 우리나라 노인 환자들이 스위스까지 비행기를 타고 가 조력사助力死를 택하는 사례가 늘어나고 있다고 한다. 인간의 존엄과 죽을 권리에 대해 새삼 생각하게 한다.

한 가정의 가장으로서 자리매김한 지 어언 오십 년이 되어간다. 초보운전자같이, 아버지로서 남편으로서 책무를 제대로 해내지 못한 점이 후회된다. 이제 남은 일은 가족들에게 심려를 끼치지 않고 삶을 마무리하는 게 마지막 의무처럼 느껴진다.

수거미의 절반이라도 본받아야겠다.

(2023.7.23.)

# 아들의 아버지

터키 영화 「음유시인의 축제」를 보았다.

아버지에 대한 아들의 그리움과 원망, 그리고 두 핏줄의 화해를 주제로 한 영화다.

떠돌이 음유시인은 아들이 14살 때 아내와 이혼하고, 아들을 기숙학교에 보낸 후 방랑길에 올랐다. 그 후 25년 동안 소식을 끊었던 아버지는, 어느 비 오는 날 밤 아들의 집에 나타났다. 아들은 변호사가 되어있었다.

사실 아버지는 암이 온몸에 퍼져 수의壽衣를 넣은 가방을 들고, 지인들을 찾아다니면서 이승과의 이별 여행을 하고 있었다. 아들은 아버지의 소지품에서 그가 중병에 걸렸음을 눈치챈다. 영화는 아들이 아버지와 동행하면서, 그에 대한 원망과 서운함을 토로하고 마지막을 함께 하는 모습을 그린다.

마침내 아버지가 숨을 거두자, 아들은 울먹이며 뱃속 깊은 곳에서 한마디를 토한다.

"아버지~이~."

그때 아버지의 친구가 다가와 말을 건넨다.

"자책하지 마. 아버지라는 말은 어차피 미완성의 단어란다. 아버지와는 결말이 없다."

나는 이 영화를 보고 어렴풋이 깨달았다. 내게 아버지가 왜 생경하게 느껴졌던가를.

아버지는 내가 20살 때에 돌아가셨다. 장례를 치를 때 눈물이 한 방울도 나오지 않았다. 내가 정서적으로 메말랐나 싶어 반성도 해보았다. 그러나 장례를 치르는 내내 무덤덤했다.

아버지가 내게 남긴 기억은 두 가지다.

우선 아버지 하면 떠오르는 형상이, 해 질 무렵 마을 어귀 논두렁을 비틀거리면서 걸어오시는 모습이다. 술을 무척 많이 드셨다. 다음으로 생각나는 것은 무능력자라는 점이다. 마흔 초반까지는 월급쟁이 봉급으로 그런대로 다복하게 살았으나, 그 이후로는 백수였다. 생활비 조달을 어머니가 책임져야 했다. 나의 사춘기는 곤궁 속에서 지내야 했다.

아버지는 간경화로 고생하다 54세를 일기로 생을 마감하셨다.

아버지가 돌아가시고 눈물이 나지 않았던 이유는, 아버지가 술로 당신의 몸을 상하게 했을 뿐 아니라, 가장으로서 책임을 다하지 않은 데 대한 청소년기의 반발심리가 작용한 듯하다.

그래서인지 내게 아버지는 벽에 걸린 초상화만큼이나 거리감이 느껴졌다. 젖가슴을 내어 준 어머니와는 달리, 아버지는 내게 늘 이방인이었다.

그런데 아버지가 돌아가신 지 10여 년이 지나서부터 차츰 아버지가 그리워지기 시작했다. 가끔 아버지를 생각하면 눈시울이 붉어지기도 하고, 맛있는 음식을 보면 박인로의 '조홍시가早紅枾歌'[62]가 떠오르기도 했다.

---

62) 반중(盤中) 조홍(早紅)감이 고와도 보이나니, 유자(柚子) 아니라도 품음즉도 하다마는, 품어 가 반길 이 없으니 그를 서러워하노라.

아버지가 형과 나를 데리고 산과 들로 메뚜기나 가재를 잡으러 다니던 기억이 떠오른다. 겨울이면 연을 띄우기도 하고, 썰매를 만들어 주기도 했다. 밤이면 아버지 팔베개를 베고 옛이야기를 듣다가 잠이 들기도 했다.

짧지만 행복했던 어릴 적 아버지와의 추억이다.

내가 자식을 키워보니, 이제야 아버지에게는 말 못 할 속사정이 있었을 것으로 짐작된다. 아버지는 일본 유학시절 얽힌 여자문제, 해방 후 혼란과 전쟁, 그 후 사회경쟁에 뒤처진 현실을 고스란히 감당하기 어려웠으리라. 그것들이 아버지 가슴에 응어리로 맺혔을 것으로 짐작된다.

나는 생전에 아버지의 한마디를 기다렸으나, 끝내 속내를 드러내지 않았다. 어린 아들에게 삶의 진솔한 얘기를 들려주기에는 아버지의 자존심이 너무나 강했다.

아버지가 돌아가신 지 50년이 다 되었지만, 아버지를 이해하는 일은 내게는 여전히 현재진행형이다.

곧 추석이 다가온다. 차례상 앞에 엎드려 목 놓아 울고 싶다.

“정말, 정말로, 보고 싶습니다. 아부지이~.”

(2022.9.4.)

## 어머니에 대한 회한悔恨

어머니는 당신의 나이 37세 때에 나를 낳으셨다. 내 위로 셋을 낳으셨다고 들었으나 첫째와 둘째는 세 살을 넘기지 못해서 모두 죽고, 셋째를 살려 그가 맏이, 그리고 내가 둘째인 셈이다. 내 밑으로 여동생과 남동생이 하나씩 더 있다.

나는 국민학교 3학년 무렵에 고향 석적에서 대구로 전학을 왔는데, 그때부터 집안의 살림살이가 팍팍해지고 어렵게 되었다. 그 이유는 면사무소 공무원이던 아버지가 실업자가 되어, 대도시인 대구로 이사와 식당 등 이런저런 장사를 하면서 그나마 가지고 있던 전답을 모두 팔아치우고 망해 버렸기 때문이다. 그때부터 평범한 시골 아낙이던 어머니의 도시 생활은 고생의 가시밭길이었다. 안 해본 일이 없을 정도로 어머니는 가족에게 놀라운 헌신을 하셨다.

최근 영화 '국제시장'의 마지막 장면에서, 노년에 접어든 주인공이 돌아가신 아버지의 기제사를 모시고 난 뒤, 그의 아들딸 등을 안방에 놔두고 옆방으로 건너가, 아버지의 영정 앞에서 "아부지예, 그동안 지는 정말 억수로 힘 들었심데이."라고 목 놓아 우는 장면이 떠오른다.

하지만 그 당시 사춘기 시절에 한창 커가는 나의 눈에 비친 어머니의 고생은 정말 죽도록 고생한다는 게 저런 거구나 할 정도였다. 1미터 55센티가 안 되는 자그마한 체구로 몸빼 바지와 낡은 흰 무명 저고리를 걸치고 주야로 집 안팎을 드나들면서 가족의 먹거리를 해결하려고 노력하는 모습은 참으로 애국열사의 모습이었다.

대충 생각나는 것만 해도, 시장 난전의 채소장수, 건설현장의 도꼬다시[63]라는 막노동, 홀치기[64], 봉투 풀 붙이기를 하기도 했고, 한때는 부잣집에 입주하여 식모살이도 몇 해 하셨다.

어머니는 갖은 고생을 하시다가 형이 군 복무를 마치고 취직하여 월급을 받아 월세방에서 전세방으로, 전세방에서 조그마한 기와집으로 옮길 무렵, 몹쓸 병이 찾아와 2년여 신고를 겪으시다 돌아가셨다. 아버지는 그보다 앞서 6년 전 간경화로 이미 이 세상을 등진 상태였다.

나는 62세를 일기로 암으로 돌아가신 어머니를 떠올리면 가슴이 뭉클해지며 항상 미안한 게 몇 가지 있다.

내가 국민학교 6학년 다닐 때는 어머니가 도시락이라며 싸주는데 도시락에는 꽁보리밥과 날된장 한 숟가락이 전부였다. 나는 그것을 동급생들과 같이 점심 먹는 책상에 내놓기가 부끄러워 도시락을 집에 두고 가져가지 않았다. 점심시간에는 혼자 운동장에 나와 수돗가에서 수돗물로 배를 채우고 서성이다 점심시간

63) 인조대리석으로 세멘바닥에 광을 내는 작업
64) 일본 수출 기모노에 물감들이기 위해 비단의 조밀한 점에 실을 감는 작업

끝날 무렵 학급으로 들어가기가 일쑤였다. 그 당시 형과 여동생은 그래도 비위가 좋았는지 꾸준히 도시락을 가져갔었다. 그래서인지 나는 어릴 적 유독 코피를 자주 흘렸다.

그리고 중학교에 다닐 무렵, 어머니가 남의 집 식모살이를 할 시기인데 주말 저녁에 가끔 나를 부르셨다. 저녁 식사가 끝날 무렵에 내가 시내버스를 타고 찾아가면, 어머니는 먹다 남은 불고기와 찬거리를 손에 쥐어주면서 집에 가져가 아버지와 동생들과 먹으라고 보따리에 싸주셨다. 나는 주인 몰래 주는 것 같아 얼굴이 화끈거렸다. 얼른 받아서 쏜살같이 그 집 대문 밖을 나왔다. 매번 다시는 그 집에 오지 않으리라 다짐하곤 했다.

무엇보다 나는 어머니와 함께 길거리를 나란히 같이 걸어간 적이 별로 없다. 동네 어귀에서 어머니를 마주쳐도 별로 아는 척을 하지 않았다. 삶에 찌든 어머니를 내 어머니라고 남에게 내세우는 게 부끄러웠기 때문이다. 나는 학교에서 학부모를 부르거나 회의를 소집해도 어머니를 한 번도 모신 적이 없었다. 고등학교 시절에도 대학 진학 상담 등을 위해 꼭 부모를 모셔 오라 하면 아버지가 대신 가는 경우가 몇 번 있었다. 학부모 회의 소집 통보를 웬만하면 부모님들께 알리지 않았다. 고등학교 졸업식에서 내가 수석 졸업을 할 때도 가족들은 아무도 참석하지 못하게 했다.

이제 내 나이가 돌아가실 때 어머니의 나이가 거의 다 되었고, 어머니가 돌아가신 지도 어언 35년이 되었다. 서울이란 객지에서 살면서 먼저 가신 어머니가 보고 싶어 생각날 때면 가슴이 미어져 오는 뭉클함은 어쩔 수가 없다. 왜 살아계실 때 좀 더 살갑게 해드리지 못했든가 하는 회한이 든다.

오늘 아침 권달웅의 「먼 왕십리」라는 시[65] 한편을 접하고 몇 자 적어봤다.

(2015.3.11.)

---

65) **먼 왕십리** - 권달웅

어머니는 상경했다.
1964년 초 겨울이었다.
역마다 서는 완행열차는
경상북도 봉화에서 청량리역까지 9시간 걸렸다.

나는 청량리역으로 마중을 나갔다.
어머니는 비녀를 꽂은 머리에
큰 보퉁이 하나를 이고 내리셨다.

고추장 항아리에 깻잎장아찌, 쌀 한 말을 싼 보퉁이에는
큰 장닭 한 마리가 대가리를 내밀고 있었다.

청량리에서 25원 하는 전차를 탔다.
사람들은 맨드라미처럼 새빨간 닭 볏을
신기한 듯 유심히 들여다보았다.
닭대가리를 보퉁이 속으로 꾹꾹 눌러 넣어도
힘센 장닭은 계속 꾹꾹거리며 대가리를 내밀었다.

자식에게 먹이려고 잡아 온 장닭은 생각지도 않고
나는 자꾸 창피하게만 느껴졌다.
어서 빨리 전차에서 내리고 싶었다.
동대문에서 왕십리 가는 전차를 다시 갈아탔다.
전차는 땡땡거리며
가도 가도 왕십리는 멀기만 했다.
닭 보퉁이 안고 있는 내 손가락 끝에서
지독한 닭똥냄새만 났다.

## 읽히는 글

'수필이 문학인가'라는 질문은 오래전부터 있어 왔다.

수필이란 이름으로 써지는 글이 넘쳐나, 문학의 질이 낮아지는 것을 우려하기 때문일까.

개인의 경험이나 생각을 나타내는 글에는 비평, 논설, 소감, 편지, 일기, 기행문 등이 있다. 이를 '광의의 수필'이라고 부른다면 누구나 수필가가 될 수 있다. 한데 이들을 모두 문학으로서 수필이라고 하기에는, 문학이란 용어가 남용되는 느낌이다.

그래서 수필가들은 문학으로서 '진정한 수필'을 걸러낼 거름필터링 장치를 생각해 냈다.

첫째, 개인적인 경험에서 우러나오는 글이어야 한다. 수필은 작가 개인의 체험을 소재로 하는 것이 원칙이다. 경험에는 직접경험뿐 아니라 책이나 영화에서 보고 들은 간접경험도 포함된다. 대신 허구가 아닌 진솔한 고백을 선호한다. 이것이 수필이 시, 소설이나 희곡에 비해 독자에게 친근감을 주는 이유이다.

둘째, 작가의 사상이나 철학이 글에 녹아있어야 한다. 단순한 기록이나 서사는 수필로 인정되지 않는다. 글에 작가의 독창적 견해나 인문적 소양이 담겨있어야 한다. 그래야 읽는 이의 지성을 자극할 수 있다.

셋째, 사람의 마음을 움직이는 감성을 일깨워야 한다. 바로 문학성이다. 문학성이란 아름다움美을 말한다. 문학이 미를 추구하듯이, 수필도 문학의 한쪽을 차지하려면 감동을 줄 수 있어야 한다.

수필가들은 이 세 가지 필터링을 통과하는 글만 수필로 인정한다. 필터링을 통과하지 못한 글은 뭉뚱그려 잡문雜文으로 분류한다.

그런데, 세 가지 필터링을 통과하는 일이 그리 쉽지 않다.

개인의 경험을 토대로 글을 쓰다 보니 소재가 제한된다. 수필가들이 사사로운 경험과 소소한 일상을 소재로 삼아 글을 많이 쓰니, 신변잡기身邊雜記라는 인상을 떨칠 수가 없다. 매년 수많은 수필집이 발간되지만, 이목을 끌지 못하고 서가에서 먼지를 뒤집어쓰는 경우가 적지 않다. 수필가를 수준이 떨어지는 문인으로 얕잡아 보게 만드는 한 요인이 되고 있다.

한편, 작가의 사상이나 철학이 드러나지 않는 글이 많다. 특히 기행문이나 편지글 중에는 서사적인 글이 많다. 가벼운 주제라서 읽는 이에게 따스하고 편안한 감성을 줄 수는 있다. 하지만 사상이나 철학이 없는 글은 읽는 이에게 별다른 메시지를 주지 못한다. 이런 글은 소일거리로 읽지만, 별로 남는 게 없어 책을 두 번 펼치기가 쉽지 않다.

마지막으로 가슴을 따뜻하게 적셔주는 향기 나는 글이 많지 않다. 다시 말해, 문학성이 있는 글을 만나기 어렵다.

그러면 세 가지 요건을 골고루 갖춘 글은 어떤 모습일까. 당연히 작가의 체험을 바탕으로 한 글로서, 머리지성와 가슴감성을 동시에 울려주는 글이어야 할 것이다. 이러한 글이 우리가 궁극적으로 추구하는 '진정한 수필'이다.

문제는 이런 글을 만나기가 쉽지 않다는 데 있다. 게다가 '진정한 수필'이라 하더라도 재미까지 더해주느냐는 또 다른 문제다.

그러면 작가들은 어떤 글을 써야 할까.

요즈음 같은 정보의 홍수시대에는 무슨 글이든 우선 독자의 흥미를 끌 수 있어야 한다. 사회관계망SNS에 떠도는 글 중에서도 어지간한 수필 못지않게 심금을 울려주는 글이 많다. 바쁜 일상에서 굳이 종이책을 들춰야 할 이유가 줄어들고 있다.

무엇보다 '읽히는 글'을 쓸 필요가 있다. '읽히는 글'이란 독자들에게 흥미를 유발하고 재미를 안겨주는 글을 말한다. 이름난 수필가들의 수필보다 유명 인사들이 쓴 글모음집이 인기가 더 있는 경우가 거기에 있다.

법정스님의 〈무소유〉라는 책은 내용이 단순하다. 산중의 일상을 스케치하듯 담담히 서사적으로 묘사한다. 비유, 은유도 별로 없다. 딱히 문학성이 있다고 여겨지는 글도 아니다. 그런데도 많이 읽힌다. 나는 스님의 글이 자연에 묻혀 사는 수도승의 단출하지만 꾸밈이 없는 일상을 묘사한 글이어서, 독자들에게 대리만족을 주고 힐링 효과를 주는 데 매력이 있지 않나 싶다.

이에 반해 이름난 수필가가 쓴 수필집이 밀리언셀러가 되었다는 이야기를 들은 적이 별로 없다. 수필가가 쓴 수필이 정갈한 느낌이 드는 것은 사실이다. 문체와 문장은 그렇다. 거기까지다. 머리와 가슴을 동시에 울리고, 거기다가 재미까지 갖춘 경우는 많지 않다.

영국의 극작가인 서머싯 몸은 「독서의 즐거움」이란 글에서

"독서의 즐거움이란 관능을 만족시키는 데 있는 게 아니고 지성을 만족시키는 데 있다. 이 세상에 살고 있는 한 반드시 우리들의 흥미를 끄는 문제, '영원한 인생의 주제'를 그 속에 지니고 있어야 좋은 글이다. 거기에 불멸의 매력이 있다."고 말했다.

독자에게 즐거움을 주는 글을 쓰는데, 수필의 필터링 장치를 고집할 필요가 있을까. 지성과 감성을 자극하는 글이라야 한다. 그런 의미에서 신변수필, 경수필의 울타리를 벗어나 중수필重隨筆, 에세이가 활성화될 필요가 있다고 생각된다. 시사, 비평, 철학으로 지평선을 넓혀가야 한다. 이러한 글도 잡문에서 벗어나려면, 주제에 대한 근본적인 통찰과 인생의 철학이 녹아있어야 한다.

요즈음 정년퇴직을 하고 황혼기에 접어든 사람들이 수필집이나 자전적 글모음집을 버킷리스트인 듯이 쏟아내고 있다. 그로 인해 '수필이 문학인가'라는 질문은 여전히 유효하다. 수필이 문학의 경계선에 있음을 의미한다.

나는 수필이 문학의 한 영역으로 활착하기 위해서는 수필을 걸러내는 필터링도 좋지만, '읽히는 글'에 주목할 필요가 있다고 생각한다. 그런 의미에서, 어떤 형태의 글이든 '독서의 즐거움'을 주는 것이 무엇보다 우선 되어야 한다. 무슨 글이든 읽히는 글이어야 애써 쓴 보람이 있지 않을까.

(2022.12.23.)

| 축하글 |

# 만물을 응시하는 조규호의 철학 에세이

오차숙
〈계간 현대수필 발행인〉

## 1. 시작하며

작가 조규호의 글은 직 · 간접 체험과 관조를 통한 지성적인 에세이다.

감흥적인 글도 독자에게 감동을 줄 때가 있지만, 명상과 사색을 통한 철학적 글이 독자의 심리를 움직일 때가 있다. 그런 성향의 글은 내용이 묵직하더라도 독자에 따라서는 그와 같은 중수필을 선호할 때가 많아, 작가에 따라서는 좀 더 의미 깊은 글의 세계를 발굴하려고 노력한다. 그 속에서 삐죽하게 우러나온 언어까지 조탁하며 우주 만물에 대해 사색한 글, 남다른 관점에서 사물을 분석하며 만물을 뚫어보는 글을 쓰려고 노력한다. 그 현상은 글을 쓰는 사람의 개성이라, 그 작가가 아니면 결코 드러낼 수 없는 특유의 글이 된다.

이런 관점에서 볼 때, 작가 조규호의 글의 세계는 여러 수필가들이 즐겨 쓰는 수필류가 아니라, 만물을 응시하고 관조하며 뽑아내는 철학적 에세이다. 글의 주제도 현실적인 문제나 공공의 문제는 물론, 우주 만물을 현미경 기법으로 심도있게 다뤄가는 것이 특징으로 나타난다. 조규호는 생각의 근육이 탄탄한 작가라서 남과 다른 글의 세계를 보여준다. 심리학적으로, 철학적으로, 종교학적으로, 나아가서는 그리스 신화를 비롯해 예술세계까지 탐구하며 몰아의 경지까지 다가간다.

하지만 때로는 그 세계에서 빠져나와 과거와 현재, 미래의 삶에 관해서도 관심을 가지며 스스로의 생生을 투영해 가는 자전적인 글도 있다.

잠시 몇 작품을 통해 작가 조규호 글의 세계를 살펴보기로 한다.

## 2. 조규호 글의 세계

종교가 인간의 두려움을 없애고 평온을 주기 위한 인류의 전승이라면, 종교집단 간 싸움보다는, 사회의 불평등과 빈곤을 없애는 데 기여해야 마땅하다. 나는 미래에 진짜 외계인이 방문하면 소개해 줄 진정한 신을 찾아봐야겠다.

〈외계인의 눈에 비친 신〉 중 일부

작가 조규호는 지구상에서 종교로 인해 벌어지는 전쟁을 보며 통탄한다. 인간은 보편적으로 종교가 화합하며 평화를 가져다준다고 생각하지만, 세상 곳곳에서 벌어지는 전쟁들이 종교에서 기인하고 있음을 염려스러워한다.

우리가 살아가는 지구상에는 종교가 무수히 많아 인간에게 자연스럽게 받아들이게 유도하며, 신의 존재를 인식하게 하는 것이 보편적 현상이다. 그러나 작가 조규호는 인도 영화 〈PK〉를 감상한 후에 종교와 인간사회와의 아이러니를 외계인의 눈을 통해 조명한다. 심지어 이 영화를 통해 리처드 도킨스가 쓴 〈만들어진 신〉이란 책을 소개하며, 신 같은 존재는 애초에 없었다는 것에 무게감을 둔다. 인간이 받드는 신은 인간에 의해 만들어진 허상일 수도 있겠다며 의심한다. 니체는 '신은 죽었다'고 했지만, 조규호는 '신은 처음부터 없었다'는 쪽에 힘을 주며, '진정한 신을 찾아봐야 하겠다'고 고백한다.

> 그는 내가 접한 어떤 종교지도자나 정신적 지도자보다 해박한 지식과 시원한 강의로 동서양 사상을 넘나드는 영적지도자였다. 그의 강의는 폭포수같이 거침이 없다. 아무리 어려운 경전이나 책도 그의 입을 거치면 명쾌한 진리의 도도한 흐름으로 나타난다. 그는 특정 종교를 가졌다기보다는 영혼을 깨친 신비주의자였다.
>
> 〈오쇼, 자유로운 영혼〉 중 일부

작가 조규호는 오쇼 라즈니쉬에게 매료된 사람이다.

오쇼는 1931년생으로 인도의 신비가, 구루 및 철학자였다. 그는 사회주의와 마하트마 간디, 그리고 기성종교에 반항한 사람이다. 그만의 괴기한 철학 때문에 각국에서 오쇼 라즈니쉬를 위대한 현자라고 칭하기도 했으니, 명상을 즐겨하던 조규호도 영적 지도자인 오쇼에게 매료당할 수밖에 없었다. 오쇼 라즈니쉬가 혁신 종교지도자였으므로, 작가 조규호도 그 사상가에게 다소 전의專意가 된 것 같다.

조규호는 2002년 12월부터 2004년 6월까지 캐나다에 있는 도시 밴쿠버에서 파견근무를 했다. 당시 우울감을 이기려고 일요일에는 '써리'에 있는 절, 서광사의 독서실에서 오쇼의 철학을 탐독했다고 하니 영향이 있었으리라 생각된다.

우리나라도 1990년대 초반 인도철학 열풍이 대단했던 때가 있었다. 그때가 바로 오쇼 라즈니쉬와 크리슈나무르티 같은 철학자의 책이 많이 읽히던 시기이다. 그 현상은 일종의 정신적 공황상태를 겪고 있던 당시 한국인들이 그들의 책을 통해 그 어떤 깨달음과 영적 자유를 체험할 수 있어 위안이 되던 시대이다.

작가 조규호도 그러한 과정을 통해 오쇼의 사상과 철학, 그리고 그의 삶에 대해 생각을 많이 했던 것 같다. 작가 조규호는 오쇼가 불교와 노장사상에 대해 해박한 지식을 가진 사람이라 인정하고 있어, 당연히 그 자취를 심취했겠다고 생각된다.

그것으로 볼 때, 조규호의 〈오쇼, 자유로운 영혼〉은 만남의 중요성을 실감하게 하는 작품이다. 그 결과 작가는 자유로운 영혼으로 남과 다른 관점에서 심도 있는 글을 쓰는 것 같다.

솔직히 너의 종교가 무엇이냐고 물으면 나는 특정 종교를 콕 집어서 말하고 싶은 생각은 없다. 불교가 나의 신앙관과 제일 근접하지만, 꼭 불교라고 말하기에는 곤란하다. 오히려 나는 '삶과 죽음의 진리를 깨닫고자 노력한다'라고 말하고 싶다.

〈차 시동侍童〉 중 일부

조규호의 글을 읽다 보면 이해하기 어려운 부분들이 많다. 글의 성향으로 보면 독실한 불교신자 같은데, 자신의 종교가 반드시 불교라고 말하기엔 곤란하다고 말하고 있다.

"저 아이는 부처님 옆에서 차 시중을 들던 아이로군."

작가는 어린 시절 어머니와 같이 집에 있을 때, 시주를 온 탁발승이 뜨락에 잠시 앉아 쉬는 동안, 흘리듯 했던 말을 잊지 못했다. 작가는 그 당시 어렸지만, 스님의 말이 화살처럼 꽂혔다고 고백한다. 그럼에도 작가는 불교에 깊이 매몰되기보다는, 오히려 '삶과 죽음의 진리를 깨닫고자 노력한다'고 말하고 있다.

정호승 시인은 '인간은 태어나면서부터 종교적 존재로서, 종교가 없다는 말은 심장이 없다는 말과 다르지 않다'고 그의 산문집, 『내 인생에 용기가 되어준 한마디』에서 밝힌 바 있다. 그 어느 것이든 인간의 성향과 철학은 각자 다를 수가 있으므로, 오히려 글을 읽는 이들에게 사고의 세계를 확장시켜 준다.

작가 조규호는 다만, 종교 그 자체는 '진리'를 못 따라간다고 여기는 사람이다. 진리는 믿음으로 얻어지는 것이 아니라, 지성과 직관, 과학적 논리가 뒷받침되어야 하므로, 깊은 성찰과 명상을 통해 '삶과 죽음의 진리'를 깨달으려고 노력한다. 거대한 명제를 삶의 중심에 놓고 고심한다.

고통 없이 영혼을 울리는 예술작품이 탄생되는 경우는 드물다. 그림뿐 아니라 시, 소설, 음악 등 모든 예술의 밑바탕에는 인간의 고통과 비애를 기본재료로 한다. 조개가 무수한 시간의 속앓이를 한 끝에 한 알의 진주를 토해내듯이, 예술가도 끔찍한 고통을 겪어야 한 점의 명작을 잉태한다. 예술은 고통의 또 다른 얼굴이다.

〈예술과 고통〉 중 일부

위의 작품은 창작의 고통을 엿보는 작품이다.

좋은 작품을 창작하기 위해서는 내면에 깊이 파고들어 가야 하므로 자기 자신과의 싸움이 벌어지게 된다. 고통의 과정을 극복해야 작가의 내면이 성장하며 좋은 작품을 선보일 수가 있다.

작품 〈예술과 고통〉에 소개되는 뭉크도 다를 바가 없다. 좋은 작품을 분만하기 위해서는 불안과 불확실성에 시달려야 하므로, 뭉크의 어린 시절과 여러 가지 사건들이 부정적으로 생각되진 않는다. 예술가는 고통을 먹고 사는 존재라서 그 자체가 예술의 양분이 되어준다.

작가 조규호는 〈예술과 고통〉에서 스스로를 '그림의 문외한'이라고 고백한다. 뭉크의 〈절규〉나 〈흡혈귀〉, 또는 〈마라의 죽음〉에서 몸서리를 치며, 누가 공짜로 그 그림들을 준다 해도 곁에 두기가 섬뜩하다고 한다. 그러면서도 그림의 색상이나 붓질, 여자의 표정에서는 불안과 트라우마가 엿보인다고 평가한다.

작가가 제시했듯, 뭉크는 죽음의 공포와 두려움 때문에 평생을 독신으로 지내면서 그림을 그린 화가다. 심지어 다섯 살 때는 각혈을 하며 죽음과 삶을 넘나드는 어머니를 목격했으며, 그 자신도 어머니처럼 13세 때부터 각혈을 시작했다. 뿐만 아니라, 살고 있는 집 주변에는 정신병원과 도살장이 있어 그의 삶에 영향을 미쳤다고 전해진다.

하지만 뭉크에겐 이처럼 여러 가지 트라우마가 무의식 속에 숨죽이고 있다가 예술적 뮤즈로 나타났다고 할 수 있다. 뭉크는 내면의 불안과 고통을 그냥 그대로 캠퍼스에 옮기며, 인간의 무의식 속에 숨어있는 축축한 그림자를 툭툭 건드렸다. 인간의 본질을 터치했기 때문에 많은 이들에게 공감을 불러

일으켰다.

조규호는 예술의 속성을 잘 이해하는 사람이다. 인생의 절차인 생로병사는 물론 삶과 죽음을 파헤치며 인간의 근원적인 세계를 탐색하고 있어, '예술은 고통의 또 다른 얼굴'이라고 말하는 작가이다.

2000년도 이후 우리 감사원에는 전문화, 보직보강 등을 위해 신규직원이 많이 증원되었다. 출신도 공채 외에 변호사, 회계사, 박사 등 다양했다. 출신이 어떻든 감사원에 첫발을 내딛는 직원들의 꿈은 명감사관名監査官이 되는 것이리라.

〈귀도비법전수鬼盜祕法傳授〉 중 일부

작가 조규호는 감사원에서 30여 년 근무하고 정년퇴직을 한 사람이다.

사전적 정의에 의하면, 감사원은 국가의 세입·세출의 결산, 그리고 국가 및 법률이 정한 단체의 회계검사와 행정기관 및 공무원의 직무를 감찰하는 대한민국 중앙행정기관이다. 국가의 기강을 바로잡느라 숨이 막힐 듯한 감사원에서 정년까지 근무하면서도, 끝이 없는 사색과 독서를 하며 심도 있는 글을 쓸 수 있는 내공을 지녔다는 것이 대단하다.

감사원만 아니라, 그 어느 직장이든 신규직원들은 꿈과 희망을 품고 입사한다. 감사원의 신규직원들처럼 명감사관名監査官이 되기 위해 밤잠을 설치며 고민한다. 그러한 그들은 신규직원으로서 선배 직원에게, '어떻게 하면 감사를 잘할 수 있느냐'고 묻는 것은 당연하다.

이때 대부분의 선배 감사관도 신규직원에게 그 노하우를

쉽게 알려주려고 노력한다. 그런데 작가 조규호는 이 경솔한 방법에 문제를 제기하고 있다. 쉬운 노하우는 선배가 '달을 보라고 손가락질하는 순간 손가락에 집착하다 보면, 달을 놓치는 우를 범하기 쉽다'고 염려하며, 제갈량의 처세술인 '소이부답笑而不答이 진수眞髓에 가깝다'고 여기고 있다.

그 현상은 선禪수행에서 말하는 '길 없는 길'과 같으므로, 명감사관名監査官이 되는 길은 그 어디에도 없어서 스스로 헤쳐 나가야 한다고 말하고 있다. '지극한 진리는 지식이나 지능보다 직관이나 지혜에서 나오기 때문'이라고 말한다.

위의 작품에 제시된 것처럼, 도둑이 아들이 극한 상황에 처했을 때 고양이 울음소리를 내며 장롱에서 도망쳐 나오듯, 눈앞에 직면한 문제해결을 위해 '화두일념話頭一念으로 혼신의 힘을 기울일 때, 거기에 바로 명감사관이 되는 비법이 전수된다'며 깨달음을 주고 있다.

> 우주의식으로부터 떨어져 나온 우리 인간의 영혼이 다시금 우주의식과 합일하기 위한 여정은 멀고도 힘든 암흑의 여정이다. 일찍이 깨달은 선각자들은 우리의 영혼이 우주의식과 떨어진 적이 없다고 하지만, 아직까지 대부분 인간은 무슨 말인지조차 깨닫지 못한다(중략). 인간은 우주를 떠도는 영혼의 방랑자들이기에.
>
> 〈영혼의 방랑자〉 중 일부

'방랑자'는 정한 곳 없이 이리저리 헤매며 떠돌아다니는 사람을 의미한다. 그 방랑자 속에는 영靈과 육肉의 방랑이 포함이 되어있다. 그런데 작가 조규호 작품에는 '영혼의 방랑자'에 중점을 두고 있다.

작품을 읽어보면 우주는 쉬지 않고 장대하게 흘러가고 있음을 깨닫게 한다. 그 흐름 속에는 인간이 존재하고 있음도 인식하게 한다. 그런데 작가는 글의 서문에서 '과연 우주에도 의식이란 것이 있을까'라며 문제를 제기한다.

유일신을 믿는 사람들은 절대신이 우주를 만들었다고 하지만, 신비주의자들은 우주 흐름의 주체를 우주의식이라고 칭하고 있다. 우주의식眞我은 다름 아닌 신神 내지 신성神性이라고 이해가 된다. 신비주의자들은 우주의식이 인간에게도 투영되어 '참나'眞我를 형성한다고 말하기에 이른다.

그러나 인간은 '참나'를 지키지 못하고 우주의식과는 멀어진 것이 문제로 나타나고 있다. 인간은 희로애락이라는 먼지에 찌들어 순수성을 잃으며 업業이라고 할 수 있는 - 카르마에 얽힐 수밖에 없었으니, 그 카르마는 '참나'를 흐리게 하여 우주의식과 멀어지게 하는 주체로 나타나고 있다.

그래서 인간에겐 우주의식을 그리워하며 '참나'를 찾아 헤매는 본성이 있으니, 존재에 대해 고민하는 작가 조규호도 '영혼의 방랑자'가 되어, '참나'와 우주의식 사이에서 헤매고 있음을 알 수 있다.

과연 우주의식이란 무엇인가. 그 의식은 편견 없이, 있는 그 자체로 투명하게 직접 느끼는 것이라고 했다. 카르마를 짓는 개별의식이 개인적 또는 주관적인 것이라면, 우주의식은 때가 전혀 묻지 않은 진아眞我의 세계임을 깨닫게 한다.

인간의 본성은 우주의식에 다가가려고 노력은 하지만, 몇몇 선각자를 제외하고는, 여태껏 그 누구도 그 경지에 이른 사람이 없다. 그래서 작가 조규호처럼 무의식적으로 카르마를 소멸시키려고 부단히 노력할 뿐이다. 차라리 자의식이 없던 시절, 어머니의 탯줄에 대롱대롱 매달려 숨을 헐떡이던 시절을 그리워할 뿐이다. 그것은 그 누구도 해결해 줄 수 없는 삶의 큰 숙제로서, 불교에서 제시하는 윤회에 의지해야 하는 것인지 모르겠다.

## 3. 마무리하며

작가 조규호의 성향이 드러나는 몇몇 작품들을 살펴보았다.

그 저력은 하루아침에 이루어진 것이 아니라 작가의 성향이기도 하고, 그 외에도 그 어떤 계기, 또는 다양한 철학서를 탐독한 후, 내면 깊숙이 형성된 내공이 있을 때 가능할지 모르겠다. 그때 비로소 보이지 않는 세계를 보는 것처럼 글을 쓰기도 하고, 지성적인 세계와 그 내부에 맴도는 특유의 에너지를 바탕으로 삼아, 남과 다른 글 밭 세계를 일구어 나갈 수 있다.

작가 조규호의 성향은 마침내 존재에 대한 물음과 삶과 죽음에 대한 성찰 그리고 응시, 이런저런 모습으로 펼쳐지는 세상사 엿보기, 인간의 삶을 예시해 준 신화 엿보기, 그리고 존재에 대한 명상, 종교에 대한 물음, 그중에서도 삶과 죽음에 대한 문제에 천착하는 것이 특징으로 나타난다.

그러나 작가의 실체를 좀 더 투명하게 투영시키는 부분도 없지 않아, 가족과 주변에 대하여 글을 쓰기도 했다. 어쨌든 390페이지에 이르는 글이 철학적, 논리적, 직관적, 학술적, 객관적, 비평적, 관조적, 명상적 작품들이 대부분이라, 문체가 강건체로 나타날 때가 있었으나, 그래도 요소요소 자기 투영적인 내용들도 없지 않아, 그 경계선을 극복해 가며 독자들을 끌어안고 있다.

하지만 작가 조규호는 우주라는 공간을 헤매며 미아의 영혼이 된 채, 고독한 섬에 갇혀있음을 느끼게 한다. 그 사색의 섬을 유랑하고 있어 남과는 현저하게 다른 글의 세계를 보여주는 것이 특징으로 나타난다.

"철학적 명상적 수상집, 『영혼의 방랑자』 발간을 진심으로 축하합니다!"